Votre version numérique

offerte

**pour l'achat
d'un livre imprimé***

**Bénéficiez d'un accès immédiat
à votre version numérique
en commandant sur
www.editions-eni.fr**

Demandez
votre accès gratuit
au **livre numérique**

▶ ▶ ▶ livrenumerique@eni.fr

Editions

Microsoft®

PROJECT
2010

Copyright - Editions ENI - Mai 2011
ISBN : 978-2-7460-6449-2
Imprimé en France

Editions ENI

Rue Benjamin Franklin
44800 St HERBLAIN
Tél. 02.51.80.15.15
Fax 02.51.80.15.16

e-mail : editions@eniENI.com
http://www.editions-eni.com

Auteur : Béatrice DABURON
Collection dirigée par Corinne HERVO

Véritable label de qualité, l'agrément Microsoft Partner Network - Gold Formations permet d'identifier les partenaires formation Microsoft qui répondent aux exigences les plus strictes. Bénéficiant de la confiance et du support de Microsoft, ils sont les experts tout indiqués pour apporter les solutions de formation les plus performantes.

Avant-propos

Cet ouvrage pratique est destiné à tout utilisateur de Microsoft Project 2010. Il a été conçu avec la version Microsoft Project 2010 Professional, sous environnement Windows 7 ; les outils de collaboration (via Project Server 2010 et/ou SharePoint) ne sont pas abordés dans cet ouvrage. Il a été conçu pour vous permettre de retrouver facilement les options à activer et les manipulations à effectuer pour réaliser telle ou telle opération. Cet ouvrage est composé de dix parties.

Commandes permettant l'envoi de messages électroniques à partir de l'application Project via un logiciel de messagerie, ainsi que les techniques d'import/export de données.

Vous trouverez en **annexe** la liste des indicateurs graphiques ainsi que la liste non exhaustive des combinaisons de touches disponibles. De plus, les dernières pages de cet ouvrage présentent un **index thématique** qui sera fort utile pour retrouver rapidement les manipulations correspondant à tel ou tel thème.

Conventions typographiques

Pour que l'utilisateur puisse plus facilement retrouver et interpréter les informations qui l'intéressent, nous avons adopté les conventions typographiques suivantes.

Ces styles de caractère sont utilisés pour :

gras   indiquer une option du menu ou d'une boîte de dialogue à activer.

italique   un commentaire introduisant la manipulation ou explicitant les modifications visibles sur votre écran.

`Ctrl`   symboliser les touches du clavier sur lesquelles vous devez appuyer ; lorsque deux touches sont placées l'une à côté de l'autre, vous devez appuyer simultanément sur les deux touches.

Les symboles suivants introduisent :

↰ la manipulation à exécuter (activer une option, cliquer avec la souris...).

☞ une remarque d'ordre général sur la commande en cours.

 une astuce à connaître et à retenir !

Table des matières

La gestion de projets

Les fichiers

Table des matières

Les projets

⊟ Projet

⊟ Projets liés/consolidés

⊟ Partage des ressources

Les affichages et l'impression

⊟ Diagramme de Gantt

⊟ Organigramme des tâches

⊟ Mode Calendrier

⊟ Barre Chronologie

⊟ Affichage personnalisé

Table des matières

Personnalisation : impressions et rapports

Les tables

Gestion des tables

Gestion des cellules

Filtres

Les projets pilotés par les tâches

Définition des tâches

Table des matières

Gestion des tâches

Optimisation du réseau

Table des matières

Les ressources

⊟ Définition des ressources

⊟ Affectation des ressources

Table des matières

Gestion des affectations

Optimisation des affectations

Les coûts

Coûts

Table des matières

Le suivi

⊟ Suivi du projet

⊟ Suivi des tâches

Suivi des ressources

Suivi coûts/travail global

La communication

Messagerie électronique

Import/Export

Table des matières

Annexes

Définir la gestion de projets

L'A.F.N.O.R. définit un PROJET comme étant : "un effort unique mettant en œuvre des moyens (humains, matériels ou services) pour atteindre un objectif dans des délais fixés".

L'ensemble des tâches nécessaires à la réalisation de l'objectif d'un projet représente la PORTÉE de ce projet. Sa durée totale qui correspond à la durée et au déroulement de chacune de ses tâches représente les PRÉVISIONS. Et les personnes et/ou équipements qui effectuent ou aident à la réalisation des tâches d'un projet, représentent quant à elles, les RESSOURCES.

Après avoir planifié, organisé et contrôlé les tâches d'un projet et bien sûr identifié les ressources nécessaires à sa réalisation, il est indispensable de **gérer le projet** c'est-à-dire de maintenir l'équilibre entre la PORTÉE, les PRÉVISIONS et les RESSOURCES afin d'accomplir toutes les tâches du projet avant ou à la date limite du projet.

Concrètement, pour maîtriser une bonne gestion de projets, Microsoft Project 2010 vous permet de planifier le projet et d'en assurer le suivi et la gestion, mais vous devrez au préalable définir vous-même le projet et en définir les objectifs et les limites, tels que le nombre de ressources disponibles ou le budget.

Exploiter les techniques de gestion de projets

En 1917, Henry L. Gantt, ingénieur américain assistant de Frédérick Taylor, doit organiser la production d'un atelier. Dans ce but, il développe un système de représentation graphique des activités sur une échelle de temps : le diagramme à barres. Aujourd'hui, on parle de **Diagramme de Gantt**.

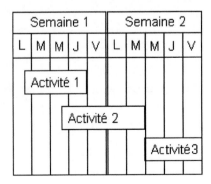

Dans les années 1950, les sociétés Dupont de Nemours et Remington Rand cherchent une technique qui permette de gérer au mieux un grand nombre de tâches liées entre elles. En 56/57, Morgan Walker et James Kelley mettent au point un algorithme de calcul, le **CPM** (*Critical Path Method*). Il permet de calculer la durée totale d'un projet à partir de la durée de chaque tâche et des liaisons existant entre les différentes activités du projet.

Parallèlement au CPM, la méthode **PERT** (*Program Evaluation and Review Technique*) est créée par la marine américaine pour l'élaboration de ses missiles Polaris. Cette technique met graphiquement en évidence les relations entre les tâches, sous forme d'Organigramme des tâches.

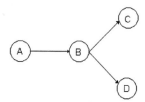

Dès 1958, le calcul mathématique du CPM (devenu Chemin critique) est appliqué au PERT. Par ce raisonnement, toute modification de la durée d'une tâche située sur ce chemin entraîne une modification dans la date de fin du projet.

Adoptée par la marine américaine, cette dernière estime n'avoir passé que cinq ans sur le projet Polaris au lieu des sept prévus.

Aujourd'hui on conjugue les trois techniques. Un Gantt affiche les relations entre les tâches (réseau PERT ou Organigramme des tâches) et peut aussi afficher le chemin critique (méthode du CPM).

Planifier un projet

Pourquoi planifier ?

Planifier demande du temps, de la rigueur et de l'expérience, mais c'est un facteur clé du succès du projet.

La planification, réalisée avant le lancement du projet, présente la manière dont le chef de projet souhaite atteindre l'objectif.

Le plan n'est pas ce qui va se passer mais ce que l'on veut voir arriver. Il sert à présenter à tous les intervenants ce qui devrait se passer, quand et comment. Il permet donc à chaque acteur de se situer dans le projet et de prendre conscience de son rôle.

La planification n'a un intérêt que si le plan est mis à jour régulièrement.

Cinq étapes constituent les points clefs de toute planification.

Planifier les points clés

1ère étape : Dresser la liste des tâches et des jalons.

2ème étape : Déterminer les relations entre les tâches.

3ème étape : Estimer la durée de chaque tâche.

4ème étape : Construire le réseau.

5ème étape : Optimiser le réseau.

Ces cinq étapes constituent la base minimale de toute planification de projet. En fonction du type de projet, vous pouvez y ajouter des ressources humaines ou naturelles. Dans ce cas, plusieurs phases complémentaires d'analyse seront nécessaires. Celles-ci feront l'objet d'une étude ultérieurement dans cet ouvrage.

Lister les tâches et les jalons

Définir une tâche (ou activité)

C'est la description du travail à mener pour obtenir un résultat précis.

Exemple : Ecrire le mode d'emploi de l'appareil.

La réalisation d'une tâche peut être confiée à une ou plusieurs RESSOURCES.

Plus une tâche est explicite, plus on peut estimer au mieux les MOYENS à mettre en œuvre pour la réaliser.

Il ne faut donc pas hésiter à remplacer une tâche par deux ou trois plus détaillées. Il faut toutefois se limiter à un niveau de détail raisonnablement utile.

Exemple :

Description trop globale	Description raisonnable	Description trop détaillée
Mode d'emploi	Écriture Saisie Mise en page	Ecriture intro Ecriture corps ...

Pour définir la liste des tâches d'un projet, vous disposez de deux méthodes :

- la **planification descendante** qui consiste à identifier tout d'abord les principales phases sous forme de "tâche récapitulative" d'un projet, puis ensuite à créer toutes les tâches nécessaires à la réalisation de ces phases.

- la **planification ascendante** qui consiste au contraire, à identifier toutes les tâches de bas niveau, puis à les organiser en phases.

Le choix d'utiliser l'une ou l'autre de ces méthodes (ou les deux à la fois...) dépend bien sûr de votre capacité à pouvoir identifier dans un premier temps les tâches de bas niveau ou seulement les grandes phases du projet.

Définir un jalon (ou borne, milestone, événement)

Un jalon représente des objectifs intermédiaires qui permettent de constater l'état d'avancement du projet. Ce peut être la preuve d'un effort accompli, la marque d'un événement extérieur...

Toute tâche d'une durée "zéro", c'est-à-dire, négligeable par rapport à la série d'activités qui l'encadre, est automatiquement définie comme jalon.

Tout projet devrait afficher une borne de début afin d'identifier son démarrage et une borne de fin pour clôturer le projet.

Réfléchir aux liaisons entre les tâches

Dans un projet, les tâches sont effectuées dans un ordre déterminé. Très souvent, on notera qu'une tâche doit être achevée avant que la tâche suivante ne puisse débuter. Ces deux tâches ont une **liaison** de fin à début. Cela signifie que :

- la seconde tâche doit être effectuée après la première ; c'est ce que l'on appelle une **séquence**.
- la seconde tâche ne peut être accomplie qu'une fois que la première est achevée ; c'est ce que l'on appelle une **interdépendance**.

Dans Microsoft Project 2010, la première tâche est appelée le **prédécesseur** car elle précède les tâches qui en dépendent. La seconde tâche est appelée **successeur**, car elle succède à des tâches dont elle dépend.

Quelques définitions

Un lien décrit donc une relation d'ordre entre les tâches. A priori, un lien n'a pas de durée.

Microsoft Project 2010 offre quatre types de relations entre les tâches :

Fin à début (FD)

 B ne peut pas débuter avant la fin de A.

Début à début (DD)

B ne peut pas débuter avant le début de A.

Fin à fin (FF)

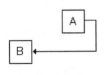

B ne peut pas finir avant la fin de A.

Début à fin (DF)

B ne peut pas finir avant le début de A.

Dans Project 2010, 90% des relations sont de type "Fin à début" ; le lien le plus rare étant le "Début à fin".

Découvrons les techniques utilisées.

Les techniques utilisées

À chaque tâche est attribué un numéro propre qui correspond au numéro de sa ligne.

Pour chaque tâche, la question posée est : pour démarrer cette tâche, de quelle(s) tâche(s) a-t-on besoin ?

Sauf pour la tâche de début et les événements externes, toute tâche doit avoir au moins un prédécesseur.

Estimer la durée des tâches

Décrivons tout d'abord la notion de "durée" en gestion de projets.

Décrire la durée

⊡ La **durée** est la quantité de temps entre le DÉBUT et la FIN d'une tâche. La durée totale du projet est calculée selon la différence entre la date de début de la première tâche, et la date de fin de la dernière tâche du projet.

- Elle est fonction du rapport entre la quantité de travail demandée et la capacité de disponibilité des moyens affectés à sa réalisation.

- Selon les spécifications de votre projet, Microsoft Projet vous permet d'exprimer la durée des tâches en heures, en jours ou en semaines. Pour cela, il vous suffit de choisir l'unité de mesure correspondante.

  Comment estimer "au mieux" une durée ?

Estimer une durée

- Outre votre expérience personnelle, l'interrogation d'experts..., vous pouvez appliquer la **loi Beta**.

- Pour chaque tâche, prenez les trois durées suivantes : optimiste (Do), pessimiste (Dp) et la plus probable (Dc).

  Calculez (et utilisez alors) la durée moyenne (DM) :

  DM = (Do+Dp+4Dc)/6.

  L'unité de mesure doit être maniable et rester significative par rapport à la tâche.

Construire le réseau

À partir de toutes les informations glanées, une représentation graphique peut être envisagée.

Représenter graphiquement les données

- Représentez graphiquement les données sous forme d'organigramme de tâches (PERT) : les tâches sont présentées dans des boîtes et des flèches matérialisent les liaisons.

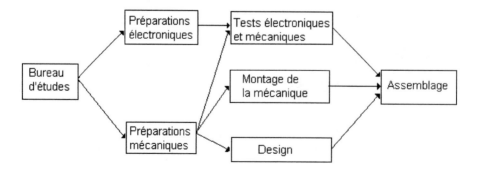

Calculer la durée totale du projet

Le calcul se fait en deux séquences successives, après omission des jalons.

⊡ Première séquence :

Elle détermine pour chaque tâche sa date de début au plus tôt. Dans la majorité des cas, le calcul est uniquement fait en fonction des liaisons.

Lorsqu'une activité a plusieurs prédécesseurs, on prend celui qui se termine le plus tard.

N°	Tâches	Préd.	Durées	Début au plus tôt (début de la semaine)	Fin au plus tôt (fin de la semaine)
1	Bureau d'études		18s	1	18
2	Préparations électroniques	1	30s	19	48
3	Préparations mécaniques	1	20s	19	38
4	Tests électroniques et mécaniques	2;3	50s	49(i)	98
5	Montage de la mécanique	3	45s	39	83
6	Design	3	35s	39	73
7	Assemblage	4;5;6	22s	99	120

(i) Les tests ne commencent que lorsque les deux tâches de préparation sont terminées ; l'une finissant à la fin de la semaine 48 et l'autre à la fin de la semaine 38, les tests ne peuvent commencer qu'au début de la semaine 49.

⊡ Deuxième séquence :

On part de la DATE DE FIN au plus tôt et on remonte dans le temps pour calculer les dates de début et de fin AU PLUS TARD.

Ceci permet de déterminer la date à laquelle chaque tâche doit être terminée afin que le projet ne prenne pas de retard.

Pour faciliter ces calculs, il est conseillé d'ajouter la colonne des successeurs.

Lorsqu'il y a plusieurs successeurs, on prend en compte celui qui débute le plut tôt.

N°	Tâches	Durées	Succ.	Début au plus tard (début de la semaine)	Fin au plus tard (fin de la semaine)
1	Bureau d'études	18s	2;3	1	18
2	Préparations électroniques	30s	4	19	48
3	Préparations mécaniques	20s	4;5;6	29	48
4	Tests électroniques et mécaniques	50s	7	49	98
5	Montage de la mécanique	45s	7	54	98
6	Design	35s	7	64	98
7	Assemblage	22s		99	120

Équilibrer le réseau

Tout équilibrage prend en compte une notion importante, la notion de chemin critique et de marges.

Découvrir le chemin critique

On appelle "chemin critique" une série de tâches qui vont allonger la durée totale du projet si elles sont retardées. Contrairement à ce que l'on pourrait penser, il est important de noter que ce chemin dit "critique" n'a rien à voir avec l'importance de ces tâches dans l'ensemble du projet, mais qu'il qualifie uniquement l'incidence de celles-ci sur la date de fin du projet.

Néanmoins, dans la plupart des projets, la date de fin est "critique". De ce fait, si vous souhaitez réduire la durée du projet pour avancer sa date de fin, vous commencerez par réduire le chemin critique.

Le chemin critique d'un projet peut être amené à changer de temps en temps, notamment lorsque des tâches s'achèvent avant ou après la date prévue. D'autres événements peuvent avoir une incidence sur le chemin critique d'un projet, comme par exemple, certaines modifications à la planification telles que l'affectation de ressources à des tâches.

Généralités

Lorsqu'une tâche du chemin critique est achevée, elle n'est plus critique car elle ne peut plus avoir d'incidence sur la date de fin de projet.

Découvrons désormais la notion de marge (ou flottement) qui est une des clés pour bien comprendre ce qu'est un chemin critique.

Définir les marges

Une marge est la période pendant laquelle une tâche peut glisser dans le temps sans affecter les dates d'une autre tâche ou la date de fin du projet. On différencie la MARGE TOTALE de la MARGE LIBRE.

Marge totale Il s'agit de l'intervalle de temps pendant lequel une tâche peut être retardée sans pour autant retarder la date de FIN DU PROJET. C'est la différence entre la date de début au plus tard et la date de début au plus tôt de chaque tâche.

N°	Tâches	Début au plus tard	Début au plus tôt	Marge totale
1	Bureau d'études	1	1	0
2	Préparations électroniques	19	19	0
3	Préparations mécaniques	29	19	10
4	Tests électroniques et mécaniques	49	49	0
5	Montage de la mécanique	54	39	15
6	Design	64	39	25
7	Assemblage	99	99	0

Marge libre Elle représente l'espace de temps pendant lequel on peut retarder une tâche sans retarder d'AUTRES TÂCHES. C'est la différence entre la date de début au plus tôt du successeur le plus précoce -(moins) 1 et la date de fin au plus tôt de la tâche.

Le fait de soustraire 1 au numéro de semaine permet de réajuster les données en fonction de la fin et du début de la semaine.

Par exemple la tâche N°1 se termine fin semaine 18 et la tâche N°2 commence début semaine 19, il y a donc aucune marge entre ces deux tâches = (19 - 1) - 18 = 0.

N°	Tâches	Successeur le plus précoce	Début au plus tôt du successeur	Date de fin au plus tôt de la tâche	Marges libres
1	Bureau d'études	2 et 3	18	18	0
2	Préparations électroniques	4	48	48	0
3	Préparations mécaniques	5 et 6	38	38	0
4	Tests électroniques et mécaniques	7	98	98	0
5	Montage de la mécanique	7	98	83	15
6	Design	7	98	73	25
7	Assemblage		98	98	0

Si la tâche n'a pas de successeurs, la marge libre est alors identique à la marge totale.

⊡ La suite des tâches ayant une marge totale égale à zéro, définit le CHEMIN CRITIQUE. Tout changement dans la durée de l'une de ces tâches a un effet immédiat sur la date de FIN DU PROJET. On appelle ces tâches, les TÂCHES CRITIQUES.

⊡ À l'inverse, les tâches non-critiques ont de la marge. Elles peuvent donc débuter ou s'achever plus tôt ou plus tard sans que cela n'ait d'incidence sur la date de fin du projet.

En phase d'optimisation d'un projet, on recense toutes les liaisons pour vérifier si elles ne sont pas soumises à des délais.

Vérifier les délais sur les liaisons

Fréquemment, les liaisons sont soumises à des délais qui peuvent être des AVANCES ou des RETARDS.

Exemple de retard : on pose le vernis une semaine après la fin de la teinte.

Exemple d'avance : on peut commencer une fabrication une semaine avant la fin des études générales.

✍ Il est primordial pour un responsable de projet de savoir travailler sur le chemin critique, car c'est la façon la plus efficace de gérer la durée totale d'un projet.

Gérer le temps à travers les calendriers

Les calendriers sont des éléments capitaux dans la gestion de projets par Microsoft Project. Il est important d'en comprendre le principe pour mieux appréhender la construction d'un projet.

Pour que Microsoft Project puisse planifier les tâches en tenant compte des horaires des ressources ou des groupes de ressources, il dispose en fait de plusieurs types de calendriers, chacun étant associé à un élément différent (tâche, ressource...).

Les calendriers de base

Les **calendriers de base** définissent des ensembles de périodes et de jours ouvrés et chômés. Ils peuvent être utilisés pour le calendrier de projet et les calendriers de tâches, et servir de base pour les calendriers de ressources. Project propose trois calendriers de base par défaut : **Standard, 24 Heures** et **Equipe de nuit**. Le calendrier **Standard** correspond aux jours ouvrés traditionnels, du lundi au vendredi, de 9 h à 18 h avec deux heures de déjeuner. Le calendrier **24 Heures** est un calendrier sans aucune période chômée. Et le calendrier **Equipe de nuit** couvre une période de travail d'équipe du lundi soir jusqu'au samedi matin de 23 h à 8 h avec une heure de pause (à 3 h du matin).

Les calendriers du temps travaillé

Le **calendrier de projet** indique les horaires de travail par défaut pour toutes les ressources affectées au projet. Par défaut, Project affecte le calendrier de base Standard en tant que calendrier de projet.

Les **calendriers de ressources** sont à l'origine identiques au calendrier de projet **Standard** mais vous pouvez les personnaliser afin qu'ils contiennent les prévisions de travail pour une ressource donnée (bien qu'il puisse contenir les prévisions de travail pour un ensemble de ressources, comme par exemple "les peintres"). Le calendrier de ressource, fondé sur un calendrier de base, contient alors les exceptions au calendrier de base.

Lors de l'affectation d'une ressource à une tâche à durée fixe, Microsoft Project 2010 utilise les informations du calendrier des ressources pour calculer le volume de travail de cette ressource. Si la ressource est affectée à une tâche à travail fixe ou une tâche à capacité fixe, le calendrier de ressources ne permet pas de déterminer le volume de travail.

Les **calendriers de tâches** contiennent les périodes ouvrées de tâches individuelles. Ces calendriers vous permettent de ne pas utiliser les périodes ouvrées du calendrier de projet ou celles du calendrier de ressources. Contrairement aux calendriers de ressources, Microsoft Project ne crée pas automatiquement de calendriers de tâche à la création d'une tâche puisque par défaut, Project prévoit la tâche en fonction du calendrier de projet. En cas de besoin, vous devez appliquer le calendrier de tâches de votre choix. Mais attention, si un calendrier de tâche est appliqué et que des ressources sont affectées à une tâche, la tâche est alors prévue par défaut dans les périodes ouvrées communes au calendrier des tâches et aux calendriers des ressources ! Vous pouvez bien sûr demander à Project de ne tenir compte que du calendrier des tâches, pour cela, vous devrez activer l'option **Les prévisions ignorent les calendriers des ressources** de la boîte de dialogue **Informations sur la tâche** (cf. Les projets pilotés par les tâches - Définition des tâches - Gérer le calendrier de tâche).

Chaque calendrier hérite des jours et des heures ouvrés et chômés du calendrier sur lequel il est basé ! C'est ainsi que les modifications apportées au calendrier de base sont répercutées dans les calendriers des ressources qui en dépendent. Donc si vous modifiez le statut d'un jour sur le calendrier du projet (en le rendant chômé, par exemple), et bien vous modifiez les horaires de travail de toutes les ressources affectées à ce calendrier en même temps. Cela peut également modifier les prévisions de n'importe quelle tâche affectée à ces ressources et prévue pour ce jour.

Project 2010 : environnement

Lancer/quitter MS Project 2010

Lancer MS Project 2010

⊟ À partir de la barre des tâches de Windows, cliquez sur le bouton **Démarrer** ().

⊟ Faites glisser le pointeur sur l'option **Tous les programmes**, cliquez ensuite sur **Microsoft Office** puis sur **Microsoft Project 2010**.

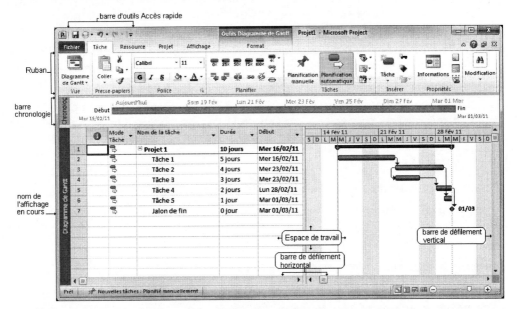

*L'**Espace de travail**, appelé aussi **affichage**, varie selon le travail en cours. Microsoft Project propose de très nombreux affichages, mais le plus souvent, on en utilise un seul à la fois. Généralement, le démarrage de Project active la visualisation des tâches d'un projet ; et, plus spécifiquement, dans un affichage nommé **Diagramme de Gantt**. Dans ce cas, la partie gauche est une Table, la Table "**Entrée**" dont la première colonne s'intitule **Indicateurs** suivie de la colonne **Nom de la tâche** (cette table contient plusieurs colonnes accessibles par sa barre de défilement horizontal). Sa partie droite constitue le **Planning**, planning dans lequel est englobée la date du jour de votre ordinateur.*

La Table (partie gauche) présente les tâches du projet sous forme de liste et le Planning (partie droite) les présente sous forme de barres de longueur proportionnelle à leur durée, placées le long d'une échelle de temps pour représenter leur situation dans la durée du projet.

*La barre **Chronologie** présente la planification du projet.*

*MS Project 2010 adopte désormais la nouvelle interface des logiciels Microsoft apparue avec MS Office 2007. En effet, les menus et les barres d'outils ont été remplacés par le **Ruban** qui regroupe les commandes en groupes logiques et adaptés aux besoins immédiats de l'utilisateur (cf. Utiliser/gérer le Ruban).*

*La barre d'outils **Accès rapide** contient les outils les plus fréquemment utilisés. Vous pouvez la personnaliser en l'affichant sous le ruban ou en y ajoutant de nouveaux outils (cf. Personnaliser la barre d'outils Accès rapide).*

Si lors du lancement de Microsoft Project 2010, vous souhaitez que le dernier fichier utilisé soit ouvert, cochez l'option **Ouvrir le dernier fichier au démarrage** (onglet **Fichier** - option **Options** - catégorie **Options avancées** - zone **Général**).

Quitter MS Project 2010

Fichier - Quitter ou clic sur le bouton ❎ de la fenêtre d'application ou `Alt` `F4`

Si demandé, choisissez d'enregistrer ou non les dernières modifications apportées au(x) fichier(s) en cours.

Utiliser la barre Affichage

Les utilisateurs des versions anciennes de Project regretteront peut-être l'absence de la barre Affichage, qui donne accès rapidement, rappelons-le, aux commandes principales de l'application. Sachez qu'il est toujours possible de l'afficher.

Pour afficher ou masquer la barre Affichage, faites un clic droit sur la bande située à gauche de l'écran (qui indique le nom de l'affichage en cours), puis cliquez sur l'option **Barre Affichage** du menu contextuel.

Sachez que cette barre ne peut pas être déplacée.

Project 2010 : environnement

Utiliser/gérer le ruban

Rappelons que les menus et les barres d'outils des anciennes versions Project ont été remplacés dans Project 2010 par le Ruban. Le ruban est composé de 5 onglets principaux : Fichier (appelé aussi Backstage), Tâche, Ressource, Projet, Affichage ; et selon l'affichage en cours, un onglet contextuel apparaît regroupant ainsi les fonctionnalités associées à cet affichage (ex. Outils Diagramme de Gantt pour l'affichage Diagramme de Gantt).

⊡ Si l'affichage du ruban est en mode **réduit** (le symbole ♡ apparaît à droite de la barre d'onglets), cliquez une fois sur un onglet pour afficher son contenu temporairement :

Le ruban apparaît alors en premier plan.

Pour fixer le ruban, cliquez alors sur le symbole 📌 visible sur la droite de la barre des onglets ou faites un double clic sur un onglet.

⊡ Si l'affichage du ruban est en mode **développé** (le symbole ⌃ apparaît à droite de la barre d'onglets), cliquez une fois sur un onglet pour afficher son contenu.

Chaque onglet est divisé en plusieurs groupes. Par exemple, dans l'onglet Ressource, les commandes sont réparties dans cinq groupes : Vue, Affectations, Insérer, Propriétés et Audit.

⊡ Pour réduire temporairement le ruban afin de disposer de plus d'espace à l'écran, cliquez sur le symbole **Réduire le Ruban** ⌃ ou utilisez le raccourci-clavier `Ctrl` `F1`.

Seuls les onglets restent visibles à l'écran permettant ainsi d'augmenter la taille de la fenêtre du document.

⊡ Pour afficher à nouveau le ruban en entier, cliquez sur un onglet ou utilisez le raccourci-clavier `Ctrl` `F1`.

⊡ Pour réduire le ruban de façon permanente, cliquez sur le symbole **Réduire le Ruban** 🔼. Pour utiliser le ruban lorsqu'il est réduit, cliquez sur l'onglet que vous voulez utiliser, puis sur l'option ou la commande voulue.

⊡ Pour afficher la boîte de dialogue associée à un groupe, cliquez sur le bouton 🔲 visible dans la partie inférieure droite du groupe de commandes concerné.

👌 Un menu contextuel apparaît lorsque vous cliquez avec le bouton droit de la souris sur un élément quelconque de l'écran ; il affiche uniquement les commandes pouvant être appliquées à cet élément.

Découvrir l'onglet Fichier (mode Backstage)

*L'onglet **Fichier** active le mode Backstage (environnement graphique) et propose les commandes de base de gestion de fichiers de projet (ouvrir, enregistrer, imprimer...) disponibles auparavant dans le menu **Fichier** des versions précédentes de Project.*

⊡ Cliquez sur l'onglet **Fichier**.

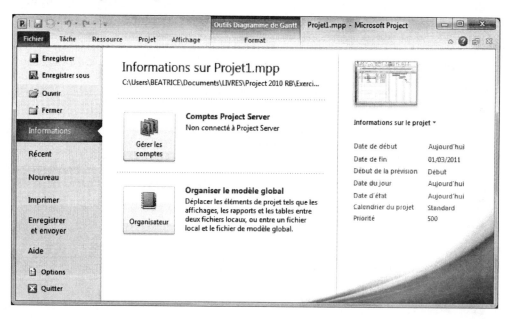

Vous activez ainsi le mode Backstage : le fichier de projet en cours est momentané-ment masqué par une nouvelle fenêtre.

Project 2010 : environnement

Le volet gauche de cette nouvelle fenêtre donne accès aux fonctions de base de Project (**Enregistrer, Enregistrer sous, Ouvrir, Fermer, Imprimer, Quitter...**).

Selon la fonction choisie, un certain nombre d'options peuvent vous être proposées dans la partie droite de la fenêtre ; par exemple, pour la fonction **Nouveau** vous pouvez choisir de créer un **Nouveau projet** ou d'utiliser un des **Modèles récents** ou de télécharger un des modèles du site Internet **Office.com**...

⊡ Pour refermer l'onglet **Fichier** sans valider d'option, cliquez sur l'onglet **Fichier**.

Personnaliser le ruban

⊡ Cliquez sur l'onglet **Fichier** puis sur **Options**.

⊡ Cliquez sur le bouton **Personnaliser le Ruban** du volet gauche.

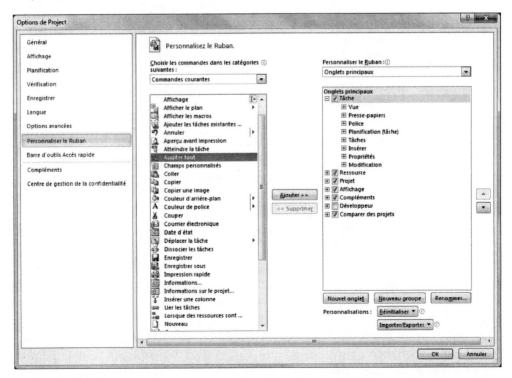

*Les onglets précédés d'une coche dans la colonne **Personnaliser le Ruban** s'affichent "par défaut" dans le ruban.*

⊟ Cliquez sur le petit + associé au nom d'un onglet pour afficher la liste des groupes qu'il contient.

⊟ Pour ajouter un onglet et un groupe personnalisés, cliquez sur le bouton **Nouvel onglet**.

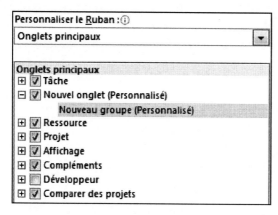

*Notez qu'un **Nouveau groupe (Personnalisé)** est automatiquement intégré au **Nouvel onglet (Personnalisé)**.*

⊟ Pour ajouter un nouveau groupe personnalisé à un onglet, cliquez sur le nom de l'onglet dans lequel vous souhaitez ajouter le nouveau groupe puis cliquez sur le bouton **Nouveau groupe**.

⊟ Pour renommer un onglet ou un groupe, cliquez dans la colonne **Personnaliser le Ruban** sur l'élément concerné puis sur le bouton **Renommer**. Saisissez le nouveau nom.

S'il s'agit d'un groupe, vous pouvez également lui associer un **Symbole** en cliquant sur l'icône souhaitée.

Cliquez sur le bouton **OK** pour valider.

⊟ Pour ajouter des commandes à un groupe personnalisé, cliquez dans la liste **Personnaliser le Ruban** sur le groupe dans lequel vous souhaitez ajouter une commande.

Vous pouvez ajouter une commande à un groupe personnalisé se trouvant dans un onglet (personnalisé ou par défaut) ; par contre, il est impossible d'ajouter une commande à un groupe par défaut.

⊟ Cliquez alors dans la liste **Choisir les commandes dans les catégories suivantes** sur la commande souhaitée puis cliquez sur le bouton **Ajouter**.

⊡ Renouvelez cette dernière opération pour chaque commande à insérer.

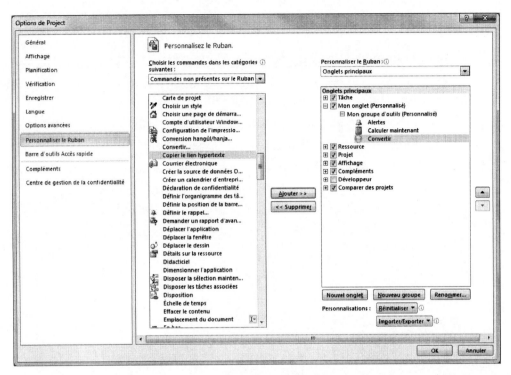

⊡ Pour supprimer un onglet, un groupe personnalisé ou une commande, cliquez dans la colonne **Personnaliser le Ruban** sur l'élément concerné pour le sélectionner puis cliquez sur le bouton **Supprimer**.

Pour valider votre saisie (création, modification, suppression...), cliquez sur le bouton **OK**.

☼ Pour **Renommer** ou **Supprimer** un onglet ou un groupe personnalisé, vous pouvez aussi faire un clic droit sur l'élément concerné puis cliquez sur l'option correspondante du menu contextuel.

Exporter/importer un ruban personnalisé

Exporter les personnalisations du ruban et de la barre d'outils Accès rapide dans un fichier permet de les importer sur un autre ordinateur.

Exporter les personnalisations du ruban et de la barre d'outils Accès rapide

⊟ Pour exporter un ruban personnalisé, ouvrez la fenêtre **Options de Project** (onglet **Fichier** - option **Options** - catégorie **Personnaliser le Ruban**).

⊟ Cliquez sur le bouton **Importer/Exporter** situé en bas à droite de la fenêtre.

⊟ Cliquez sur l'option **Exporter toutes les personnalisations.**

⊟ Modifiez si besoin le **Nom de fichier** ainsi que son emplacement d'enregistrement.

*Notez que le fichier porte l'extension .**exportedUI** par défaut.*

⊟ Cliquez sur le bouton **Enregistrer.**

⊡ Cliquez sur le bouton **OK** de la fenêtre **Options de Project**.

Importer les personnalisations du ruban et de la barre d'outils Accès rapide

Notez que l'importation d'un fichier de personnalisation du ruban a pour effet de supprimer les personnalisations actuelles du ruban et de la barre d'outils Accès rapide. Avant d'importer les nouvelles personnalisations, nous vous conseillons donc d'exporter les personnalisations actuelles par mesure de sécurité, afin de pouvoir les importer de nouveau si nécessaire.

⊡ Ouvrez la fenêtre **Options de Project** (onglet **Fichier** - option **Options** - catégorie **Personnaliser le Ruban**).

⊡ Cliquez sur le bouton **Importer/Exporter** situé en bas à droite de la fenêtre.

⊡ Cliquez sur l'option **Importer un fichier de personnalisation**.

⊡ Recherchez puis sélectionnez le fichier de personnalisations (extension .exportedUI).

⊡ Cliquez sur le bouton **Ouvrir**.

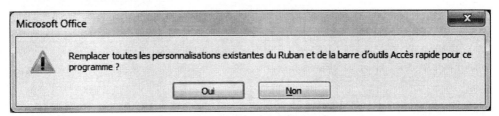

⊡ Cliquez sur le bouton **Oui** à la demande de confirmation.

⊡ Cliquez sur le bouton **OK** de la fenêtre **Options de Project** pour valider les modifications et refermer cette fenêtre.

Déplacer la barre d'outils Accès rapide

⊡ Cliquez sur l'outil **Personnaliser la barre d'outils Accès rapide** ▼ situé à droite de la barre d'outils Accès rapide, puis cliquez sur l'option **Afficher en dessous du ruban**.

✍ Pour placer à nouveau la barre d'outils **Accès rapide** au-dessus du ruban, cliquez sur

l'outil **Personnaliser la barre d'outils Accès rapide** ▼ puis activez l'option **Afficher au-dessus du ruban**.

Personnaliser la barre d'outils Accès rapide

⊟ Cliquez sur l'outil **Personnaliser la barre d'outils Accès rapide** ⬛ puis sur l'option **Autres commandes**.

La boîte de dialogue Options de Project s'ouvre et active la catégorie Barre d'outils Accès rapide.

⊟ Choisissez si la personnalisation concerne tous les projets ou seulement le fichier actif ; pour cela, ouvrez la liste **Personnaliser la barre d'outils Accès rapide** et activez l'option **Pour tous les documents (par défaut)** ou l'option **Pour "Nom du fichier de projet actif"**.

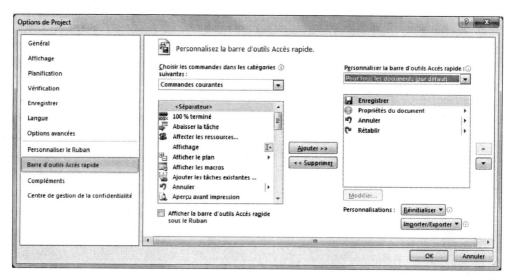

⊟ Apportez vos modifications (cf. sous-titres suivants) puis, lorsque toutes les modifications sont apportées, cliquez sur le bouton **OK** de la boîte de dialogue **Options de Project**.

Ajouter une commande à la barre d'outils Accès rapide

⊟ Ouvrez la liste **Choisir les commandes dans les catégories suivantes** puis cliquez sur la catégorie de commandes contenant la commande à ajouter.

⊟ Dans la liste des commandes de la catégorie sélectionnée, cliquez sur la commande à ajouter.

⊟ Cliquez sur le bouton **Ajouter**.

☼ Vous pouvez aussi afficher la commande souhaitée à partir du ruban, faire un clic droit sur cette commande puis cliquez sur **Ajouter à la barre d'outils Accès rapide** du menu contextuel.

Supprimer une commande de la barre d'outils Accès rapide

⊟ Dans la liste des commandes de la barre d'outils **Accès rapide**, située à droite de la boîte de dialogue, cliquez sur la commande à retirer.

⊟ Cliquez sur le bouton **Supprimer**.

✍ Vous pouvez aussi faire un clic droit sur la commande à retirer de la barre d'outils, puis cliquez (bouton gauche) sur l'option **Supprimer de la barre d'outils Accès rapide** du menu contextuel.

Modifier l'ordre des commandes de la barre d'outils Accès rapide

⊟ Dans la liste des commandes de la barre d'outils **Accès rapide**, située à droite de la boîte de dialogue, cliquez sur la commande à déplacer.

⊟ Cliquez sur le bouton ▲ ou sur le bouton ▼ en fonction du déplacement souhaité.

✍ Pour réinitialiser la barre d'outils **Accès rapide**, cliquez sur le bouton **Réinitialiser** de la boîte de dialogue **Options de Project (Fichier - Options - Barre d'outils Accès rapide)** puis sur l'option **Réinitialiser uniquement la barre d'outils Accès rapide** et confirmez en cliquant sur le bouton **Oui** du message qui s'affiche.

Annuler les dernières manipulations

⊟ Pour annuler la dernière manipulation, cliquez sur l'outil **Annuler** ↺ visible dans la barre d'outils **Accès rapide** ou utilisez le raccourci-clavier Ctrl **Z**.

⊟ Pour annuler les dernières manipulations, cliquez sur la flèche associée à l'outil

Annuler ↺ pour ouvrir la liste des dernières actions puis cliquez sur la dernière des manipulations à annuler (cette action et toutes celles qui ont suivi seront annulées).

Par défaut, Microsoft Project conserve un historique des 20 dernières actions effectuées (onglet Fichier - Options - Options avancées - option Niveaux de la commande Annuler). Mais sachez qu'après certaines actions (ex : enregistrement du projet, modification des propriétés de champ, etc.) la liste des modifications auto-risées est effacée.

Rétablir des manipulations précédemment annulées

⊡ Pour rétablir la dernière action annulée, cliquez une fois sur l'outil **Rétablir** visible dans la barre d'outils **Accès rapide** ou utilisez le raccourci-clavier Ctrl Y.

⊡ Pour rétablir les dernières actions annulées, cliquez autant de fois que nécessaire sur l'outil **Rétablir** visible dans la barre d'outils **Accès rapide**.

Créer un nouveau projet

Après avoir analysé tous les composants de votre projet, les tâches, les ressources, l'échelle de temps, et si besoin est, les coûts s'y rapportant, vous pouvez créer le plan de projet qui va vous permettre de gérer tout ce qui va se passer ou ce que vous souhaitez voir se passer afin d'atteindre un objectif précis.

- Onglet **Fichier** - option **Nouveau** ou Ctrl **N**

- Si vous avez choisi la méthode commande (**Fichier - Nouveau**), faites un double clic sur le bouton **Nouveau projet** situé dans la liste des **Modèles disponibles**.

- Activez l'onglet **Projet** puis cliquez sur l'outil **Informations sur le projet** (groupe **Propriétés**).

- Renseignez la **Date de début** de la planification si vous souhaitez planifier votre projet à partir de cette date. Pour que la planification se fasse à partir de la **Date de fin du projet**, choisissez l'option correspondante dans la liste **Prévisions à partir de**, puis complétez le champ **Date de fin**.

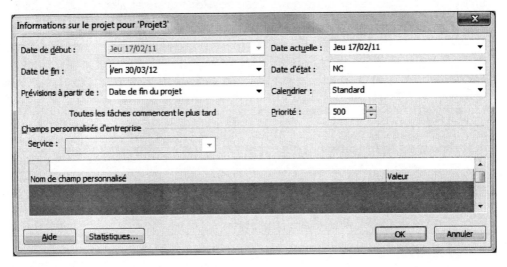

- Validez ou cliquez sur le bouton **OK**.

Enregistrer un fichier Projet

Enregistrer un nouveau fichier

Un fichier Projet qui n'a jamais été enregistré n'a pas de nom (ex : Projet1, Projet2...). Si vous éteignez votre ordinateur alors qu'un fichier n'a pas été enregistré, vous perdez tout ce que vous avez fait dans ce fichier.

⊟ Cliquez sur l'onglet **Fichier** puis sur l'option **Enregistrer** ou cliquez sur l'outil

Enregistrer 🔲 de la barre d'outils **Accès rapide** ou utilisez le raccourci-clavier Ctrl S.

⊟ Sélectionnez dans le volet gauche, si besoin est, l'unité dans laquelle doit être enregistré le fichier Projet.

⊟ Accédez au dossier dans lequel vous souhaitez enregistrer le fichier en réalisant un double clic sur l'icône du dossier et, si besoin, du ou des sous-dossiers ; si vous souhaitez créer un dossier, accédez au dossier dans lequel le nouveau dossier doit être créé et cliquez sur le bouton **Nouveau dossier** ; saisissez alors le nom à attribuer au dossier puis validez.

⊟ Cliquez dans la zone **Nom de fichier** afin d'en sélectionner le contenu (le texte est alors en blanc sur fond bleu) puis tapez le nom que vous voulez attribuer au fichier.

*Par défaut, le **Type** de fichier proposé lors d'un enregistrement est **Projet (*.mpp)**. Selon les options définies dans l'Explorateur Windows, l'extension .mpp n'est pas toujours affichée après le nom du fichier.*

Pour modifier le **Type** de fichier proposé, ouvrez la liste déroulante correspondante puis cliquez sur le format souhaité.

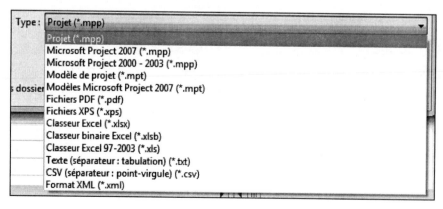

Notez qu'il vous est possible de convertir le fichier aux formats Project 2007, Project 2000 - 2003 afin de pouvoir l'ouvrir et l'exploiter avec une version antérieure de Project. Dans ce cas, les fonctionnalités propres à Project 2010, telles que les tâches planifiées manuellement et les tâches récapitulatives verticales risquent de ne pas apparaître correctement lorsqu'elles seront affichées avec ces versions antérieures de Project.

Pour information, notez également qu'un fichier créé dans Project 2007 ou une version antérieure, peut être ouvert et modifié dans Project 2010 en mode de fonctionnalités réduites.

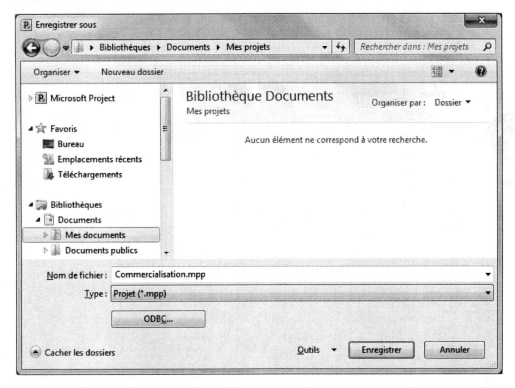

Rappelons que selon les options définies dans l'Explorateur Windows, l'extension .mpp n'est pas toujours affichée à la suite du nom du fichier.

◻ Cliquez sur le bouton **Enregistrer**.

Enregistrer un fichier existant

Lorsque vous travaillez sur un fichier existant, vous lui apportez des modifications. Pour que ces modifications soient conservées, vous devez les enregistrer.

⊟ Cliquez sur l'onglet **Fichier** puis sur l'option **Enregistrer** ou cliquez sur l'outil

Enregistrer 🖫 de la barre d'outils **Accès rapide** ou utilisez le raccourci-clavier Ctrl **S**.

Le fichier Projet est alors enregistré sous le même nom.

☞ Project 2010 permet désormais un enregistrement direct au format PDF, ce qui peut faciliter la communication avec certains utilisateurs/clients.

Ouvrir un fichier Projet

⊟ Cliquez sur l'onglet **Fichier** puis sur l'option **Ouvrir** (ou Ctrl **O**).

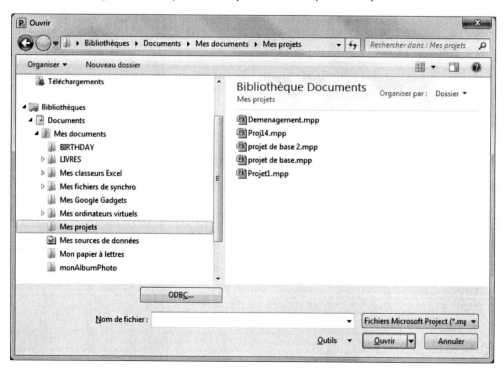

Fichiers projet

Selon les options définies dans l'Explorateur Windows, l'extension .mpp n'est pas toujours affichée.

La barre de titre contient les boutons de navigation, suivis de l'emplacement d'enregistrement du fichier affiché sous forme de liens, puis intègre une zone de recherche (**Rechercher dans**).

*Dans cet exemple, l'emplacement d'enregistrement du fichier est le sous-dossier **Mes projets**, sous-dossier de **Mes documents**, lui-même étant un dossier de **Documents** (Documents est un dossier personnel de l'utilisateur actif). Si la largeur de la fenêtre n'est pas suffisante pour afficher le chemin complet de l'emplacement, le ou les premiers éléments sont remplacés par des chevrons :*

Pour afficher l'intégralité du chemin d'emplacement, vous pouvez agrandir la fenêtre en faisant glisser un des bords.

*Dans le volet gauche de la fenêtre apparaissent les **Favoris**, les dossiers de travail regroupés dans les **Bibliothèques** ainsi que les unités de l'ordinateur et les postes du réseau.*

- ⊡ Pour sélectionner le dossier où est enregistré le fichier, cliquez sur l'un des **Favoris** ou dossiers des **Bibliothèques**, ou bien sur une unité de l'**Ordinateur** ou un poste du **Réseau**...

- ⊡ Faites un double clic sur le dossier d'enregistrement.

  Son contenu s'affiche dans le volet droit.

- ⊡ Pour ouvrir un fichier, faites un double clic sur son nom ; pour ouvrir plusieurs fichiers simultanément, cliquez sur le premier fichier à ouvrir puis :
  - Si les fichiers sont contigus, appuyez sur la touche ⬆ tout en cliquant sur le dernier fichier à ouvrir,
  - Si les fichiers ne sont pas contigus, appuyez sur la touche Ctrl tout en cliquant sur chaque fichier à ouvrir.

- ⊡ Cliquez sur le bouton **Ouvrir** pour ouvrir le ou les fichiers ainsi sélectionnés.

Ouvrir un fichier récemment utilisé

- ⊡ Pour ouvrir rapidement un des derniers fichiers utilisés, cliquez sur l'onglet **Fichier** puis sur **Récent**. Cliquez ensuite sur le nom du fichier à ouvrir visible dans la partie droite de la fenêtre (**Projets récents**).

Par défaut, les 17 derniers fichiers utilisés sont visibles dans cette liste.

Pour conserver un fichier dans la liste des **Projets récents**, cliquez sur le symbole **Ajouter cet élément à la liste** visible à droite du nom du fichier concerné.

Le symbole apparaît alors à droite du fichier concerné ; pour annuler cette manipulation, il vous suffit de cliquer sur ce symbole ; dans ce cas, le document disparaîtra automatiquement lorsqu'il aura atteint la dernière position dans la liste.

Pour modifier le nombre de documents visibles dans la liste des **Projets récents**, ouvrez la boîte de dialogue **Options de Project** (onglet **Fichier** - option **Options**) puis cliquez sur la catégorie **Options avancées** ; spécifiez la valeur souhaitée dans la zone associée à l'option **Afficher le nombre de documents récents** de la zone **Affichage**.

Cinquante documents maximum peuvent être visibles dans cette liste.

Cliquez ensuite sur le bouton **OK**.

Fichiers projet

Modifier l'affichage des fenêtres

Si vous travaillez sur plusieurs projets simultanément, les différentes possibilités d'affichage des fenêtres de Project 2010 peuvent vous être utiles.

⊡ Ouvrez les projets à visualiser.

Bien que plusieurs projets sont ouverts, par défaut, un seul projet est visible, il s'agit alors du projet dit "actif".

⊡ Cliquez sur l'onglet **Affichage**.

⊡ Dans la rubrique **Fenêtre**, cliquez sur l'outil :

Changer de fenêtre pour afficher (rendre actif) la fenêtre Projet de votre choix.

Réorganiser tout pour afficher simultanément tous les projets ouverts. Dans ce cas, l'écran se fractionne en autant de fenêtres qu'il y a de projets ouverts. Cliquez n'importe où sur la fenêtre à activer, et la barre de titre de cette fenêtre fait apparaître alors les boutons de redimensionnement 🔲 et de fermeture ⊠. Pour afficher de nouveau le projet en plein écran (et masquer par conséquent les autres projets), cliquez sur le bouton **Agrandir** 🔲.

Masquer puis sur l'option **Masquer** pour masquer la fenêtre active, ou sur l'option **Afficher** pour visualiser à nouveau le projet masqué au préalable.

Nouvelle fenêtre pour ouvrir la fenêtre de même nom et choisir le projet à afficher dans une nouvelle fenêtre. Ainsi, plusieurs fenêtres peuvent présenter le même projet. Les fenêtres sont alors numérotées (Projet1.mpp :1 ; Projet1.mpp :2 ; Projet1.mpp :3 ; etc) afin de les différencier.

✎ Si plusieurs projets sont affichés simultanément, ou si un ou plusieurs projets sont masqués, vous pouvez utiliser les raccourcis-clavier ⌨Ctrl ⌨F6 pour accéder au fichier projet suivant, et ⌨Ctrl ⌨⇧ ⌨F6 pour accéder au fichier précédent. Immédiatement le fichier choisi passe au premier plan.

Fermer un projet

⊟ **Fichier - Fermer** ou clic sur le bouton ⊠ de la fenêtre de document [Ctrl] [F4].

⊟ Si demandé, choisissez d'enregistrer ou non les modifications apportées au projet en cours de fermeture.

Limiter l'accès à un fichier projet

⊟ Dans la boîte de dialogue **Enregistrer sous (Fichier - Enregistrer sous)**, cliquez sur le bouton **Outils - Options générales**.

⊟ Selon la limitation attendue, utilisez les possibilités suivantes :

- saisir un **Mot de passe protégeant le document** afin que le projet ne puisse être ouvert sans ce dernier,

- taper un **Mot de passe permettant l'accès en écriture** afin qu'en l'absence de ce mot de passe, le projet s'ouvre en lecture seule,

- cochez l'option **Lecture seule recommandée** pour que Microsoft Project 2010 affiche un message d'accès en lecture seule à chaque ouverture du projet.

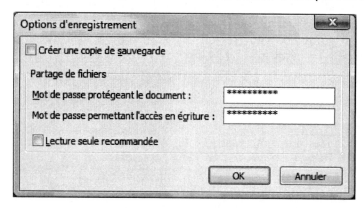

Les caractères des mots de passe sont remplacés par des astérisques.

⊟ Validez ou cliquez sur le bouton **OK**.

⊟ Si demandé, renseignez de nouveau les différents mots de passe avant de valider.

✐ Attention, Microsoft Project différencie les majuscules des minuscules.

Définir les préférences d'enregistrement de fichier

⊟ Onglet **Fichier** - option **Options** - catégorie **Enregistrer**

⊟ Choisissez le type de fichier de projet à utiliser par défaut lors de son enregistrement grâce à la liste déroulante **Enregistrer les fichiers au format suivant** (par défaut le type de fichier est **Projet (*.mpp)**).

⊟ Grâce au bouton **Parcourir** du cadre **Emplacement par défaut,** vous pouvez définir les emplacements d'ouverture et d'enregistrement qui seront utilisés par défaut lorsque vous utilisez la commande **Ouvrir** ou **Enregistrer sous** de l'onglet **Fichier**.

⊟ Pour effectuer un enregistrement automatiquement du ou des projets ouverts, cochez l'option **Enregistrer automatiquement toutes les,** puis précisez la régularité en nombre de **minutes.**

Activez l'option **N'enregistrer que le projet actif** ou **Enregistrer tous les fichiers ouverts** selon le cas. Et enfin, cochez l'option **Confirmer avant tout enregistrement** afin que Microsoft Project 2010 vous consulte avant que l'enregistrement automatique n'ait lieu.

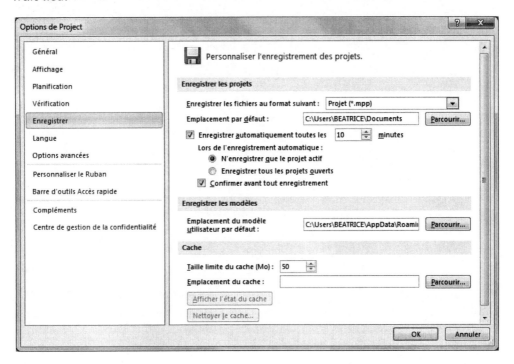

⊡ Cliquez sur le bouton **OK** pour valider.

Créer un modèle de projet personnalisé

Rappelons que dans le cadre de cet ouvrage, nous n'utilisons pas Project Server.

⊡ Utilisez un modèle lorsque plusieurs projets nécessitent :

- une structure de tâches semblables.

- des éléments (calendriers, rapports...) semblables.

- un ensemble de ressources semblables.

⊡ Créez dans un nouveau projet les éléments communs (tâches, ressources, calendriers...).

⊡ Onglet **Fichier** - option **Enregistrer sous**

⊡ Saisissez le nom du modèle dans la zone **Nom de fichier**.

⊡ Ouvrez la liste **Type** de fichier et cliquez sur **Modèle de projet (*.mpt)**.

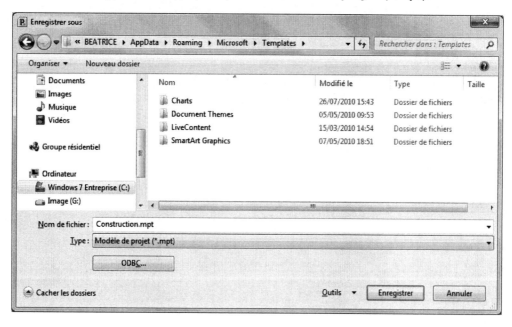

*Suite au choix du type de fichier "Modèle", Microsoft Project 2010 propose d'enregistrer le nouveau modèle dans le dossier **Templates** (Modèles) dont le chemin complet sous environnement Windows 7 est généralement C:\Utilisateurs\Nom de l'utilisateur\AppData\Roaming\Microsoft\Templates.*

⊡ Vous pouvez créer un raccourci réseau ou un lien vers le site Web de votre choix qui vous permettra de partager avec d'autres utilisateurs le modèle. Pour cela, cliquez sur le bouton **Outils** situé à gauche du bouton **Enregistrer**, puis cliquez sur l'option **Connecter un lecteur réseau**.

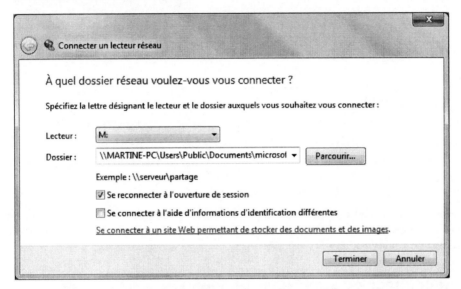

⊡ Dans ce cas, vous pouvez utiliser le champ **Lecteur** et/ou **Dossier** pour sélectionner le lecteur et le dossier souhaités, ou bien cliquer sur le lien **Se connecter à un site Web permettant de stocker des documents et des images** afin de lancer l'assistant de connexion et définir ainsi l'adresse du site concerné.

⊡ Dans la boîte de dialogue **Enregistrer sous**, sélectionnez, si besoin est, un autre dossier ou un sous-dossier de **Modèles**.

⊡ Cliquez sur le bouton **Enregistrer**.

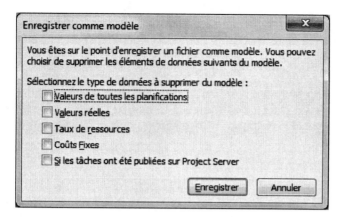

⊟ Cochez les options qui correspondent aux données que vous souhaitez supprimer de votre fichier de projet.

⊟ Cliquez sur le bouton **Enregistrer** de la boîte de dialogue **Enregistrer comme modèle**.

*Lorsque vous travaillez dans un modèle, Project 2010 affiche l'extension MPT sur la barre de titre si l'option **Masquer les extensions des fichiers dont le type est connu** des **Options des dossiers** est décochée (Pour Windows 7 : bouton **Démarrer** - **Documents** - **Organiser** - **Options des dossiers et de recherche** - onglet **Affichage**).*

☞ Pour modifier le modèle, ouvrez-le à l'aide de la fonction **Fichier - Ouvrir**, sans omettre de sélectionner **Modèles de projet (*.mpt)** dans la liste des types de fichiers de la boîte de dialogue **Ouvrir**.

Copier, renommer ou supprimer un élément d'un modèle de projet

*L'Organisateur de Project permet de copier un élément (affichage, rapport, barre d'outils...) entre le fichier de modèle global Project (nommé **global.mpt**) et le fichier local, ou vice versa. Elle permet aussi de renommer ou de supprimer un élément du fichier local ou du fichier de modèle global.*

⊟ Cliquez sur l'onglet **Fichier** puis sur l'option **Informations**.

⊟ Cliquez sur le bouton **Organisateur**.

⊟ Cliquez sur l'onglet correspondant au type d'éléments à copier, renommer ou supprimer.

⊡ Ouvrez, si nécessaire, une des listes **"Elément"** **disponibles dans** puis cliquez sur le modèle global ou sur le fichier local de votre choix afin d'en afficher le contenu.

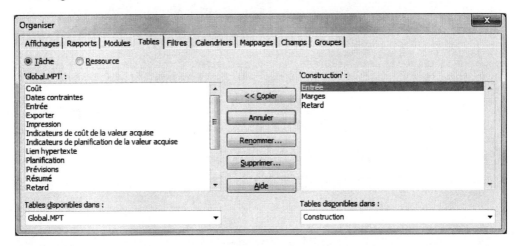

*Dans cet exemple, nous avons affiché (cadre de droite) les **Tables** contenues dans le modèle de projet nommé **Construction**.*

⊡ Pour renommer l'élément de votre choix, cliquez sur son nom puis sur le bouton **Renommer** situé dans la partie centrale de la boîte de dialogue. Tapez le nouveau nom puis validez votre saisie par le bouton **OK**.

⊡ Pour supprimer l'élément sélectionné, cliquez sur le bouton **Supprimer** puis validez par le bouton **Oui**.

⊡ Pour copier l'élément sélectionné d'un modèle vers l'autre modèle, cliquez sur le bouton **Copier**.

⊡ Utilisez le bouton **Fermer** lorsque tous les éléments ont été gérés.

Créer un fichier de projet basé sur un modèle

Il s'agit de créer un nouveau projet à partir d'un autre modèle que celui utilisé pour créer un projet vide : soit à partir d'un des modèles prédéfinis et installés avec Project 2010, soit à partir d'un modèle créé par vos soins (cf. chapitre Fichiers projet - Créer un modèle de projet personnalisé), soit à partir d'un modèle téléchargé directement sur le site de Microsoft.

⊡ Cliquez sur l'onglet **Fichier** puis sur l'option **Nouveau**.

Les **Modèles disponibles** sont présentés en deux grandes catégories :

- les modèles disponibles en interne (qu'ils soient installés avec Project 2010 ou personnalisés) apparaissent au-dessus de la partie **Modèles Office.com.**

- les modèles téléchargeables à partir du site Microsoft apparaissent sous la barre **Modèles Office.com.**

Le volet droit de cette fenêtre donne un aperçu du modèle choisi et contient le bouton **Créer** qui permet de valider la création du projet. Les boutons de navigation situés en haut de la fenêtre permettent de passer à la page précédente, suivante ou de revenir à la page d'**Accueil.**

<u>Créer un projet basé sur un modèle prédéfini</u>

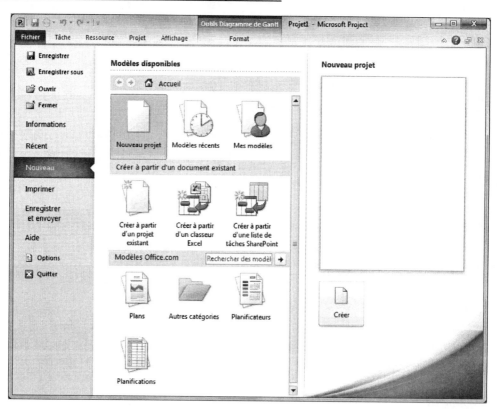

Fichiers projet

*Les modèles prédéfinis de Project 2010 apparaissent dans la première partie de la fenêtre, au-dessus de la liste des **Modèles Office.com**.*

⊟ Cliquez sur **Modèles récents** puis sur le modèle à utiliser.

⊟ Cliquez sur le bouton **Créer**.

Une nouvelle fenêtre contenant les données du modèle choisi projet.

⊟ Réalisez vos modifications et enregistrez le fichier en tant que nouveau projet.

Créer un projet basé sur un modèle personnalisé ou un fichier existant

⊟ Cliquez sur le bouton **Mes modèles** ou **Créer à partir d'un projet existant** de la zone des modèles disponibles.

*La boîte de dialogue **Nouveau** ou **Créer à partir d'un projet existant** apparaît et affiche la liste des modèles ou fichiers enregistrés par vos soins. Les modèles personnalisés sont généralement stockés dans un dossier réservé aux modèles :*

- sous Windows Vista :
  C:\Users\nom_utilisateur\Application Data\Microsoft\Templates
- sous Windows 7 : C:\Users\ nom_utilisateur\AppData\Roaming\Microsoft\Templates

⊟ Faites un double clic sur le modèle ou fichier à utiliser.

Une nouvelle fenêtre contenant les données du modèle ou du fichier existant servant de modèle s'affiche. Cette fenêtre est intitulée comme le modèle.

⊟ Réalisez vos modifications et enregistrez le fichier en tant que nouveau projet.

Créer un projet basé sur un modèle téléchargé

⊟ Assurez-vous que votre connexion à Internet est active.

⊟ Sous la barre **Modèles Office.com** des **Modèles disponibles**, cliquez sur la catégorie contenant le modèle à télécharger.

⊟ Selon la catégorie choisie, il est possible que des sous-catégories vous soient proposées dans la partie centrale de la boîte de dialogue. Dans ce cas, cliquez sur le lien correspondant à la sous-catégorie pour laquelle vous souhaitez afficher les modèles.

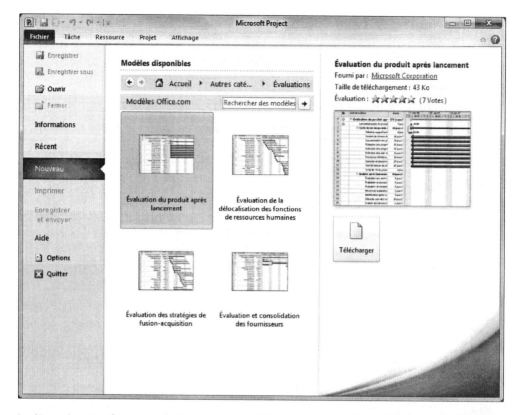

*La liste des modèles proposés sur le site **Office.com** est téléchargée et apparaît dans la partie centrale de la fenêtre.*

*Le nom de la catégorie ou de la sous-catégorie est visible dans la partie supérieure du volet (à droite du bouton **Accueil**).*

Par défaut, vous visualisez les miniatures des modèles.

Sélectionnez le modèle que vous souhaitez utiliser : son aperçu ainsi que ses propriétés (nom, taille, évaluation...) sont visibles dans le volet de droite.

*L'**Évaluation** est une note donnée par les internautes au modèle utilisé.*

Cliquez sur le bouton **Télécharger** ou faites un double clic sur le modèle concerné.

Après téléchargement, une nouvelle fenêtre contenant les données du modèle choisi apparaît. Le nouveau fichier ainsi créé porte un nom provisoire.

⊟ Réalisez vos modifications et enregistrez le fichier en tant que nouveau projet.

✍ La liste des **Modèles récents** apparaît dans la liste des **Modèles disponibles**. Pour créer un classeur basé sur un de ces modèles, il suffit de faire un double clic sur le nom de celui que vous souhaitez utiliser. Pour supprimer un modèle de cette liste, faites un clic droit sur le nom du modèle à supprimer puis cliquez sur l'option **Supprimer le modèle**. Pour supprimer tous les modèles de cette liste, faites un clic droit sur le nom d'un des modèles puis cliquez sur l'option **Supprimer tous les modèles récents**.

☼ Pour rechercher un modèle sur le site Office.com, saisissez un ou plusieurs mots clés dans la zone de saisie **Rechercher des modèles sur Office.com** de la fenêtre **Modèles disponibles** puis lancez la recherche en cliquant sur le bouton ➡ : s'ils existent, les modèles correspondant à la recherche s'affichent dans le volet central de la fenêtre. Dans le cas contraire, un message vous indique qu'**Aucun résultat ne correspond à "votre recherche"** et vous propose alors différentes suggestions et conseils de recherche.

Personnaliser les éléments d'un projet

Un aspect important de l'utilisation de Microsoft Project 2010 concerne les personnalisations. Elles permettent d'adapter ce programme à votre manière de travailler. Chaque personnalisation exige un léger temps de réflexion.

Se poser des questions sur les éléments à personnaliser

Souhaitez-vous **créer** un élément complètement nouveau ?

Désirez-vous créer un élément nouveau à partir d'un élément existant ?

Voulez-vous seulement **modifier** un élément existant ?

Les techniques utilisées diffèrent en fonction des réponses apportées.

Découvrir les techniques utilisées

Pour les créations et les copies, utilisez la technique liée à la nature de l'élément :

Nature de l'élément	Techniques
Table de tâches ou de ressources	- Soyez en affichage des tâches ou des ressources - **Affichage - Tables - Plus de tables** - Si création : bouton **Créer** - Si copie : sélection de la table à copier puis bouton **Copier**
Filtre de tâches ou de ressources	- Soyez en affichage des tâches ou des ressources - **Affichage - Filtrer - Autres filtres** - Si création : bouton **Créer** - Si copie : sélection du filtre à copier puis bouton **Copier**
Rapport	- **Projet - Rapports - Personnalisé** - Si création : bouton **Créer** - Si copie : sélection du filtre à copier puis bouton **Copier**
Affichage	- Option **Plus d'affichages** accessible à partir des boutons de la rubrique **Vue** des onglets **Tâche** et **Ressource**. - Si création : bouton **Créer** - Si copie : sélection de l'affichage à copier puis bouton **Copier**

Pour les modifications, les techniques diffèrent selon que l'on désire modifier le contenu ou l'aspect.

Les modifications de contenu s'opèrent grâce aux menus cités précédemment puis au bouton **Modifier** après la sélection de l'élément concerné.

Les modifications d'aspect sont trop diverses pour être citées ici.

Commenter un fichier projet

🖃 Cliquez sur l'onglet **Fichier** puis sur l'option **Informations.**

🖃 Cliquez sur **Informations sur le projet** situé à droite de la fenêtre (sous l'aperçu du document) puis sur l'option **Propriétés avancées.**

🖃 Cliquez dans la zone **Commentaires** et saisissez vos observations.

🖃 Cliquez sur le bouton **OK.**

Planifier par la date de fin

🖃 Activez l'onglet **Projet** puis cliquez sur le bouton **Informations sur le projet** du groupe **Propriétés.**

🖃 Ouvrez la liste **Prévisions à partir de** et, choisissez l'option **Date de fin** du projet.

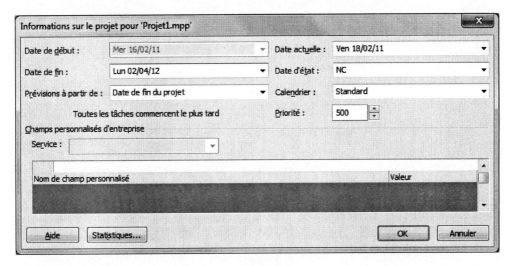

*Notez que dans ce cas, la zone **Date de début** n'est plus accessible.*

🖃 Modifiez, si besoin est, la **Date de fin** puis validez.

🖃 Cliquez sur le bouton **OK.**

Consulter les statistiques globales d'un projet

<u>Visualiser les statistiques globales</u>

⊟ **Projet - Informations sur le projet**

⊟ Cliquez sur le bouton **Statistiques.**

Project propose les points de réflexion suivants :

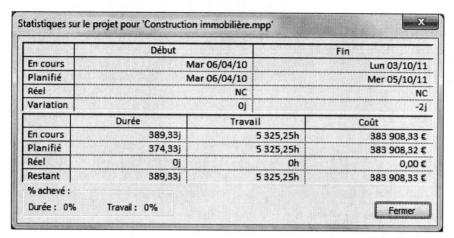

	Début		Fin	
En cours	Mar 06/04/10		Lun 03/10/11	
Planifié	Mar 06/04/10		Mer 05/10/11	
Réel	NC		NC	
Variation	0j		-2j	

	Durée	Travail	Coût
En cours	389,33j	5 325,25h	383 908,33 €
Planifié	374,33j	5 325,25h	383 908,32 €
Réel	0j	0h	0,00 €
Restant	389,33j	5 325,25h	383 908,33 €

% achevé :

Durée : 0%   Travail : 0%

Statistiques sur le projet pour 'Construction immobilière.mpp'

Fermer

⊟ Consultez les statistiques et cliquez sur le bouton **Fermer** pour fermer la boîte **Statistiques.**

☝ Vous pouvez aussi consulter ces statistiques à partir de l'onglet **Fichier - Informations - Informations sur le projet - Statistiques du projet.**

<u>Imprimer les statistiques globales</u>

⊟ Activez l'onglet **Projet** puis cliquez sur l'outil **Rapports** (groupe **Rapports**).

⊟ Réalisez un double clic sur **Vue d'ensemble** puis sur **Récapitulatif du projet.**

⊟ Cliquez ensuite sur le bouton **Imprimer.**

⊟ Cliquez sur l'onglet **Fichier** pour revenir en affichage de l'espace de travail.

Découvrir les calendriers de projet

*Un des aspects fondamentaux du timing dans Project est la notion de calendrier (cf. Généralités - Gérer le temps à travers les calendriers). Commençons par le **calendrier de projet**. Rappelons que ce calendrier indique les horaires de travail par défaut pour toutes les ressources qui seront affectées au projet. Allons sans plus attendre à sa découverte.*

*Par défaut, Microsoft Project affecte le calendrier **Standard** en tant que calendrier de projet. Pour la version française de Project, les jours ouvrés de ce dernier vont du lundi au vendredi et les heures ouvrées sont les suivantes : 9:00 - 12:00 et 14:00 - 18:00 ; soit un total de 7 heures par jour et 35 heures par semaine (ces valeurs sont définies dans l'onglet **Calendrier** de la boîte de dialogue **Options de Project** (onglet **Fichier - Options - Planification**). Il n'y a ni congés, ni jours fériés.*

Chaque calendrier débute au 1er janvier 1984 et se termine au 31 décembre 2049.

⊟ Cliquez sur l'onglet **Projet** puis sur l'outil **Modifier le temps de travail**.

*Notez que l'option **Calendrier** de l'onglet **Affichage** (groupe **Affichages des tâches**) affiche seulement les tâches sous la forme d'un calendrier, et ne permet donc pas de modifier le temps de travail.*

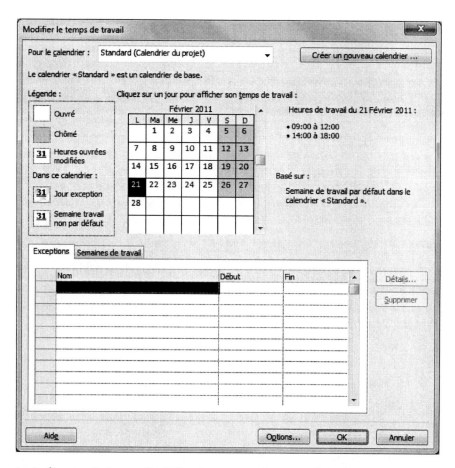

*La boîte de dialogue **Modifier le temps de travail** présente le calendrier nommé*
Standard (Calendrier du projet) *; il s'agit du calendrier du projet actif créé auto-*
matiquement lorsque vous avez initialisé le projet. Chaque projet contient donc un
calendrier de ce nom.

⊟ Ouvrez la liste déroulante **Pour le calendrier** puis cliquez sur le calendrier de base
proposé. Par défaut, Project 2010 dispose de trois calendriers de base :

Standard qui correspond aux jours ouvrés traditionnels, du lundi au vendredi,
de 9 h à 18 h avec deux heures de table sur le temps de midi,

24 Heures pour un calendrier sans aucune période chômée,

Équipe de nuit	qui couvre une période de travail d'équipe du lundi soir jusqu'au samedi matin, de 23 h à 8 h avec une heure de pause (à 3h du matin).

Bien sûr, un seul de ces calendriers de base peut servir de calendrier de projet.

Créer et/ou modifier un calendrier de projet

Rappelons que vous pouvez utiliser en tant que Calendrier de projet, l'un des calendriers de base générés lors de l'initialisation de votre projet ; mais il est conseillé de créer un calendrier particulier afin d'éviter certaines confusions.

Créer un calendrier de projet

⊡ Cliquez sur l'onglet **Projet** puis sur l'outil **Modifier le temps de travail** pour ouvrir la boîte de dialogue de même nom.

⊡ Cliquez sur le bouton **Créer un nouveau calendrier**.

⊡ Saisissez le **Nom** du nouveau calendrier.

⊡ Activez l'option **Créer un nouveau calendrier de base** pour en définir vous-même tous les paramètres ou activez l'option **Faire une copie du** et choisissez dans la liste déroulante le calendrier devant vous servir de modèle et ne saisir que les particularités calendaires.

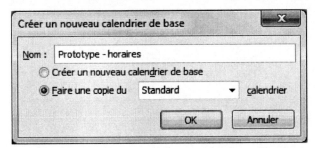

⊡ Cliquez sur **OK** pour valider et revenir à la boîte de dialogue **Modifier le temps de travail**.

✎ Pour supprimer un calendrier de base, utilisez l'**Organisateur de Project** (onglet **Fichier - Informations -** bouton **Organisateur**). Pour en savoir plus, veuillez vous référer au titre Copier, renommer ou supprimer un élément de projet du chapitre Fichiers projet de cet ouvrage.

Définir les jours chômés du calendrier de projet

Si vous avez opté pour une copie du calendrier Standard, sachez que ce dernier définit les périodes de travail du lundi au vendredi, et que les seuls jours de repos connus sont les samedis et les dimanches.

⊡ Vérifiez que le champ **Pour le calendrier** affiche bien le nom du calendrier à modifier.

⊡ Utilisez les flèches de la barre de défilement vertical à droite du calendrier mensuel pour faire défiler les mois du calendrier jusqu'à la période concernée par la définition du jour chômé.

⊡ Cliquez sur la case du jour à définir comme étant chômé puis cliquez sur l'onglet **Exceptions** situé sous le calendrier.

⊡ Cliquez dans le champ **Nom** sur la première ligne disponible de la liste, saisissez le nom de ce jour chômé puis validez.

*Les dates de **Début** et de **Fin** correspondent à la date sélectionnée dans le calendrier.*

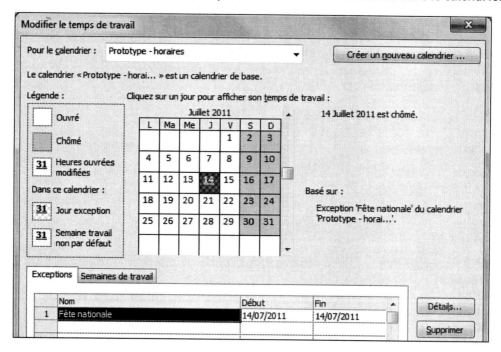

Si ce jour chômé se répète tous les ans à la même date, vous pouvez définir ce jour de repos comme un jour de repos répétitif. Pour cela, maintenez bien la ligne du jour concerné sélectionnée puis cliquez sur le bouton **Détails**.

Vous pouvez aussi faire un double clic sur la ligne du jour concerné du cadre Exceptions pour ouvrir la boîte de dialogue Détails.

⊡ Activez l'option de **Périodicité** souhaitée (**Quotidien, Hebdomadaire, Mensuelle** ou **Annuelle**) puis renseignez la ou les options associées (celles-ci varient selon votre choix).

⊡ Dans la zone **Plage de périodicité,** modifiez si besoin la date de **Début** et définissez d'éventuelles **occurrences.**

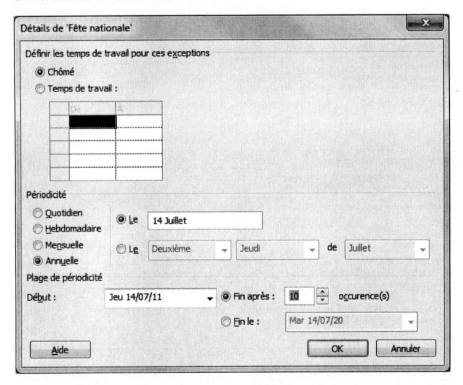

*Dans cet exemple, nous avons défini le **14 juillet** comme étant un jour **Chômé** annuel pour une période de **10** ans.*

⊡ Cliquez sur le bouton **OK** pour valider et revenir à la boîte de dialogue **Modifier le temps de travail.**

Renouvelez cette procédure pour les autres jours fériés de l'année ou des années suivantes si vous les connaissez bien sûr.

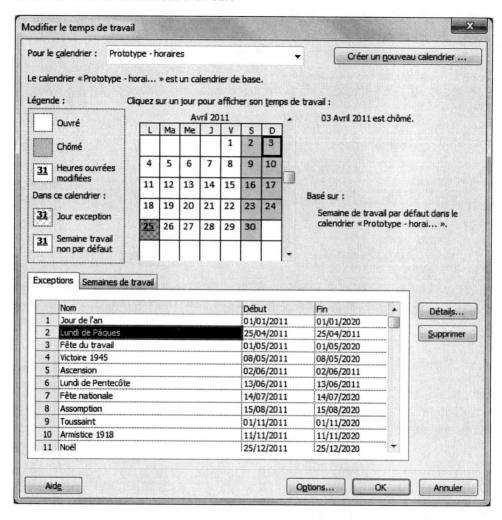

Notez que l'aspect des jours d'exception, modifiés, ouvrés, chômés... est différencié dans le calendrier et leur représentation est rappelée dans le cadre **Légende**.

✍ Sachez qu'il est possible de créer un jour chômé exceptionnel à la date d'un jour chômé par défaut (samedi ou dimanche) (ex. Fête du travail = dimanche 01/05/11), ou de créer deux jours chômés exceptionnels à la même date (ex. l'Ascension et la Fête du travail = jeudi 01/05/2008).

Définir les horaires de travail de base

Rappelons que par défaut la semaine de travail pour le calendrier de base Project 2010 - version Française - se déroule du lundi au vendredi, et les heures de travail sont fixées de 9h00 à 12h00 et de 14h00 à 18h00 (soit 7 heures par jour et 35h par semaine).

⊡ Pour modifier les horaires de base de l'entreprise, ouvrez (si ce n'est déjà fait) la boîte de dialogue **Modifier le temps de travail** (onglet **Projet** - outil **Modifier le temps de travail**), vérifiez dans le champ **Pour le calendrier** que le calendrier sélectionné est bien celui concerné par les modifications.

⊡ Activez l'onglet **Semaines de travail** puis la ligne **Par défaut**.

⊡ Cliquez sur le bouton **Détails**.

⊡ Dans la boîte de dialogue **Détails de '[Par défaut]'** sélectionnez les jours ouvrés de la semaine à l'aide d'un cliqué-glissé puis activez l'option **Définir le(s) jour(s) comme temps de travail spécifiques**.

⊡ Saisissez les nouvelles heures de début (**De**) et de fin (**À**) des plages horaires concernées.

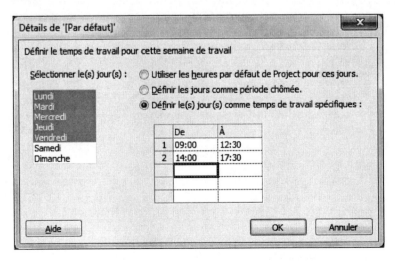

⊟ Pour valider la saisie de la dernière plage horaire, cliquez sur la ligne suivante.

⊟ Cliquez sur le bouton **OK** pour valider votre saisie et revenir à la boîte de dialogue **Modifier le temps de travail**.

⊟ Vérifiez que les modifications apportées aux horaires de travail par défaut ont bien été enregistrées en cliquant sur un jour ouvré dans le calendrier :

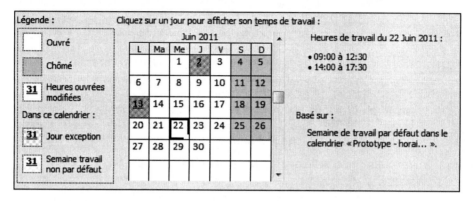

Les nouveaux horaires de travail s'affichent sur la droite.

Attention : après avoir modifié les horaires de travail de votre calendrier, prenez soin de vérifier que Project 2010 utilise bien les mêmes horaires pour définir une journée de travail en général ; dans le cas contraire, les tâches du projet risquent de commencer ou de se terminer avec un décalage de plus en plus important au fil du projet (cf. voir le sous-titre suivant Corrélation entre les plages horaires et les options de calendrier).

Corrélation entre les plages horaires et les options de calendrier

⊟ Pour vérifier cette corrélation (voir sous-titre précédent), affichez les **Options de Project** à partir du bouton **Options** de la boîte de dialogue **Modifier le temps de travail** (onglet **Projet** - outil **Modifier le temps de travail**) ou bien à partir de l'onglet **Fichier - Options - Planification**.

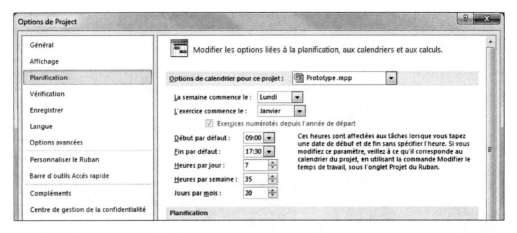

⊡ Vérifiez dans le champ **Options de calendrier pour ce projet** que le calendrier sélectionné est bien celui concerné par les modifications.

⊡ Assurez-vous que les horaires d'une journée de travail saisie dans le calendrier de base (cf. sous-titre Définir les horaires de travail de base) sont identiques aux horaires de **Début par défaut** et **Fin par défaut** des options de planification. Dans le cas contraire, modifiez-les.

Notez que les données contenues dans cette boîte de dialogue sont uniques pour le projet tout entier. N'essayez donc pas de faire cohabiter des journées de 8 heures avec des journées de 10, ou des semaines de 35 heures avec des semaines de 40 au risque d'obtenir des calculs de durées de tâches assez "bizarres".

⊡ Cliquez sur le bouton **OK** pour refermer la boîte de dialogue des **Options de projet**.

Affecter un nouveau calendrier au projet

*Par défaut, le calendrier de projet affecté au projet est le calendrier **Standard**.*

⊡ Activez l'onglet **Projet** puis cliquez sur l'outil **Informations sur le projet** du groupe **Propriétés**.

⊡ Ouvrez la liste déroulante **Calendrier** puis cliquez sur le calendrier à affecter à votre projet.

Informations sur le projet pour 'Prototype.mpp'

Date de début :	Mer 06/07/11 ▾	Date actuelle :	Mar 22/02/11 ▾
Date de fin :	Mer 06/07/11 ▾	Date d'état :	NC ▾
Prévisions à partir de :	Date de début du projet ▾	Calendrier :	Prototype - horaires ▾

Toutes les tâches commencent le plus tôt possible. Priorité : 500

Champs personnalisés d'entreprise

Service : ▾

Nom de champ personnalisé	Valeur

Aide   Statistiques...   OK   Annuler

🖅 Cliquez sur le bouton **OK** pour valider.

Créer un calendrier de base particulier

Nous avons vu précédemment comment créer un nouveau calendrier et comment l'adapter à vos horaires d'entreprise (cf. Créer et/ou modifier un calendrier de projet. Puis nous avons appris à affecter un calendrier de base à votre projet (cf. Affecter un nouveau calendrier au projet). Mais sachez que vous pouvez également créer un calendrier de base afin de répondre à une attente particulière, comme par exemple, une surcharge de travail obligeant le Chef de projet à prévoir - à titre exceptionnel - une semaine de travail de 6 jours (du lundi au samedi inclus). Le principe de saisie de ce type de calendrier est similaire à la création et personnalisation de tout calendrier de base, à la différence près que ce calendrier ne sera pas affecté comme calendrier de base au projet puisqu'il s'agit d'une exception.

🖅 Onglet **Projet** - outil **Modifier le temps de travail**

🖅 Cliquez sur le bouton **Créer un nouveau calendrier** puis saisissez le **Nom** du nouveau calendrier.

🖅 Activez l'option **Créer un nouveau calendrier de base** ou **Faire une copie du** et choisissez dans la liste déroulante le calendrier devant vous servir de modèle, selon votre choix.

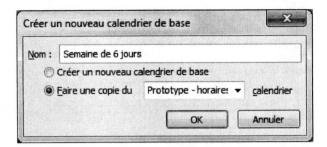

🗂 Cliquez sur **OK** pour valider et revenir à la boîte de dialogue **Modifier le temps de travail**.

🗂 Activez l'onglet **Semaines de travail** puis la ligne **Par défaut**.

🗂 Cliquez sur le bouton **Détails**.

🗂 Dans la boîte de dialogue **Détails de '[Par défaut]'** sélectionnez le ou les jours ouvrés concernés par les modification puis activez l'option **Définir le(s) jour(s) comme temps de travail spécifiques**.

🗂 Saisissez les nouvelles heures de début (**De**) et de fin (**À**) des plages horaires concernées.

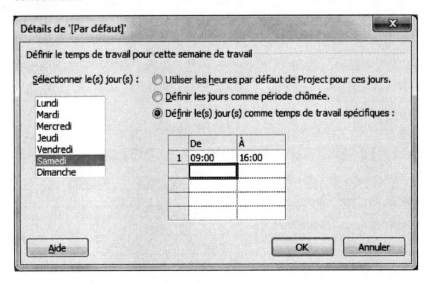

Dans cet exemple, nous souhaitons définir des horaires particuliers pour la journée de Samedi.

⊟ Pour valider la saisie de la dernière plage horaire, cliquez sur la ligne suivante.

⊟ Cliquez sur le bouton **OK** pour valider votre saisie et revenir à la boîte de dialogue **Modifier le temps de travail**.

⊟ Vérifiez que les modifications apportées aux horaires de travail par défaut ont bien été enregistrées en cliquant sur un jour ouvré dans le calendrier :

Notez que dans notre exemple, la semaine de travail par défaut du calendrier est désormais de 6 jours (les samedis s'affichent en blanc comme tous les jours ouvrés). Les heures travaillées pour les samedis sont bien de 9 h à 16 h, alors que les autres jours restent inchangés.

*Rappelons que si l'application d'un calendrier doit rester exceptionnelle (ici, le travail du samedi est exceptionnel), vous ne devez pas modifier les **Options de calendrier** de votre projet. Dans notre exemple, la semaine par défaut de notre projet reste de 5 jours et 35 heures.*

Imprimer le calendrier de projet

⊟ Onglet **Projet - Rapports** (groupe **Rapports**)

⊟ Réalisez un double clic sur **Vue d'ensemble**.

⊟ Réalisez un double clic sur **Jours ouvrés**.

⊟ Modifiez si besoin les **Paramètres** d'impression :

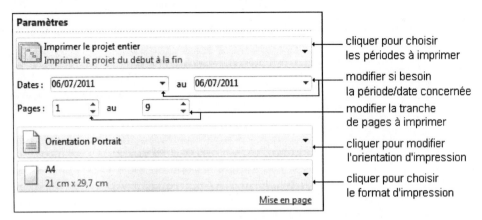

⊟ Après avoir modifié, si besoin, le nombre de copies souhaité ainsi par le nom de l'**Imprimante** à utiliser, cliquez sur le bouton **Imprimer**.

⊟ Quittez le mode Backstage en cliquant sur l'onglet **Fermer**.

✍ Vous pouvez aussi imprimer un affichage de calendrier. Pour cela, activez l'onglet **Tâche** ou **Ressource**, cliquez sur la flèche associée au bouton **Diagramme de Gantt** ou **Planificateur d'équipe** selon le cas puis cliquez sur l'option **Calendrier**. Imprimez l'affichage à partir de l'onglet **Fichier** - option **Imprimer** - bouton **Imprimer**.

Copier un calendrier d'un projet dans un autre projet

Cette fonctionnalité permet de copier un calendrier personnalisé dans un autre projet ou dans le fichier global de Project. Rappelons que le fichier global Project (Global.mpt) est le modèle de fichier utilisé par défaut lors de la création d'un nouveau projet.

⊟ Si le calendrier à copier se situe dans un projet particulier, ouvrez ce projet. S'il se situe dans le fichier global, passez à l'étape suivante.

⊟ Ouvrez le projet dans lequel le calendrier doit être copié.

⊟ Activez l'onglet **Projet** puis cliquez sur l'outil **Rapports** (groupe **Rapports**).

⊟ Faites un double clic sur le bouton **Personnalisé**.

⊟ Cliquez sur l'option **Calendrier de base** puis sur le bouton **Organiser**.

⊟ Cliquez sur l'onglet **Calendriers**.

⊟ Ouvrez l'une des listes **Calendriers disponibles dans** situées en bas de la boîte de dialogue, puis cliquez sur le projet contenant le calendrier à copier.

⊟ Ouvrez l'autre liste **Calendriers disponibles dans,** puis cliquez sur le projet dans lequel le calendrier doit être copié.

⊟ Cliquez sur le calendrier à copier afin de le sélectionner.

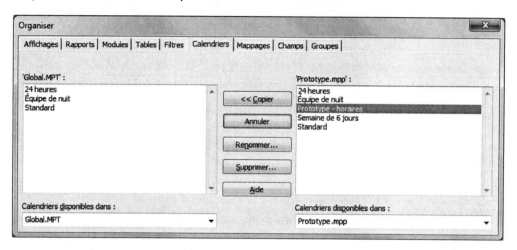

*Dans cet exemple, nous souhaitons copier dans le fichier global (**Global.mpt**) le calendrier **Prototype-horaires** dans lequel nous avons apporté des modifications à partir du projet **Prototype.mpp**.*

⊟ Cliquez sur le bouton **Copier.**

Si le calendrier en cours de copie existe déjà dans le fichier projet de destination, Project vous demande si vous souhaitez le remplacer.

⊟ Dans ce cas, cliquez sur le bouton **Oui** pour remplacer le calendrier existant par celui que vous êtes en train de copier.

⊟ Fermez la boîte de dialogue **Organiser** puis la boîte de dialogue **Rapports personnalisés** par leur bouton de fermeture .

Travailler sur un projet complexe (multi-projets)

Le terme multi-projets recouvre souvent des situations très différentes les unes des autres.

- Le contexte peut être le suivant : le projet est de grande taille et comprend plusieurs phases bien distinctes.

- L'une des techniques pour gérer ce type de projet consiste à créer un projet distinct pour chaque grande phase, puis à faire référence à ces sous-projets dans un autre projet appelé projet principal ou projet maître.

- Isoler les tâches d'un sous-projet dans un fichier distinct du projet maître permet de pouvoir se concentrer soit sur le sous-projet, soit sur les synthèses du projet maître en limitant ainsi le nombre de lignes affichées.

- Cette technique autorise à déléguer aisément certaines parties d'un projet de grande taille à d'autres chefs de projet.

- Enfin, elle offre l'avantage de minimiser l'utilisation de la mémoire de votre ordinateur : les sous-projets ne doivent pas obligatoirement être ouverts lorsque vous travaillez sur le projet maître.

Insérer un sous-projet dans le projet maître

- Dans le projet maître, créez la liste des tâches sans vous préoccuper des futurs sous-projets.

- Cliquez sur la tâche qui suivra la tâche "sous-projet" dans la liste des tâches.

- Activez l'onglet **Projet** puis cliquez sur l'outil  du groupe **Insérer**.

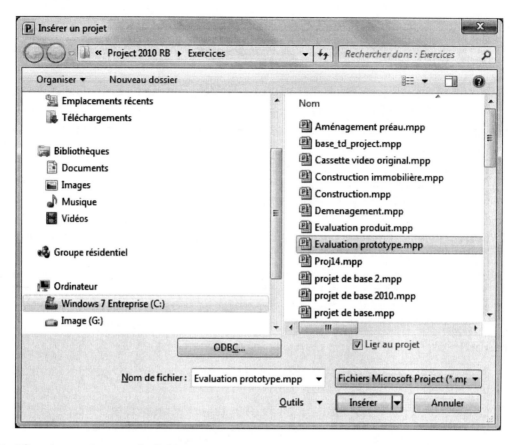

⊡ Sélectionnez le nom du fichier sous-projet.

⊡ Si les modifications apportées au sous-projet à partir du projet maître ne doivent pas être répercutées dans le fichier sous-projet, et vice versa, décochez l'option **Lier au projet**.

⊡ Si le sous-projet ne doit pas pouvoir être modifié à partir du projet maître, ouvrez la liste déroulante associée au bouton **Insérer** puis cliquez sur l'option **Insérer en lecture seule**.

Dans le cas contraire, cliquez sur le bouton **Insérer**.

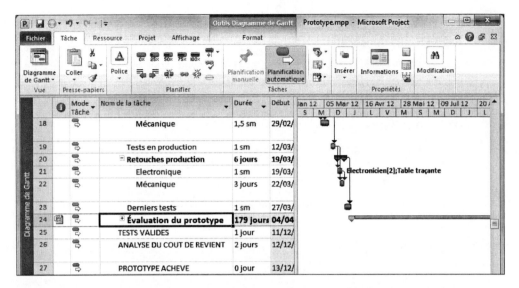

Le sous-projet se présente sous la forme d'une tâche récapitulative de projet.

La durée de la tâche sous-projet correspond à la durée totale du fichier sous-projet. Et notez que Project 2010 ne donne pas un prédécesseur et un successeur au sous-projet ainsi intégré, ce dernier conserve sa propre date de début.

Le nom de la tâche sous-projet correspond au nom du fichier inséré.

⊟ Mettez à jour les liaisons entre les tâches et pensez à harmoniser les calendriers par un éventuel calendrier de projet commun (cf. Projet - Créer et/ou modifier un calendrier de projet - Copier un calendrier d'un projet dans un autre projet).

Dans la colonne des indicateurs, l'icône 📄 *marque les projets insérés en lecture seule et l'icône* 📄 *les projets insérés.*

✍ Pour insérer un ensemble de tâches, suivez la même procédure que pour l'insertion d'un sous-projet à la différence que vous devez désactiver l'option **Lier le projet** de la boîte de dialogue **Insérer un projet** avant de cliquer sur le bouton **Insérer**. Les tâches sont alors intégrées et numérotées dans la même séquence du projet maître.

Afficher le nom des sous-projets dans le Gantt

⊡ Affichez le Gantt concerné.

⊡ Activez l'onglet **Outils Diagramme de Gantt - Format** pour cliquez sur l'outil **Format** puis sur **Barres et Styles** (groupe **Styles des barres**).

⊡ Cliquez sur l'option **Récapitulatif du projet** située dans la colonne **Nom**.

⊡ Activez l'onglet **Texte**.

⊡ Choisissez le lieu d'apparition des noms des documents par rapport à la barre (**Gauche, Droite, Intérieur...**) en cliquant sur le nom de l'emplacement correspondant.

⊡ Ouvrez la liste déroulante associée à l'emplacement choisi et sélectionnez **Fichier de sous-projet**.

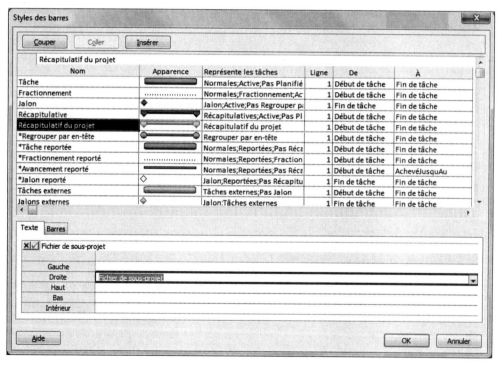

⊡ Cliquez sur le bouton **OK**.

Le nom des fichiers s'affiche dans le Gantt précédé du chemin d'accès.

	ⓘ	Mode Tâche	Nom de la tâche	Du	29 Oct 12	24 Déc 12	18 Fév 13	15 Avr 13	10 Jui 13	05 Aoû 13
					V M	S M	D J	L V	M S	M J L
23			Derniers tests	1						
24			⊞ Évaluation du prototype	17	C:\Users\Project 2010 RB\Exercices\Evaluation prototype.mpp					
25			TESTS VALIDES	1	11/12					
26			ANALYSE DU COUT DE REVIENT	2	A;G					
27			PROTOTYPE ACHEVE	0	13/12					

Afficher les statistiques d'un sous-projet

⊡ Réalisez un double clic sur la tâche du sous-projet concernée.

⊡ Cliquez dans la boîte de dialogue **Informations sur le projet inséré** sur le bouton **Infos sur le projet** de l'onglet **Général**.

⊡ Cliquez alors sur le bouton **Statistiques**.

Consolider plusieurs projets individuels

Outre les projets externes et le partage de ressources, le multi-projets peut revêtir une autre forme. Le responsable de projets peut être amené à superviser plusieurs projets.

⊡ La consolidation permet de passer un certain nombre de projets en revue et d'établir aisément un rapport à leur sujet.

⊡ Vous pouvez modifier la mise en forme des informations du projet consolidé sans modifier celle des fichiers projets source.

⊡ La consolidation permet aussi de consolider les plannings et les ressources.

Consolider les plannings et les ressources

⊡ Ouvrez les divers projets à consolider.

Nouvelle fenêtre

⊡ Activez l'onglet **Affichage** puis cliquez sur l'outil du groupe **Fenêtre** (ou Alt ⊕ F1).

⊡ Par des Ctrl clics, sélectionnez chaque projet à intégrer dans la consolidation.

⊡ Validez ou cliquez sur le bouton **OK**.

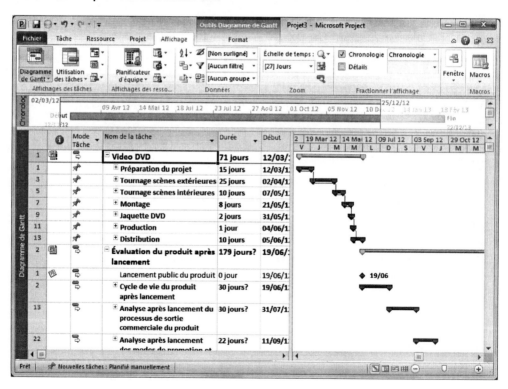

Project 2010 affiche le résultat de la consolidation dans un tout nouveau projet (Projet3 dans notre exemple) que vous devrez paramétrer (date de début et calendrier de projet, options de calendriers, affichage du chemin critique, etc.).

⊟ Modifiez, si nécessaire, l'ordre des projets. Pour cela, cliquez sur la ligne récapitulative du projet à déplacer afin de le sélectionner. Pointez la sélection afin que le pointeur de souris soit une flèche à quatre têtes, puis sans relâcher le bouton de la souris, faites glisser la sélection vers l'endroit voulu.

⊟ Dans la table du Gantt, chaque projet est précédé d'une tâche numérotée, tâche qui reprend le **Titre** du **Résumé** du projet (par défaut, ce titre est le nom du fichier).

⊟ Dans le planning de Gantt, les barres de ce type de tâche (appelée tâche récapitulative de projet) ressemblent, par défaut, aux barres des tâches récapitulatives de tâches mais sont de couleur grise.

✍ Sauf intervention, les tâches récapitulatives de projet sont liées à leur fichier source et elles peuvent être modifiées à partir du projet consolidé.

Vous pouvez établir des liaisons entre les tâches des différents projets.

Enregistrer un projet consolidé

⊟ Demandez à enregistrer ce fichier comme tout fichier.

⊟ Acceptez ou non d'enregistrer chaque fichier source.

Modifier les liens entre un projet et un fichier source

⊟ Réalisez un double clic sur la tâche récapitulative de projet concernée par une modification.

⊟ Activez l'onglet **Avancées**.

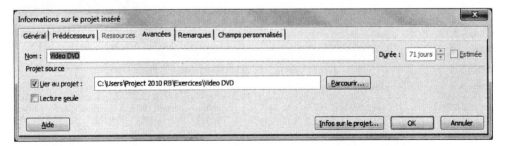

⊟ Si le fichier source a changé ou a été déplacé, cliquez sur le bouton **Parcourir** afin de mettre son nom (ou son chemin d'accès) à jour.

⊟ Si la tâche récapitulative de projet ne doit plus être liée au fichier source, décochez l'option **Lier au projet**.

⊟ Si le fichier source ne doit pas pouvoir être modifié à partir du document principal (ou consolidé), cochez l'option **Lecture seule**.

⊟ Validez ou cliquez sur le bouton **OK**.

Partage des ressources

Partager les ressources entre projets

*Si les ressources de votre entreprise sont utilisées dans plusieurs projets (simultanément ou pas), vous les avez peut-être saisies dans un fichier Project dédié (appelé pool ou **Liste des ressources**). Rappelons qu'il s'agit d'un fichier Project "ordinaire" (.mpp) qui ne contient aucune tâche mais uniquement des ressources. Vous aurez pris soin de nommer ce fichier de manière à vous rappeler qu'il s'agit d'un fichier de ressources et non d'un projet.*

Que les ressources à partager soient dans un fichier dédié (Liste des ressources) ou dans un fichier de projet contenant des tâches et des ressources, la procédure qui suit est identique.

⊟ Ouvrez le projet emprunteur ainsi que le fichier contenant les ressources (fichier prêteur).

⊟ Activez le projet emprunteur.

⊟ Activez l'onglet **Ressource** puis ouvrez la liste déroulante associée à l'outil **Partager**

des ressources (groupe **Affectations**) puis cliquez sur l'option **Partager les ressources**.

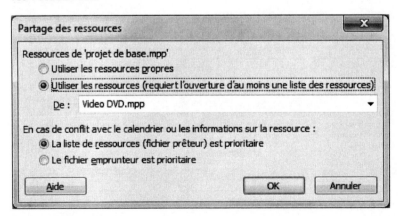

⊟ Activez l'option **Utiliser les ressources (requiert l'ouverture d'au moins une liste des ressources)**.

⊟ Ouvrez la liste **De** et sélectionnez le nom du fichier projet externe qui contient les ressources à utiliser.

Cette liste ne propose que les fichiers ouverts non actifs.

⊟ Indiquez ensuite si **La liste de ressources (fichier prêteur) est prioritaire** ou si **Le fichier emprunteur est prioritaire**.

*En cas de problème de surutilisation de ressources sur les deux projets ou, en cas de conflit de calendrier, avec **La liste de ressources (fichier prêteur) est prioritaire** c'est le fichier source qui est prédominant. Avec le second choix, c'est le fichier actif, c'est-à-dire le fichier emprunteur.*

⊟ Validez ou cliquez sur le bouton **OK**.

✍ Que les ressources soient partagées ou non, la procédure suivie pour les affecter aux tâches d'un projet ou d'un autre est identique (cf. partie Affectation des ressources).

Pour ne plus partager les ressources, activez l'onglet **Ressource** - outil Partager les ressources - option **Partager les ressources**, puis activez l'option **Utiliser les ressources propres**.

Ouvrir un projet emprunteur de ressources

⊟ Procédez comme pour l'ouverture de tout projet.

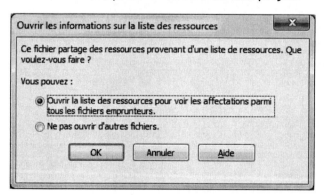

⊟ Pour ouvrir la liste des ressources et le fichier emprunteur, activez la première option.

Pour ne pas ouvrir les autres fichiers, activez la deuxième option.

Partage des ressources

Ouvrir un projet prêteur de ressources

⊟ Procédez comme pour l'ouverture de tout projet.

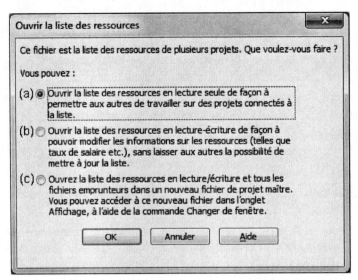

⊟ Activez l'option :

(a) Pour ouvrir la liste en lecture seule. Vous pourrez seulement lire les informations sur les ressources, alors qu'un autre utilisateur pourra ouvrir ce fichier en lecture-écriture s'il le souhaite.

(b) Pour ouvrir la liste en lecture-écriture afin de pouvoir gérer la liste des ressources. Dans ce cas les autres utilisateurs ne pourront ouvrir ce fichier qu'en lecture seule.

(c) Pour ouvrir dans un nouveau projet maître (consolidé) la liste en lecture-écriture ainsi que tous les projets utilisant ces ressources, afin de pouvoir analyser l'utilisation de ces ressources à travers ces projets.

⊟ Validez votre choix par le bouton **OK**.

Regrouper des tâches ou des ressources

Microsoft Project 2010 permet de regrouper les tâches ou les ressources selon les critères de votre choix sans modifier la structure réelle du projet.

⊡ Pour regrouper les tâches, affichez-les dans le **Tableau des tâches** (onglet **Affichage** - liste **Diagramme de Gantt** - **Plus d'affichages** - **Tableau des tâches** - **Appliquer**), ou sous forme de **Diagramme de Gantt** (onglet **Affichage** - outil **Diagramme de Gantt**).

Pour regrouper les ressources, affichez-les dans le **Tableau des ressources** (ou dans le tableau **Utilisation des ressources** (onglet **Ressource** - liste **Planificateur d'équipe** - option **Tableau des ressources** ou **Utilisation des ressources**).

⊡ Activez l'onglet **Affichage** puis ouvrez la liste déroulante **Grouper** par
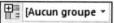
.

⊡ Cliquez directement sur un critère de regroupement proposé dans le menu, ou cliquez sur l'option **Plus de groupes** pour visualiser d'autres groupes disponibles.

⊡ Dans la fenêtre **Plus de groupes**, activez l'option **Tâche** ou l'option **Ressource** selon le cas, puis cliquez sur le groupe correspondant aux critères d'affichage souhaités avant de cliquer sur le bouton **Appliquer**.

✍ Pour annuler le regroupement et retourner à l'affichage complet des tâches ou des ressources, choisissez l'option **Aucun groupe** dans la liste **Grouper** par
[Aucun groupe ▾]
.

Diagramme de Gantt

Afficher le Diagramme de Gantt

*Le **Diagramme de Gantt** (écran de travail par défaut) présente le planning du projet sous forme de barres de longueur proportionnelle à la durée des tâches ; ces barres sont placées le long d'une échelle de temps permettant ainsi de mieux visualiser la situation des tâches dans la durée du projet.*

⊟ Cliquez sur l'onglet **Tâche** puis sur l'outil **Diagramme de Gantt** (groupe **Vue**).

⊟ Cliquez sur l'option **Diagramme de Gantt** dans la liste des affichages **Prédéfini**.

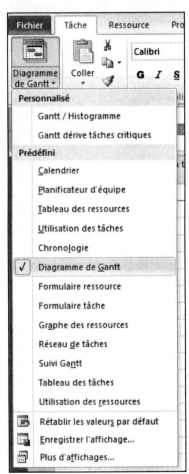

*Nous vous rappelons que la partie gauche affiche une table (par défaut, la **Table Entrée**) et la partie droite, le Planning (Diagramme de Gantt).*

☞ Pour modifier l'écran de travail par défaut, modifiez le contenu du champ **Affichage par défaut** (onglet **Fichier - Options - Général**) selon votre souhait.

Se déplacer sur le Diagramme de Gantt

À l'aide du clavier

⊡ Pour vous déplacer sur la partie **Table**, vous pouvez utiliser les touches suivantes :

Ctrl ⦦	Première colonne de la première tâche.
Ctrl Fin	Dernière colonne de la dernière tâche.
⦦	Première colonne de la ligne en cours.
Fin	Dernière colonne de la ligne en cours.
Ctrl ⬆	Page écran de gauche.
Ctrl ⬇	Page écran de droite.
Pause ⬆	Page écran du bas.
Pause ⬇	Page écran du haut.

À l'aide de la souris

⊡ Dans la partie **Planning**, recherchez la période de temps de votre choix en faisant glisser l'ascenseur de la barre de défilement horizontal. Tant que vous n'avez pas relâché cet "ascenseur", la date concernée apparaît dans une info-bulle.

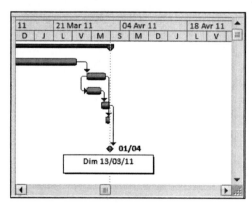

Diagramme de Gantt

⊟ Pour afficher la barre d'une tâche précise, sélectionnez la tâche dans la table **Entrée**

et cliquez sur l'outil **Atteindre la tâche** 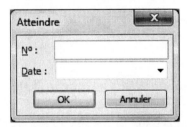 (ou ⌨Ctrl ⌨⇧ ⌨F5) situé dans la rubrique **Modification** de l'onglet **Tâche**.

Vous pouvez aussi faire un clic droit sur le nom de la tâche, puis cliquez sur l'option Atteindre la tâche.

Cet outil permet de visualiser le début de la barre de la tâche.

⊟ Lorsque vous travaillez sur des grands projets, retrouvez aisément une tâche précise à l'aide du raccourci-clavier ⌨Ctrl **B** ou de la touche ⌨F5.

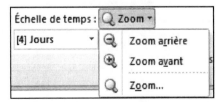

⊟ Saisissez alors le **N°** de la tâche.

⊟ Validez ou cliquez sur le bouton **OK**.

*Cette technique génère un double déplacement : dans la **Table** et dans le **Planning**.*

Zoomer le Gantt

⊟ Cliquez sur l'outil **Zoom** 🔍▾ de l'onglet **Affichage** (groupe **Zoom**).

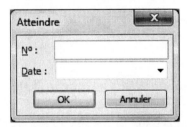

⊟ Cliquez sur **Zoom arrière**, **Zoom avant** ou **Zoom** afin de sélectionner la durée ou l'élément à visionner.

⊟ Dans ce cas, validez ou cliquez sur le bouton **OK**.

Les affichages et l'impression

👉 Vous pouvez aussi utiliser la barre de zoom située à droite de la barre d'état.

*Si cette barre n'apparaît pas, faites un clic droit sur la barre d'état, puis cliquez sur l'option **Curseur de zoom** du menu contextuel.*

Pour visualiser l'intégralité du projet, vous pouvez cliquer sur l'outil **Projet entier**

 (onglet **Affichage** - groupe **Zoom**).

Imprimer le Diagramme de Gantt

Comme tous les affichages, le Gantt peut être imprimé.

🔲 Cliquez sur l'onglet **Fichier** puis sur l'option **Imprimer**.

Un aperçu de l'impression s'affiche à droite de la fenêtre et son nombre de pages se situe sous cet aperçu.

🔲 Pour imprimer toutes les colonnes de la table, cliquez sur le bouton **Imprimer le projet entier** de la zone **Paramètres**.

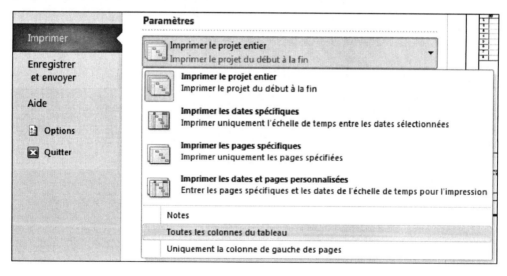

🔲 Cliquez sur l'option **Toutes les colonnes du tableau**.

Diagramme de Gantt

⊟ Vérifiez et/ou modifiez les paramètres d'impression puis cliquez sur le bouton **Imprimer**.

⊟ Quittez le mode Backstage en cliquant à nouveau sur l'onglet **Fichier**.

Limiter l'affichage à la partie Table

⊟ Activez l'onglet **Affichage**, cliquez sur la flèche de l'outil **Diagramme de Gantt** puis sur l'option **Plus d'affichages**.

⊟ Choisissez dans la liste, le type d'affichage **Tableau des tâches**, et cliquez sur le bouton **Appliquer**.

⊟ Pour revenir en affichage "classique" de la table Entrée et du Diagramme de Gantt, cliquez sur l'outil **Diagramme de Gantt** (groupe **Affichages des tâches** de l'onglet **Affichage**).

Modifier l'échelle de temps du planning du Gantt

*Sachez que l'on appelle **Échelle de temps du Gantt** l'indicateur de temps qui s'affiche en haut des diagrammes de Gantt. Comme pour toute échelle de temps, par défaut, elle affiche deux niveaux, mais il est possible de la personnaliser afin qu'elle affiche trois niveaux : supérieur, intermédiaire et inférieur. Les niveaux peuvent afficher les unités en minutes, heures, jours, semaines, tiers de mois, mois, trimestres, semestres et années. Le fait de disposer de plusieurs niveaux vous permet par exemple d'utiliser le niveau intermédiaire pour afficher les unités en mois, et le niveau inférieur pour les afficher en semaines.*

⊟ Activez l'onglet **Affichage**, cliquez sur la liste déroulante associée à l'**Echelle de temps** (groupe **Zoom**), puis sur l'option **Echelle de temps**.

🗗 Pour modifier l'échelle de temps afin de visualiser un autre niveau de détail, cliquez sur l'onglet de votre choix (**Niveau supérieur**, **Niveau intermédiaire**, **Niveau inférieur**).

🗗 Ouvrez la liste déroulante associée au champ **Unités** puis cliquez sur l'unité de temps à utiliser.

🗗 Ouvrez la liste déroulante **Étiquette** puis cliquez sur le format de date souhaité.

🗗 Grâce à la liste **Alignement**, spécifiez si l'étiquette doit être alignée à **Gauche**, à **Droite** ou au **Centre** de l'échelle de temps.

🗗 Définissez à l'aide de la zone **Nombre** la fréquence des étiquettes d'unité sur le niveau de l'échelle de temps. Par exemple, si l'unité est la semaine et que vous choisissez 2, le niveau de l'échelle du temps est découpé par segments de 2 semaines.

🗗 Cochez, si besoin est, l'option **Lignes de séparation** si vous souhaitez afficher les lignes verticales entre les étiquettes d'unité.

🗗 Cochez, si nécessaire, l'option **Utiliser l'exercice** si vous souhaitez baser les étiquettes du niveau de l'échelle de temps sur vos paramètres d'année fiscale. Déco-chez-la pour baser les étiquettes du niveau de l'échelle de temps sur l'année civile.

Diagramme de Gantt

*Le premier mois de l'année fiscale est renseigné dans la boîte de dialogue **Options de Projet** (onglet **Fichier - Options** - catégorie **Planification**)*

☐ Pour afficher une ligne horizontale entre les niveaux de l'échelle de temps, cochez l'option **Dimensionner le séparateur**.

☐ Définissez à l'aide de la zone **Afficher**, le nombre de niveaux souhaités.

☐ Pour augmenter ou réduire la **Taille** des colonnes du niveau de l'échelle de temps, saisissez ou sélectionnez le pourcentage souhaité dans le champ correspondant.

☐ Pour adapter l'aspect des **Périodes chômées** sur l'échelle de temps, cliquez sur l'onglet de même nom puis choisissez les paramètres d'affichage à l'aide des options proposées.

*Les options d'**Affichage** vous permettent de choisir de **Ne pas dessiner** ces périodes, de les mettre **Derrière** ou **Devant les barres de tâche**.*

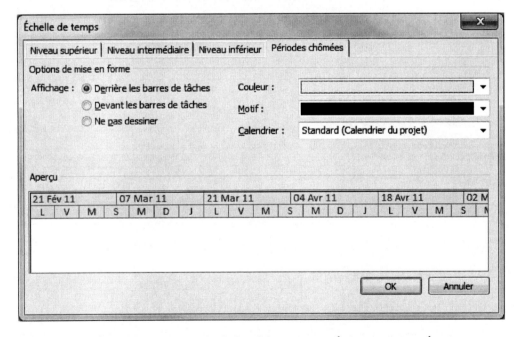

☐ Modifiez, si nécessaire, le nom du **Calendrier** concerné par ces paramètres.

☐ Cliquez sur le bouton **OK** pour valider vos modifications.

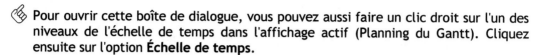 Pour ouvrir cette boîte de dialogue, vous pouvez aussi faire un clic droit sur l'un des niveaux de l'échelle de temps dans l'affichage actif (Planning du Gantt). Cliquez ensuite sur l'option **Échelle de temps**.

Intervenir sur les **Unités** et la **Fréquence** des découpages altère fréquemment les valeurs de zoom et inversement.

Mettre en valeur la date du jour dans le planning du Gantt

⊟ Affichez, si ce n'est déjà fait, l'onglet **Outils Diagramme de Gantt - Format** en cliquant n'importe où dans le Diagramme de Gantt.

⊟ Activez l'onglet **Format**, cliquez sur l'outil **Quadrillage** (groupe **Format**) puis sur l'option **Quadrillage**.

⊟ Dans la liste **Trait à modifier**, sélectionnez l'option **Date du jour**.

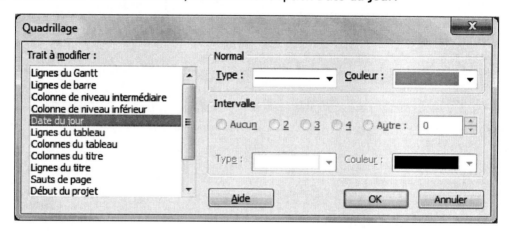

⊟ Définissez la mise en valeur attendue par les options du cadre Normal.

⊟ Cliquez sur **OK** pour valider.

Modifier le format des dates du planning du Gantt

⊟ Affichez le Gantt concerné.

⊟ Onglet **Outils Diagramme de Gantt - Format** - outil **Disposition** (groupe **Format**)

🖾 Ouvrez la liste **Format de date.**

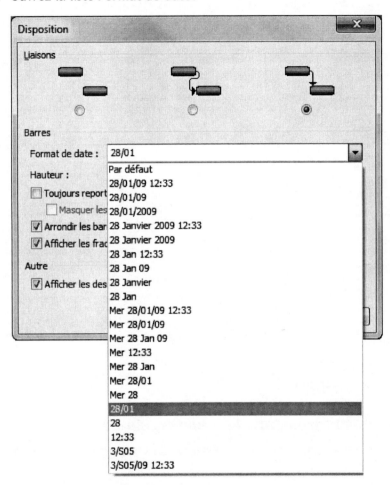

Project présente de multiples solutions.

🖾 Cliquez sur le format attendu.

🖾 Validez ou cliquez sur le bouton **OK**.

Modifier le quadrillage du planning du Gantt

▢ Affichez, si ce n'est déjà fait, l'onglet **Outils Diagramme de Gantt - Format** en cliquant n'importe où dans le Diagramme de Gantt.

▢ Activez l'onglet **Format**, cliquez sur l'outil **Quadrillage** (rubrique **Format**) puis sur l'option **Quadrillage**.

▢ Dans la liste **Trait à modifier**, sélectionnez l'option **Date du jour**.

▢ Sélectionnez le **Trait à modifier**.

▢ Définissez son aspect par le cadre **Normal** et sa périodicité (pour certains traits) par le cadre **Intervalle**.

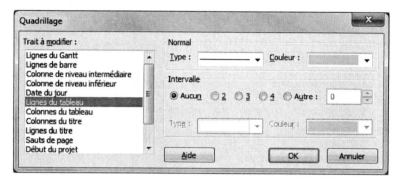

▢ Reprenez ces manipulations pour chaque trait à modifier.

▢ Validez ou cliquez sur le bouton **OK**.

Modifier l'aspect des barres dans le planning du Gantt

▢ Activez l'onglet **Outils Diagramme de Gantt - Format**, puis cliquez sur l'outil **Format** (groupe **Styles des barres**).

⊟ Pour travailler sur une barre de tâche préalablement sélectionnée, choisissez l'option **Barre**.

Pour modifier un groupe de barres, choisissez **Barres et Styles**.

*La boîte **Styles des barres** liste un certain nombre de tâches différentes : Tâche, Jalon, Récapitulative... et rappelle leur présentation.*

⊟ Pour spécifier l'aspect des barres d'un groupe de tâches, cliquez dans la ligne du groupe et sur l'onglet **Barres**, modifiez éventuellement la **Forme**, le **Type** et la **Couleur** de la forme du **Début** et/ou de la barre du **Milieu** et/ou de la forme de **Fin**.

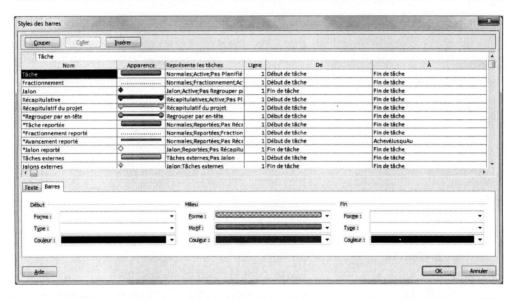

⊟ Pour définir le contenu et l'emplacement des textes associés à la barre, travaillez dans l'onglet **Texte** (les seuls textes pouvant ainsi être affichés sont obligatoirement des contenus de champs).

⊟ Validez ou cliquez sur le bouton **OK**.

Modifier les caractères du planning du Gantt

⊟ Activez l'onglet **Outils Diagramme de Gantt - Format** puis cliquez sur l'outil **Styles du texte** (groupe **Format**).

⊟ Choisissez l'**Élément à modifier**.

⊡ Modifiez la **Police**, le **Style**, la **Taille**, la **Couleur**, la **Couleur d'arrière-plan** ainsi que le **Motif d'arrière-plan** si les options sont accessibles pour l'élément sélectionné.

⊡ Réalisez ces manipulations autant de fois que nécessaire sans quitter la boîte de dialogue.

⊡ Validez ou cliquez sur le bouton **OK** lorsque toutes les modifications souhaitées ont été apportées.

Les paramètres ainsi définis s'appliquent seulement à l'affichage actif.

Modifier d'autres éléments dans le planning du Gantt

⊡ Activez l'onglet **Outils Diagramme de Gantt - Format** puis cliquez sur l'option **Disposition** (groupe **Format**).

Cette option propose des personnalisations très différentes les unes des autres.

⊡ Modifiez les éléments de votre choix.

Liaisons	Ce cadre vous permet de choisir la présentation des lignes représentant les liaisons entre les tâches.
Format de date	Permet de définir le format de date désiré pour les barres.
Hauteur	Permet d'indiquer la hauteur des barres en nombre de points.
Toujours reporter les barres du Gantt	Lorsque cette option est cochée, les détails des barres de Gantt sont reportés sur la tâche récapitulative pour les tâches du projet.
Arrondir les barres à des jours entiers	Lorsque cette option est cochée, la représentation des durées sur les barres est arrondie à une unité entière si la durée de la tâche est inférieure à l'unité de l'échelle de temps. La durée réelle de la tâche n'est pas modifiée, seulement sa représentation.
Afficher les fractionnements de barres	Lorsque cette option est active, les barres des tâches fractionnées sont affichées.
Afficher les dessins	Lorsque cette option est active, les dessins que vous avez créés ou insérés sont affichés.

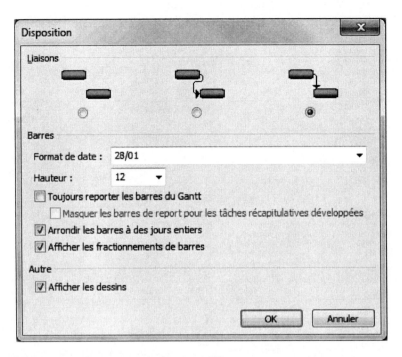

⊟ Validez ou cliquez sur le bouton **OK**.

Dessiner sur un Diagramme de Gantt

Microsoft Project met à votre disposition la barre d'outils Dessin qui vous permet de dessiner des objets directement sur un Diagramme de Gantt.

On entend par dessin tout objet graphique ou objet texte. Cet objet vous permet donc de mettre en avant un événement ou une date à l'aide d'un texte ou d'un graphique quelconque. Il est possible de lier cet objet à une barre de Gantt ou à une date particulière.

Si l'objet est lié à une barre de Gantt, il se déplacera en même temps que la barre de Gantt en cas de replanification. Et si l'objet est lié à une date, il restera toujours à la même position dans l'échelle du temps.

⊟ Activez l'onglet **Outils Diagramme de Gantt - Format** puis cliquez sur l'outil **Dessin**.

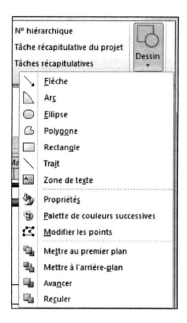

⊟ Cliquez sur l'outil à utiliser.

⊟ Tracez l'objet à l'aide d'un cliqué-glissé, n'importe où dans la partie diagramme.

⊟ Pour modifier les propriétés de l'objet, cliquez sur ce dernier afin de le sélectionner puis cliquez à nouveau sur l'outil **Dessin** puis sur l'option **Propriétés**.

La boîte de dialogue Mise en forme du dessin apparaît.

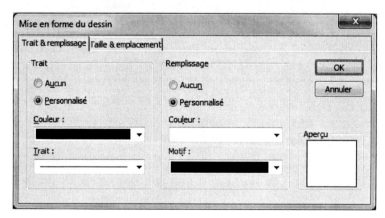

⊡ Pour modifier l'apparence de l'objet, activez l'onglet **Trait & remplissage** puis définissez à l'aide des options proposées les caractéristiques du **Trait** et du **Remplissage** de l'objet.

⊡ Pour définir la **Taille**, l'**Emplacement** et/ou l'éventuel attachement de l'objet à une date ou à une barre de Gantt, activez l'onglet **Taille & emplacement** puis choisissez la ou les options souhaitées.

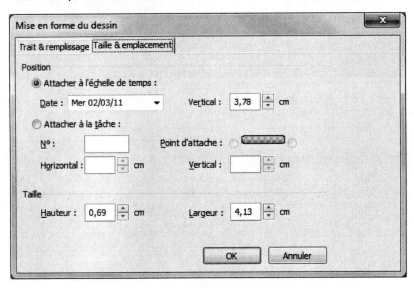

Le placement du dessin peut également se faire directement sur le diagramme à l'aide d'un cliqué-glissé.

⊡ Fermez la boîte de dialogue **Mise en forme du dessin** en cliquant sur le bouton **OK**.

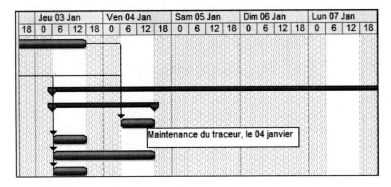

Dans cet exemple, le dessin (zone de texte) est désormais attaché au 4 janvier, il apparaîtra donc toujours près de cette date à 5 cm sous l'échelle de temps.

⊟ Pour supprimer un dessin, faites un clic droit sur l'objet concerné afin d'afficher son menu contextuel, puis cliquez sur l'option **Supprimer**.

La suppression est immédiate.

✍ Pour masquer ou afficher les dessins, décochez ou cochez l'option **Afficher les dessins** de la boîte de dialogue **Disposition** (onglet **Outils Diagramme de Gantt - Format** - outil **Disposition**).

Passer de la table Entrée à la table Prévisions

*Par défaut, Project 2010 propose la **Table Entrée** dans le **Gantt**. Une autre table peut s'avérer pertinente, la table **Prévisions**.*

⊟ Activez l'onglet **Affichage** puis cliquez sur l'outil **Tables** (groupe **Données**).

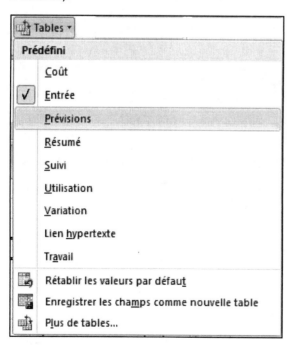

Project liste les tables les plus fréquemment utilisées en gestion de projets.

⊣ Choisissez **Prévisions** ou **Entrée**.

*L'avantage de la table **Prévisions** est qu'elle propose (à l'extrémité droite) les infor-mations **Marge libre** et **Marge totale**.*

Marge libre	Marge totale
0 jour	**0 jour**
0 jour	0 jour
0 jour	0 jour
0 jour	0 jour
0 jour	39 jours
41 jours	41 jours
0 jour	0 jour
0 jour	**0 jour**
0 jour	**0 jour**
39 jours	39 jours
40 jours	40 jours
39 jours	39 jours
40 jours	40 jours
0 jour	0 jour
0 jour	**0 jour**
39 jours	39 jours
0 jour	0 jour

La MARGE LIBRE est la durée pendant laquelle on peut décaler une tâche sans décaler d'AUTRES TÂCHES ; alors que la MARGE TOTALE est l'intervalle de temps pendant lequel on peut décaler une tâche sans décaler la DATE DE FIN DU PROJET.

Exploiter l'Organigramme des tâches

Traditionnellement, trois modes d'affichage standard sont utilisés pour exploiter les tâches : l'Organigramme des tâches, le Diagramme de Gantt, le Calendrier. Découvrons l'Organigramme des tâches.

Afficher et comprendre l'Organigramme des tâches

⊟ Activez l'onglet **Tâche** puis ouvrez la liste associée à l'outil **Diagramme de Gantt**.

⊟ Cliquez sur l'option **Organigramme des tâches descriptif**.

*Si cette option n'apparaît pas, dans cette même liste, cliquez sur **Plus d'affichages**, cliquez ensuite sur le mode d'affichage **Organigramme des tâches descriptif** et enfin sur le bouton **Modifier**. Cochez l'option **Afficher dans le menu** avant de valider par le bouton **OK** puis le bouton **Fermer**.*

L'Organigramme des tâches vous permet de visualiser les tâches d'un projet et leurs liaisons sous forme d'un organigramme alors qu'un Diagramme de Gantt vous en fait une représentation chronologique. L'Organigramme des tâches s'avère donc pratique si vous souhaitez plus vous concentrer sur les liaisons entre les tâches que sur leur durée.

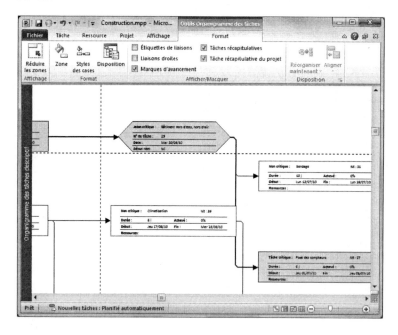

Organigramme des tâches

▢ L'Organigramme des tâches (ou réseau de tâches) représente chaque tâche du projet par une case, appelée également "nœud". La case reprend le nom, le numéro, la durée, la date de début et de fin, ainsi que les ressources qui sont affectées à la tâche qu'elle représente. Les cases des tâches ont la forme d'un rectangle alors que celles des jalons sont hexagonales.

Le chemin critique du projet est matérialisé par des cases encadrées en rouge.

Nous vous rappelons que tout changement dans les dates d'exécution des tâches situées sur le chemin critique a un effet immédiat sur la date de fin du projet.

▢ L'Organigramme des tâches représente également l'interdépendance entre deux tâches par une "ligne de liaison" reliant les deux cases. Pour définir ces différents liens entre les tâches, on parle aussi d'ordonnancement. L'organigramme des tâches permet ainsi de vérifier qu'aucun lien n'a été oublié : logiquement chaque tâche (hormis la première et la dernière) doit avoir au moins un prédécesseur et un successeur.

Selon l'avancement de la tâche, la case correspondante contient une ligne diagonale si la tâche est en cours de réalisation, et deux lignes diagonales croisées pour les tâches achevées si l'option **Marquer les tâches en cours et achevées** du menu **Format - Disposition** est cochée.

Exemple :

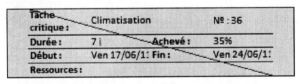

▢ Microsoft Project met à votre disposition différents outils spécifiques à l'affichage Organigramme des tâches dans l'onglet **Outils Organigramme des tâches - Format**.

Cliquez sur l'outil :

- **Réduire les zones** pour afficher uniquement le numéro des tâches et réduire ainsi l'affichage et visualiser plus de tâches et leurs relations.

- **Zone** pour afficher la boîte de dialogue **Format de la case** et personnaliser l'aspect (forme, couleur, bordure...) de la zone de tâche.

- **Styles des cases** pour afficher la boîte de dialogue de même nom et personnaliser l'aspect (forme, couleur, bordure...) des différents types de tâches de l'organigramme.

- **Disposition** pour personnaliser l'affichage (liaisons, organisation...) de l'organigramme. Dans cette boîte de dialogue, l'option **Positionnement manuel des cases** permet d'activer les outils du groupe **Disposition** situés dans l'onglet **Outils Organigramme des tâches - Format**.

Et/ou activez les cases à cocher :

- **Étiquettes de liaisons** pour afficher une étiquette avec la ligne de dépendance indiquant ainsi le type de liaison existante entre les deux tâches.

- **Liaisons droites** pour afficher les liens de dépendance sous la forme de ligne droite entre les zones.

- **Marques d'avancement** pour afficher des repères pour signaler les tâches en cours et les tâches terminées.

- **Tâches récapitulatives** et/ou **Tâche récapitulative du projet** pour afficher ces deux types de tâches dans l'organigramme.

Les options **Réorganiser maintenant** et **Aligner**, accessibles si l'option **Positionnement manuel des cases** de la boîte de dialogue **Disposition** est activée, permettent de modifier la manière dont les tâches sont organisées dans l'affichage et/ou d'aligner les bords des zones sélectionnées.

Se déplacer à l'aide du clavier

⊡ Revenez en visualisation des dernières tâches par les touches Ctrl Fin .

Inversement, visualisez la première tâche par les touches Ctrl ⬉ .

Organigramme des tâches

⊟ Utilisez les flèches de direction pour sélectionner une autre case.

Zoomer l'Organigramme des tâches

⊟ Cliquez sur l'outil **Zoom** 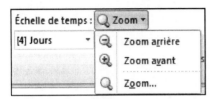 de l'onglet **Affichage** (groupe **Zoom**).

⊟ Cliquez sur **Zoom arrière, Zoom avant** ou **Zoom** afin de sélectionner la durée ou l'élément à visionner.

⊟ Dans ce cas, validez ou cliquez sur le bouton **OK**.

☞ Vous pouvez aussi utiliser la barre de zoom située à droite de la barre d'état.

*Si cette barre n'apparaît pas, faites un clic droit sur la barre d'état, puis cliquez sur l'option **Curseur de zoom** du menu contextuel.*

*Les pointillés matérialisent les sauts de page qui seront réalisés à l'impression. Pour masquer les sauts de page à l'écran, cliquez sur l'onglet **Outils Organigramme des tâches - Format - outil Disposition** et décochez la case d'option **Afficher les sauts de page**.*

⊟ Visualisez le détail d'une case dans une info-bulle en pointant (sans cliquer) la case durant quelques instants.

L'affichage des cases est personnalisable, vous pouvez par exemple déplacer une ou plusieurs cases.

Déplacer des cases

⊟ Onglet **Outils Organigramme des tâches - Format - outil Disposition**

⊟ Activez l'option **Positionnement manuel des cases** du cadre **Mode de disposition**.

⊟ Validez par le bouton **OK**.

⊡ Déplacez le pointeur de la souris sur un bord de la case à déplacer, vérifiez impérativement que le pointeur représente une flèche noire à quatre têtes, puis réalisez un cliqué-glissé.

L'Organigramme des tâches permet de modifier rapidement une relation entre deux tâches.

Modifier le type d'interdépendance entre deux tâches

⊡ Faites directement un double clic sur le trait (ou flèche) symbolisant l'interdépendance à modifier.

⊡ À l'aide de la liste déroulante correspondante, choisissez le **Type** d'interdépendance souhaitée.

⊡ Cliquez sur le bouton **OK** pour valider ou sur le bouton **Annuler** pour ne pas conserver la modification.

✍ Le bouton **Supprimer** de la boîte de dialogue **Interdépendance des tâches** permet d'interrompre toute liaison entre les deux tâches concernées.

L'Organigramme des tâches permet également de créer rapidement une relation de type fin à début.

Définir un lien de type fin à début

⊡ Cliquez sur la case de la tâche prédécesseur pour la sélectionner. Une case est sélectionnée lorsqu'elle devient noire.

⊡ Pointez la case ainsi sélectionnée et vérifiez que le pointeur de la souris représente une croix blanche.

⊡ Faites un cliqué-glissé vers la case de la tâche successeur.

Le cliqué-glissé génère une ligne avec un chaînon à son extrémité.

⊡ Relâchez la souris lorsque le cadre de la tâche successeur change de couleur.

Organigramme des tâches

Personnaliser l'Organigramme des tâches

⊟ Pour modifier le style des liaisons de l'organigramme, utilisez l'outil **Disposition** de l'onglet **Outils Organigramme des tâches - Format**.

⊟ Ouvrez la liste déroulante **Organisation de l'affichage,** puis choisissez la manière selon laquelle vous souhaitez que les cases soient organisées.

⊟ Choisissez ensuite l'**Alignement,** l'**Espacement,** la **Hauteur/Largeur** des cases de l'Organigramme des tâches dans les **Lignes** et/ou les **Colonnes**.

*Pour utiliser un espace identique entre les cases, choisissez l'option **Fixe** dans les champs **Hauteur** et/ou **Largeur**.*

⊟ Si vous souhaitez **Conserver ensemble tâches récapitulatives et subordonnées,** cochez l'option correspondante. Dans ce cas, Project privilégie l'association tâches récapitulatives-tâches subordonnées, par rapport à l'association prédécesseurs-successeurs dans la disposition de l'Organigramme des tâches.

⊟ Pour modifier le style des liaisons de l'Organigramme, choisissez le type de trait symbolisant les liaisons en activant l'option **Rectilignes** ou l'option **Droites** du cadre **Style des liaisons**.

⊟ Complétez si vous le souhaitez le trait symbolisant la liaison (FD pour Fin à Début, FF pour Fin à Fin, etc.) en cochant l'option **Afficher les étiquettes des liaisons** du cadre **Style des liaisons**.

⊟ Validez ou cliquez sur le bouton **OK**.

⊟ Pour aligner les boîtes horizontalement dans l'ordre chronologique, utilisez l'onglet **Outils Organigramme des tâches - Format** - outil **Réorganiser maintenant** (en mode **Positionnement manuel des cases** seulement).

⊟ Pour intervenir sur l'aspect des cases, utilisez l'onglet **Outils Organigramme des tâches - Format** - outil **Styles des cases**. Déterminez la présentation attendue avant de cliquer sur **OK**.

Imprimer l'Organigramme des tâches

⊟ Onglet **Fichier** - option **Imprimer**

⊟ Avant de lancer une impression quelconque, prenez la précaution de vérifier le résultat par un aperçu visible dans la partie droite de la fenêtre.

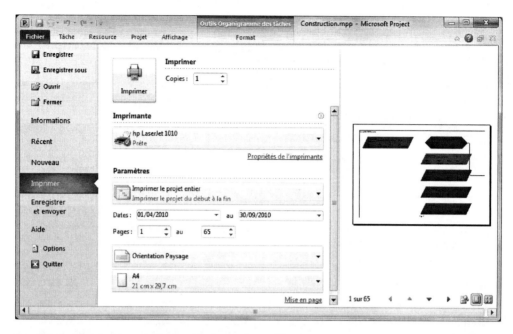

Sous l'aperçu, Project indique toujours le nombre total de pages qui sera imprimé.

Pour afficher la page précédente, ou suivante (horizontalement ou verticalement), cliquez sur la flèche correspondante.

Lancez l'impression par le bouton **Imprimer**.

Présenter le projet sous forme de calendrier

<u>Afficher le projet sous forme de calendrier</u>

⊟ Onglet **Affichage** - outil **Calendrier** (⊞ Calendrier groupe **Affichages des tâches**)

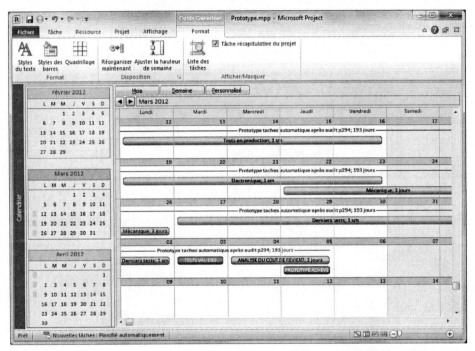

Le calendrier renseigne sur le nom du mois visualisé, et les semaines sont présentées en ligne. Les jours chômés sont en gris clair et les jours à horaires particuliers en gris plus soutenu.

⊟ Pour chaque tâche, une barre de tâche couvre les jours ou les semaines durant lesquels la tâche est prévue.

Cette barre est matérialisée par un encadrement bleu et elle informe sur le nom de la tâche et sa durée.

⊟ Les jalons sont signalés par un fond noir et un nom de tâche écrit en blanc.

Vous pouvez double cliquer sur la tâche de votre choix afin d'ouvrir la boîte de dialogue **Informations sur la tâche** correspondante.

⊟ Pour afficher la liste des tâches à une date précise, cliquez sur la date concernée puis

sur l'outil [Liste des tâches] de l'onglet **Outils Calendrier - Format** (groupe **Afficher/ masquer**).

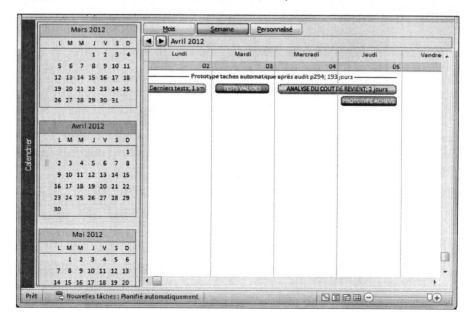

Choisir la période à visualiser

Par défaut, l'affichage du calendrier est mensuel.

⊟ Pour afficher le calendrier d'une **Semaine**, cliquez sur le bouton de même nom.

- Déplacez-vous de semaine en semaine, ou de mois en mois, (selon le type de période actif) par les boutons ◄ et ► .

- Utilisez l'ascenseur de la barre de défilement vertical qui, au cours du cliqué-glissé, propose des plages de date.

Personnaliser l'affichage

- Cliquez sur le bouton **Personnalisé**.

Les valeurs de zoom sont différentes de celles de l'Organigramme des tâches, car elles sont entièrement tournées vers la notion de temps.

- Choisissez alors votre valeur de zoom.
- Cliquez sur le bouton **OK**.

Comme dans l'Organigramme des tâches, vous pouvez également utiliser les outils du zoom situés dans la barre d'état.

Imprimer le calendrier

Rappelons que lorsque vous souhaitez imprimer tout affichage comportant une échelle de temps, prenez toujours la précaution de vérifier le nombre de pages avant tout lancement d'impression sur imprimante ou traceur. En effet, il se peut que cette impression nécessite de nombreuses pages !

- Activez l'onglet **Fichier** puis cliquez sur l'option **Imprimer**.

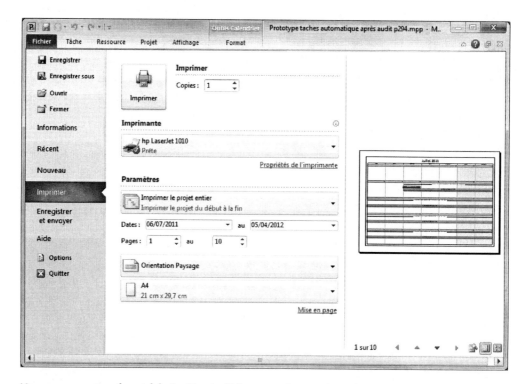

Un aperçu est présenté à droite de l'écran et le nombre de pages s'affiche en bas de la fenêtre.

⊟ Utilisez les options de la zone **Paramètres** pour déterminer les périodes/éléments à imprimer.

⊟ Cliquez sur le bouton **Imprimer** pour lancer l'impression ou cliquez à nouveau sur l'onglet **Fichier** pour refermer cet écran sans lancer l'impression.

Barre Chronologie

Afficher/masquer la barre Chronologie

*L'outil (ou barre) **Chronologie** permet un affichage plus clair et plus visuel de la planification.*

⊟ Pour afficher ou masquer la barre Chronologie, activez l'onglet **Affichage** puis cochez (pour afficher) ou décochez (pour masquer) l'option **Chronologie** du groupe **Fractionner l'affichage**.

Vous pouvez aussi faire un clic droit sur le Diagramme de Gantt, puis cliquer sur l'option Afficher la chronologie.

*La barre **Chronologie** s'affiche entre le Ruban et l'Espace de travail.*

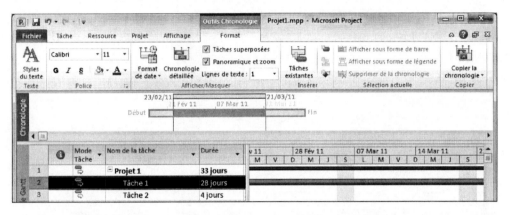

*La barre **Chronologie** représente la ligne de temps du projet. Notez également que si l'option **Panoramique et zoom** (onglet **Outils Chronologie - Format -** groupe **Afficher/Masquer**) est cochée, la partie affichée de votre projet dans le Diagramme de Gantt (du 23/02/11 au 21/03/11 dans notre exemple) apparaît encadrée dans la barre Chronologie.*

Ajouter des tâches à la Chronologie

⊟ Affichez le Diagramme de Gantt ainsi que la barre Chronologie si ce n'est déjà fait (cf. Afficher/masquer la barre Chronologie).

⊟ Pour ajouter dans la barre Chronologie des tâches existantes dans le Diagramme de Gantt, vous pouvez :

- faire un clic droit sur la tâche à ajouter à la barre Chronologie puis cliquez sur l'option **Ajouter à la chronologie** du menu contextuel.

- faire glisser la tâche du Diagramme de Gantt vers la barre Chronologie à l'aide d'un cliqué-glissé.

Vous pouvez également activer l'onglet **Outils Chronologie - Format** puis cliquer sur

l'outil du groupe **Insérer** pour afficher la boîte de dialogue **Ajouter des tâches à la chronologie** :

Ajouter des tâches à la chronologie

Sélectionner les tâches :

☐ Prototype tâches automatique après audit p294
　☐ ANALYSE
　　☑ Demande du client
　　☐ Analyse préliminaire
　　☐ Analyse détaillée
　　☐ Définition du cahier des charges
　　☐ Validation du cahier des charges
　☑ ETUDES
　　☑ Etudes électroniques
　　☑ Etudes mécaniques
　☐ FABRICATION
　　☐ Maquette
　　☐ Intégration partie électronique
　　☐ Intégration partie mécanique
　☐ TESTS
　　☐ Tests de la maquette

OK　　Annuler

Dans ce cas, cochez la ou les tâches à intégrer dans la barre Chronologie, puis validez par le bouton **OK**.

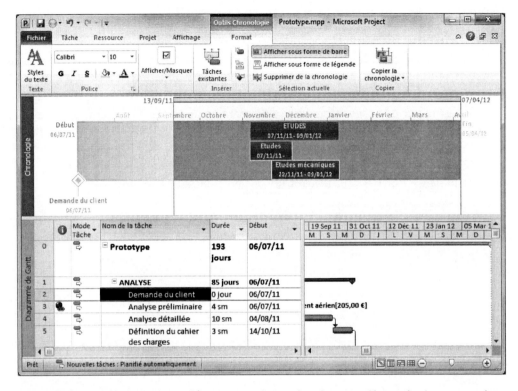

Les tâches apparaissent désormais dans la barre Chronologie aux dates correspondantes.

*Notez que les tâches jalons sont représentées par un losange en dessous de la règle de la Chronologie (**Demande du client** au **06/07/11** dans notre exemple). Quant aux tâches normales elles s'affichent sous la forme de barre ou de légende (cf. Gérer l'affichage dans la barre Chronologie).*

⊡ Pour ajouter de nouvelles tâches simultanément dans la barre Chronologie et le Diagramme de Gantt, cliquez sur l'outil **Tâche**, **Tâche de légende** ou **Jalon** du groupe **Insérer** selon le type de tâche souhaité. Renseignez alors les options de la boîte de dialogue **Informations sur la tâche** selon la procédure habituelle.

⊡ Pour supprimer une tâche de la Chronologie, cliquez dans la barre sur la tâche concernée puis cliquez sur l'outil **Supprimer de la chronologie** de l'onglet **Outils Chronologie - Format** (groupe **Sélection actuelle**).

Gérer l'affichage dans la barre Chronologie

⊡ Afficher la barre Chronologie (cf. Afficher/masquer la barre Chronologie).

⊡ Pour visualiser dans le Diagramme de Gantt une autre période, vous pouvez faire glisser (à l'aide d'un cliqué-glissé) la zone encadrée de la barre Chronologie.

⊡ De même que vous pouvez redimensionner cette zone encadrée afin d'agrandir ou diminuer la période présentée dans le Diagramme de Gantt. Pour cela, pointez le bord gauche ou droit (selon le cas) de la zone encadrée de la barre Chronologie, puis effectuez un cliqué glissé lorsque le curseur prend la forme d'une flèche à deux têtes.

⊡ Pour paramétrer l'affichage de la barre Chronologie, activez l'onglet **Outils Chronologie - Format** puis utilisez les outils du groupe **Afficher/Masquer** :

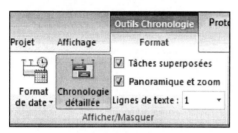

- **Format de date** pour modifier le format des dates, ou pour les masquer totalement.

- **Chronologie détaillée** pour afficher des détails tels que le nom des tâches ou les dates.

- **Tâches superposées** pour afficher les tâches qui se chevauchent sur plusieurs lignes (pour les afficher sur une seule ligne, décochez cette option).

- **Panoramique et zoom** pour encadrer ou non dans la barre Chronologie la période présentée dans l'espace de travail.

⊡ Pour modifier le mode d'affichage des tâches normales, activez l'onglet **Outils Chronologie - Format** puis cliquez sur l'outil [Afficher sous forme de légende] pour afficher les tâches au-dessus de la règle de la Chronologie, ou cliquez sur l'outil [Afficher sous forme de barre] pour les afficher au centre de la règle.

Vous pouvez aussi faire un clic droit sur la tâche dans la Chronologie puis cliquer sur l'option Afficher sous forme de barre ou Afficher sous forme de légende du menu contextuel.

Si la tâche est affichée sous forme de légende, vous pouvez la faire glisser au-dessus ou sous la règle, ou bien à gauche ou à droite de la Chronologie, vous noterez qu'elle reste liée à sa date de démarrage.

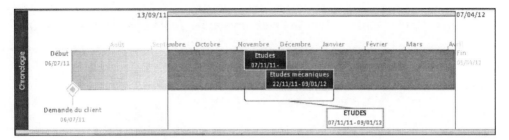

↪ Pour afficher en plein écran la barre Chronologie, activez l'onglet **Affichage**, ouvrez la liste associée à l'outil **Diagramme de Gantt** puis cliquez sur l'option **Plus d'affichages**, et enfin, faites un double clic sur l'option **Chronologie** de la fenêtre **Plus d'affichages**.

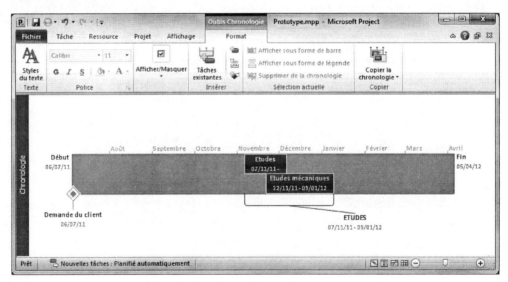

Copier la barre Chronologie dans une autre application

⊡ Pour copier la barre Chronologie dans un e-mail, dans une présentation PowerPoint ou bien vers le presse-papier de Windows, vous pouvez faire un clic droit sur cette barre, puis cliquez sur l'option **Copier la chronologie** avant de choisir l'option **Pour le courrier électronique**, **Pour la présentation** ou **Taille complète** selon le cas.

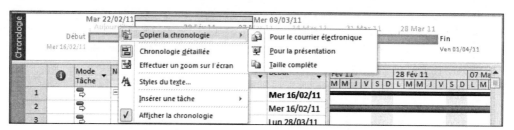

⊡ Ouvrez ensuite l'application correspondante (logiciel de messagerie, PowerPoint...) puis "coller" la barre Chronologie à l'aide de sa commande **Edition - Coller**.

Vous pouvez aussi exécuter la copie de la barre Chronologie à partir du ruban. Pour cela, cliquez dans la barre Chronologie pour activer l'onglet **Outils Chronologie***, puis cliquez sur l'outil* **Copier la chronologie** *avant de choisir l'option souhaitée.*

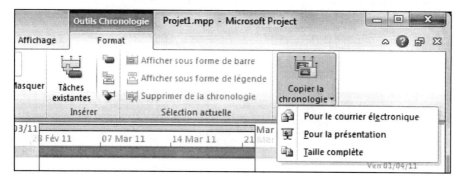

Affichage personnalisé

Intervenir sur le format d'affichage des dates

🗐 Activez l'onglet **Fichier** puis cliquez sur l'option **Options** pour activer le mode Backstage.

🗐 Activez la catégorie **Affichage** des **Options de Project**.

🗐 Ouvrez les listes **Type de calendrier** et indiquez vos préférences.

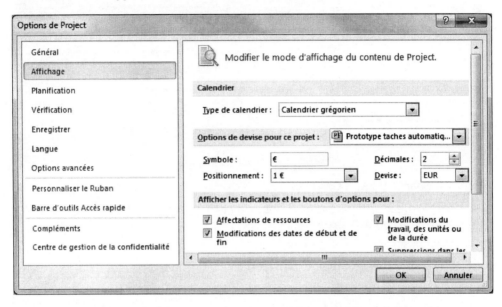

🗐 Activez la catégorie **Général** puis choisissez le **Format de date** souhaité.

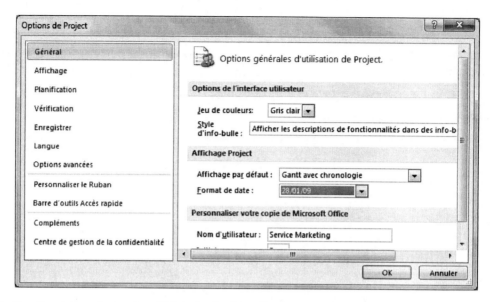

⊡ Confirmez par le bouton **OK** de la fenêtre **Options de Project** pour valider.

Microsoft Project appliquera le format de date sélectionné pour tous les projets et pas uniquement pour le projet actif.

Créer un nouvel affichage simple

⊡ Activez l'onglet **Affichage**, ouvrez la liste associée à l'outil **Diagramme de Gantt** puis cliquez sur l'option **Plus d'affichages.**

⊡ Cliquez sur le bouton **Créer** de la fenêtre **Plus d'affichages.**

Project 2010 appelle "combiné" un affichage composé de plusieurs affichages existants (cf. Affichage personnalisé - Créer un nouvel affichage combiné).

⊡ Sélectionnez **Affichage simple** et validez ou cliquez sur le bouton **OK**.

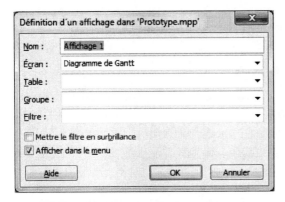

↪ Donnez un **Nom** au nouvel affichage.

↪ Indiquez la nature de l'**Écran**.

En fonction de l'écran choisi, les options qui suivent peuvent être accessibles ou non.

↪ Si cela est possible précisez la **Table** à associer.

↪ Précisez le **Groupe** concerné par l'affichage, ce qui vous permettra un classement des tâches ou des ressources du projet.

↪ Précisez le **Filtre** à appliquer.

↪ Cochez l'option **Mettre le filtre en surbrillance** si vous désirez que les tâches ou ressources correspondant aux critères du filtre soient mises en valeur.

↪ Cochez l'option **Afficher dans le menu** si le nouvel affichage doit apparaître dans la liste générale des affichages.

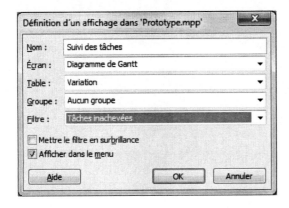

⊟ Validez ou cliquez sur le bouton **OK**.

⊟ Choisissez d'**Appliquer** ou de **Fermer**.

Créer un nouvel affichage combiné

⊟ Activez l'onglet **Affichage**, ouvrez la liste associée à l'outil **Diagramme de Gantt** puis cliquez sur l'option **Plus d'affichages**.

⊟ Cliquez sur le bouton **Créer** de la fenêtre **Plus d'affichages**.

⊟ Activez l'option **Affichage combiné** et confirmez par le bouton **OK**.

⊟ Attribuez un **Nom** au nouvel affichage.

⊟ Par la liste **Affichage principal**, précisez ce qui devra s'afficher dans la partie supérieure de l'écran.

⊟ Faites la même chose pour le **Volet Détails** (qui s'affichera dans la partie inférieure de l'écran) grâce à la liste correspondante.

⊟ Précisez si l'affichage doit être **Visible dans le menu**.

⊟ Validez ou cliquez sur le bouton **OK**.

⊟ Choisissez d'**Appliquer** ou de **Fermer**.

Personnalisation : impressions et rapports

Personnaliser une mise en page

- ⊟ Activez l'onglet **Fichier** puis cliquez sur l'option **Imprimer**.

- ⊟ Cliquez sur le lien **Mise en page** situé en bas de la partie centrale de l'écran.

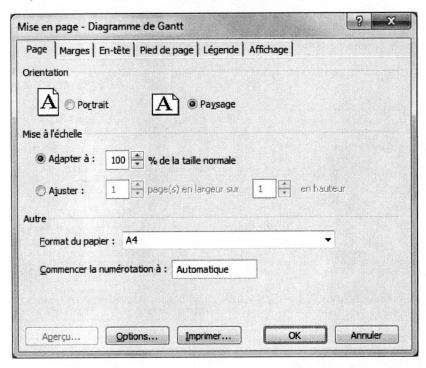

Le nombre d'onglets accessibles dépend de la nature de l'élément à imprimer ; certains contenus d'onglets également.

Modifier les marges et/ou l'encadrement des pages

- ⊟ Affichez la boîte de dialogue **Mise en page**.

- ⊟ Activez l'onglet **Marges**.

- ⊟ Intervenez dans les zones **Haut, Bas, Gauche, Droite** pour modifier les marges.

- ⊟ Pour modifier l'**Encadrement** des pages, choisissez une des options de la zone de même nom.

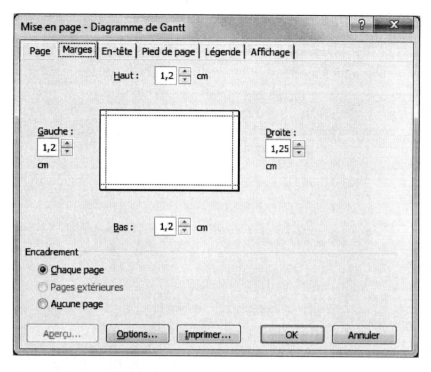

L'option **Pages extérieures** n'est disponible que pour l'Organigramme des tâches (Réseau de tâches).

⊡ Validez ou cliquez sur le bouton **OK**.

Modifier les en-têtes/pieds de page

⊡ Affichez la boîte de dialogue **Mise en page**.

⊡ Activez l'onglet **En-tête** ou l'onglet **Pied de page**.

⊡ Activez ensuite l'alignement adéquat (**Gauche**, **Centre** ou **Droite**).

⊡ Entrez le contenu associé, au besoin, aux outils suivants :

| | A | Police | | ⊞ | Numéro de page |

| ⊞ | Nombre total de pages | | ⊞ | Date système |

Personnalisation : impressions et rapports

⊗ Heure système

📄 Nom du fichier

🖼 Une image

⊟ Vous pouvez également choisir un élément des listes déroulantes **Général** ou **Champs de Project**, puis valider votre choix à l'aide du bouton **Ajouter** qui lui est associé.

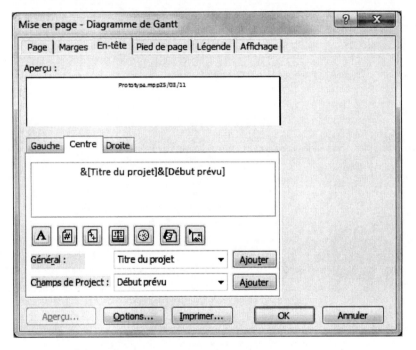

Le cadre Aperçu est mis à jour instantanément.

⊟ Validez ou cliquez sur le bouton **OK**.

Modifier la légende

⊟ Affichez la boîte de dialogue **Mise en page**.

⊟ Activez l'onglet **Légende**.

⊟ Pour définir l'en-tête global de la légende, procédez comme pour une création d'en-tête ou de pied de page.

⊡ Définissez le lieu d'apparition de cette légende par les options **Légende sur**.

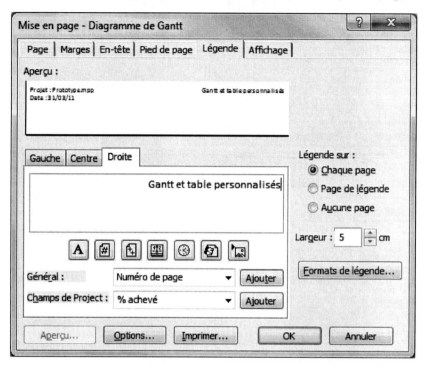

⊡ Le bouton **Formats de légende** ouvre la boîte de dialogue **Police** à partir de laquelle vous pouvez modifier la police, la taille, la couleur et le style du texte sélectionné dans la légende.

⊡ Validez ou cliquez sur le bouton **OK**.

Modifier le contenu de l'impression

⊡ Affichez la boîte de dialogue **Mise en page**.

⊡ Activez l'onglet **Affichage**.

Personnalisation : impressions et rapports

⊡ Affinez le choix du contenu par les options présentées sur l'onglet.

Les options proposées varient selon l'élément à imprimer.

⊡ Validez ou cliquez sur le bouton **OK**.

Modifier l'orientation d'un document

⊡ Activez l'onglet **Fichier** puis cliquez sur l'option **Imprimer**.

⊡ Cliquez sur le lien **Mise en page** situé en bas de la partie centrale de l'écran.

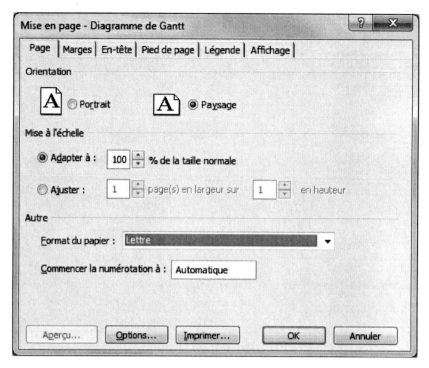

⊟ Activez, si besoin est, l'onglet **Page**.

⊟ Choisissez l'**Orientation** désirée.

Le mode Portrait est aussi appelé impression "à la verticale" ou "à la française" et le mode Paysage impression "à l'horizontale" ou "à l'italienne".

⊟ Modifiez éventuellement l'échelle de l'affichage, soit en saisissant un pourcentage de réduction ou d'agrandissement qui sera appliqué à l'impression (**Adapter à**), soit en ajustant la taille afin que toutes les données d'un affichage apparaissent sur un nombre de pages spécifié (**Ajuster**).

⊟ Cliquez sur le bouton **OK** pour valider les modifications et fermer la boîte de dialogue ou sur le bouton **Imprimer** puis sur le bouton **OK**.

Personnalisation : impressions et rapports

Créer un rapport de base personnalisé

Si aucun des rapports prédéfinis de Project 2010 ne vous convient, vous pouvez personnaliser votre rapport à partir d'un modèle.

⊟ Activez l'onglet **Projet** puis cliquez sur l'outil **Rapports** du groupe **Rapports**.

⊟ Faites un double clic sur **Personnalisé**.

⊟ Cliquez sur le bouton **Créer**.

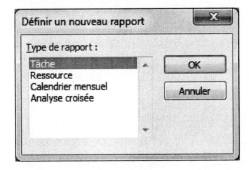

Vous pouvez créer un rapport simple de tâches ou de ressources, un rapport de calendrier mensuel ou bien encore un rapport d'analyse croisée.

Créer un rapport simple de tâches ou de ressources

⊟ Sélectionnez le **Type de rapport : Tâche** ou **Ressource** selon l'origine des données.

⊟ Validez par le bouton **OK**.

⊟ Dans l'onglet **Définition**, saisissez le **Nom** du nouveau rapport.

⊟ Ouvrez la liste déroulante **Période** puis sélectionnez celle de votre choix.

⊟ Déterminez ensuite, dans le champ **Fréquence**, le nombre de périodes devant apparaître sur un seul rapport (sauf pour **Projet entier**).

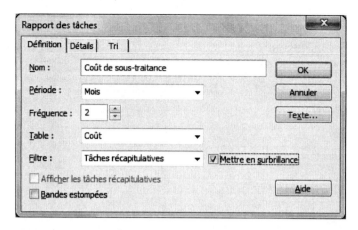

- ⊡ Sélectionnez la **Table** à afficher dans le rapport.

- ⊡ Choisissez, si nécessaire, d'appliquer un **Filtre** à ce rapport.

- ⊡ Pour **Mettre en surbrillance** les données filtrées, cochez l'option de même nom.

- ⊡ Sachez que Project vous permet de modifier aussi le format du texte en surbrillance ; pour cela, cliquez sur le bouton **Texte**, puis sélectionnez l'option **Tâches en surbrillance** ou **Ressources en surbrillance** (selon le cas) dans la zone **Élément à modifier**, et enfin, sélectionnez les options de mise en forme souhaitées.

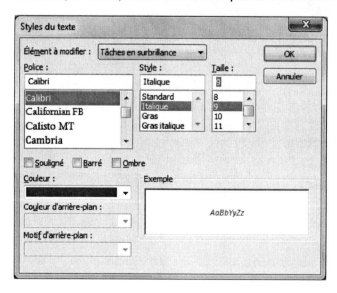

Personnalisation : impressions et rapports

*Grâce à la liste déroulante **Élément à modifier**, vous pouvez bien sûr modifier également la mise en forme de tous les éléments composant le rapport.*

- Cliquez sur le bouton **OK** pour valider les options de mise en forme du texte.

- Activez ensuite l'onglet **Détails** afin de donner plus de précisions sur le contenu du rapport en cochant ou décochant les options de votre choix.

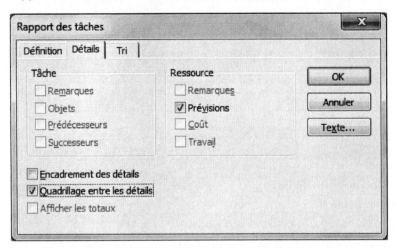

*Selon les choix activés dans l'onglet **Définition**, certaines options peuvent être indisponibles.*

- Pour trier les données du rapport, activez l'onglet **Tri** puis définissez le ou les critères à appliquer.

- Validez la définition du rapport en cliquant sur le bouton **OK** et revenir ainsi à la boîte de dialogue **Rapports personnalisés**.

- Cliquez sur le bouton **Fermer**.

Créer un rapport de calendrier mensuel

- Sélectionnez l'option **Calendrier mensuel** dans le cadre **Type de rapport** située dans la boîte de dialogue **Définir un nouveau rapport**, puis validez par **OK**.

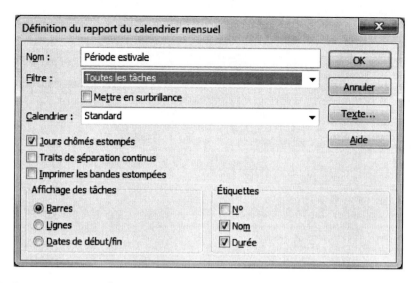

⊡ Donnez un **Nom** à ce nouveau rapport.

⊡ Choisissez le **Filtre** à appliquer.

⊡ Modifiez, si nécessaire, le **Calendrier** de référence.

⊡ Cochez l'option **Traits de séparation continus** si vous voulez afficher une ligne conti-
nue à la fin d'une barre pour indiquer que la tâche se poursuit la semaine suivante.

⊡ Cochez l'option **Imprimer les bandes estompées** pour séparer par une bande, les
dates qui séparent les informations relatives aux tâches de celles qui ne correspondent pas aux tâches.

⊡ Pour mettre en forme l'**Affichage des tâches** et/ou les **Étiquettes** des tâches, activez
et/ou cochez les options correspondantes.

⊡ Validez la définition du rapport en cliquant sur le bouton **OK** et revenir ainsi à la boîte
de dialogue **Rapports personnalisés**.

⊡ Cliquez sur le bouton **Fermer**.

⋈ Au lieu de créer un rapport personnalisé de Calendrier mensuel, vous pouvez personnaliser l'affichage Calendrier en vue de son impression.

Personnalisation : impressions et rapports

Créer un rapport d'analyse croisée

🔲 Sélectionnez **Analyse croisée** dans le cadre **Type de rapport** situé dans la boîte de dialogue **Définir un nouveau rapport**, puis validez par **OK**.

🔲 Dans l'onglet **Définition**, saisissez le **Nom** du rapport.

🔲 Précisez l'origine des données à présenter en **Ligne** (**Tâches** ou **Ressources**).

🔲 Indiquez l'intervalle de temps de l'analyse grâce à la liste **Colonne** et à la zone de saisie suivante.

🔲 Dans la liste du milieu, choisissez le champ à analyser.

🔲 Associez, au besoin, un **Filtre**.

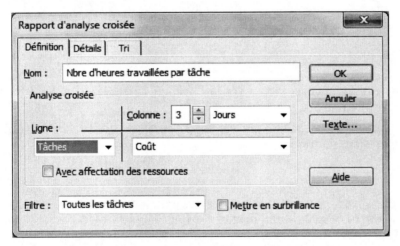

🔲 Pour **Mettre en surbrillance** les données filtrées, cochez l'option de même nom.

🔲 Sachez que Project vous permet de modifier aussi le format du texte en surbrillance, pour cela, cliquez sur le bouton **Texte**, puis sélectionnez l'option **Tâches** en surbrillance ou **Ressources en surbrillance** (selon le cas) dans la zone **Élément à modifier**, et enfin, sélectionnez les options de mise en forme souhaitées. Validez par le bouton **OK**.

🔲 Activez ensuite l'onglet **Détails** afin de donner plus de précisions sur le contenu du rapport.

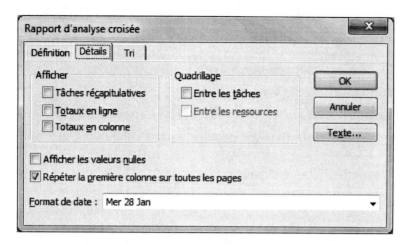

*Selon les choix activés dans l'onglet **Définition**, certaines options peuvent être indisponibles.*

🖫 Pour trier les données du rapport, activez l'onglet **Tri** puis définissez le ou les critères à appliquer.

🖫 Validez la définition du rapport en cliquant sur le bouton **OK** et revenir ainsi à la boîte de dialogue **Rapports personnalisés**.

🖫 Cliquez sur le bouton **Fermer**.

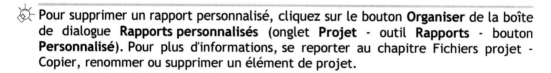

🔆 Pour supprimer un rapport personnalisé, cliquez sur le bouton **Organiser** de la boîte de dialogue **Rapports personnalisés** (onglet **Projet** - outil **Rapports** - bouton **Personnalisé**). Pour plus d'informations, se reporter au chapitre Fichiers projet - Copier, renommer ou supprimer un élément de projet.

Afficher/imprimer un rapport de base de projet

🖫 Activez l'onglet **Projet** puis cliquez sur l'outil **Rapports**.

*La boîte de dialogue **Rapports** apparaît.*

Personnalisation : impressions et rapports

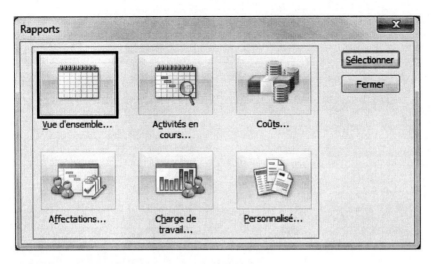

🔲 Faites un double clic sur le thème souhaité.

🔲 Faites un double clic sur le rapport souhaité.

🔲 Modifiez, si besoin, les **Paramètres** d'impression puis cliquez sur le bouton **Imprimer** pour lancer l'impression ou sur l'onglet **Fichier** pour quitter le mode Backstage sans lancer l'impression.

Créer un rapport visuel à partir d'un modèle

Un rapport visuel permet d'afficher des données d'un projet sous la forme de tableau croisé dynamique dans l'application Microsoft Excel ou de diagramme croisé dynamique dans l'application Microsoft Visio. Les versions 2003 ou supérieures de ces deux logiciels doivent être installées sur votre ordinateur.

🔲 Activez l'onglet **Projet** puis cliquez sur l'outil  du groupe **Rapports**.

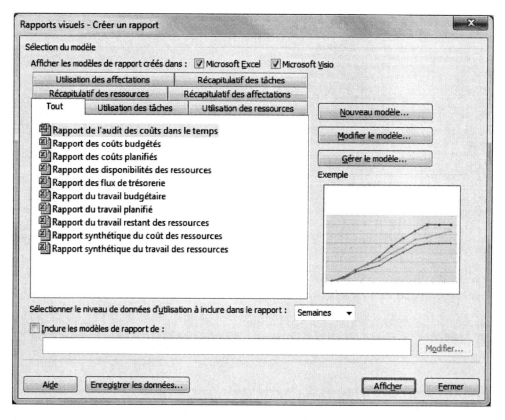

Project 2010 met à votre disposition des modèles de rapport classés par catégories (onglets) :

- *Utilisation des tâches, Utilisation des ressources, Utilisation des affectations pour exploiter des données chronologiques.*

- *Récapitulatif des tâches, Récapitulatif des ressources, Récapitulatif des affectations pour exploiter des données qui n'incluent pas de données chronologiques.*

L'onglet Tout liste les rapports de toutes les catégories.

⊟ Pour limiter l'affichage de la liste des rapports destinés à être ouverts par l'application **Microsoft Office Excel** et/ou **Microsoft Office Visio**, décochez ou cochez l'option correspondante.

Personnalisation : impressions et rapports

⊟ Activez l'onglet de la catégorie de rapports souhaitée, ou bien activez l'onglet **Tout** pour obtenir la liste exhaustive des modèles de rapports visuels.

⊟ Pour modifier le niveau des données d'utilisation incluses dans le rapport, ouvrez la liste déroulante **Sélectionner le niveau de données d'utilisation à inclure dans le rapport**, puis choisissez la période souhaitée (**Années**, **Trimestres**, **Mois**, **Semaines** ou **Jours**).

*S'il n'est pas nécessaire d'inclure des données d'utilisation dans le rapport, il est conseillé de choisir l'option **Années** afin d'optimiser les performances du rapport.*

⊟ Pour apporter des modifications à la liste des champs contenus dans le rapport sélectionné, cliquez sur le bouton **Modifier le modèle**. Cliquez alors sur le champ à ajouter/supprimer du rapport afin de le sélectionner, puis cliquez sur le bouton **Ajouter** ou **Supprimer** (selon le cas) pour déplacer le champ de la zone **Champs disponibles** vers **Champs sélectionnés** (ou vice versa), ou de la zone **Champs personnalisés disponibles** vers **Champs personnalisés sélectionnés** (ou vice versa).

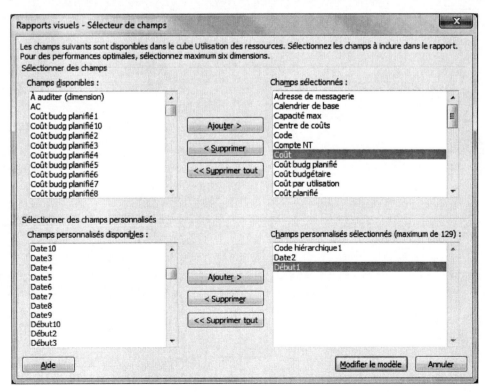

*Les champs des zones **Champs sélectionnés** et **Champs personnalisés sélectionnés** seront intégrés dans le rapport.*

⊟ Dans ce cas, cliquez sur le bouton **Modifier le modèle** pour générer le rapport et l'ouvrir directement dans l'application Microsoft Excel ou Microsoft Visio selon le type de rapport.

⊟ Si vous n'avez pas apporté de modifications au modèle de rapport choisi, cliquez sur le bouton **Afficher** de la fenêtre **Rapports visuels - Créer un rapport** pour générer le rapport et l'ouvrir directement dans l'application Microsoft Excel ou Microsoft Visio selon le type de rapport.

Dans cet exemple, le rapport a généré un tableau croisé dynamique dans l'application Microsoft Excel.

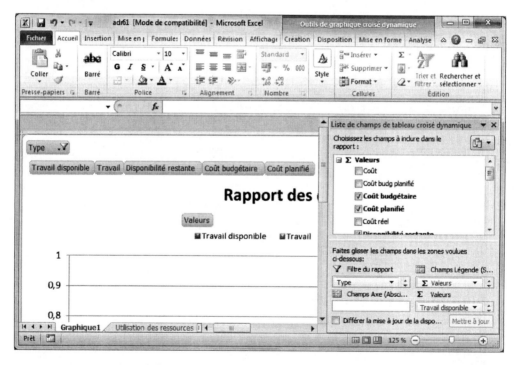

⊟ Utilisez les fonctionnalités de l'application Excel ou Visio selon le cas pour exploiter les données du rapport ainsi généré.

⊟ Enregistrez, si besoin, le rapport au format Excel (.xlsx, .xlsb, .xslm...) ou Visio selon le cas, puis refermez l'application.

Personnalisation : impressions et rapports

Créer un modèle de rapport visuel

⊡ Activez l'onglet **Projet** puis cliquez sur l'outil **Rapports visuels** du groupe **Rapports**.

⊡ Cliquez sur le bouton **Nouveau modèle.**

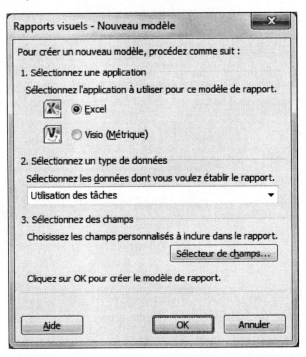

⊡ Choisissez de créer un modèle dont les données seront exploitées par l'application Microsoft **Excel** ou Microsoft **Visio** en activant l'option correspondante.

⊡ **Sélectionnez un type de données** à utiliser dans ce nouveau rapport grâce à la liste déroulante correspondante.

⊡ Cliquez sur le bouton **Sélecteur de champs** pour afficher la boîte de dialogue **Rapports visuels - Sélecteur de champs.**

⊡ Tout en maintenant la touche [Ctrl] enfoncée, cliquez dans la zone **Champs disponibles** et/ou **Champs personnalisés disponibles** sur les champs à ajouter au rapport afin de les sélectionner. Puis cliquez sur le bouton **Ajouter** pour déplacer les **Champs disponibles** vers la zone **Champs sélectionnés**, et/ou les **Champs personnalisés disponibles** vers la zone **Champs personnalisés sélectionnés.**

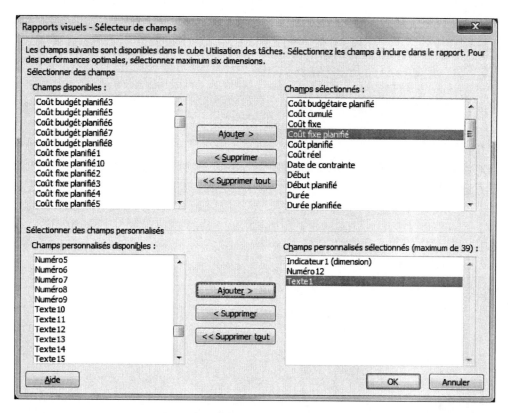

*Les champs des zones **Champs sélectionnés** et **Champs personnalisés sélectionnés** seront intégrés dans le rapport.*

*Le bouton **Supprimer** permet de supprimer le ou les champs sélectionnés.*

- Cliquez à deux reprises sur le bouton **OK** pour générer le rapport et l'ouvrir directement dans l'application Microsoft Excel ou Microsoft Visio selon le type de rapport.

- Utilisez les fonctionnalités de l'application Excel ou Visio selon le cas pour exploiter les données du rapport ainsi généré.

- Lorsque le modèle de rapport vous convient, enregistrez-le à l'emplacement par défaut des modèles ou à l'endroit de votre choix.

Personnalisation : impressions et rapports

*Notez que les modèles de rapports enregistrés à leur emplacement par défaut apparaissent automatiquement dans la boîte de dialogue **Rapports visuels - Créer un rapport** :*

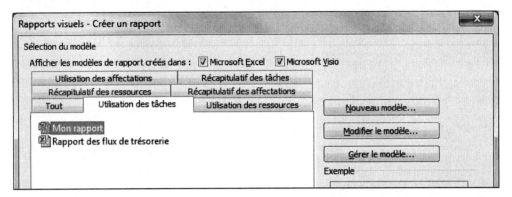

Sous environnement Windows Vista ou Windows 7, l'emplacement d'enregistrement des modèles défini par défaut est C:/Utilisateurs/Nom d'utilisateur/AppData/Roaming/Microsoft/Templates.

Découvrir les champs de Project

Le **Champ** contient un type d'informations et fait partie d'une table, d'un affichage fixe ou de la zone chronologique des affichages d'utilisation.

Project propose plusieurs types de champs :

- Le **Champ de tâche**, comme son nom l'indique, affiche des informations relatives à la tâche dans un Diagramme de Gantt, un Tableau des tâches ou un Organigramme des tâches. Le **Champ de chronologie des tâches** affiche également des informations relatives à la tâche, mais ces données sont réparties sur sa durée. Ce type de champ peut être affiché dans la partie chronologique de l'affichage Utilisation des tâches.

- Le **Champ de ressource** affiche dans les affichages Tableau des ressources et Utilisation des ressources, des informations sur chaque ressource ; comme, par exemple, des informations récapitulatives sur toutes les tâches affectées à chaque ressource. Le **Champ de chronologie des ressources** affiche également des données sur chaque ressource, mais réparties sur la durée de la disponibilité de la ressource pour le projet. Ce type de champ peut être affiché dans la partie chronologique de l'affichage Utilisation des ressources.

- Le **Champ d'affectation** affiche dans la partie tableau des affichages Utilisation des tâches et Utilisation des ressources ainsi que dans le bas des fiches Tâche et Ressource, des informations sur chaque affectation. Le **Champ de chronologie des affectations** affiche des données relatives à chaque affectation, réparties sur sa durée et il peut être affiché dans la partie chronologique des affichages Utilisation des tâches et Utilisation des ressources.

*Si vous disposez de la version Project 2010 Professionnel, plusieurs **Champs Projet** sont désormais disponibles.*

Créer une table

Une table est un tableau présentant des informations spécifiques sur des tâches, des ressources et des affectations.

Il existe un certain nombre de table prédéfinies dans l'application Microsoft Project, mais il vous est possible d'en créer. Sachez également qu'il existe deux grands types de tables : les tables de tâches et les tables des ressources.

Les tables peuvent être associées à un affichage graphique (ex : la table Entrée est associée au Diagramme de Gantt).

Définir le contenu de la table

⊟ Onglet **Affichage** - outil **Tables** du groupe **Données** - option **Plus de tables**

⊟ Activez l'option **Tâche** ou **Ressource** de la boîte de dialogue **Plus de Tables** selon le type de table souhaité.

⊟ **Pour créer une toute nouvelle table, cliquez sur le bouton Créer. Pour créer une nouvelle table en utilisant une table existante, sélectionnez cette table puis cliquez sur le bouton Copier.**

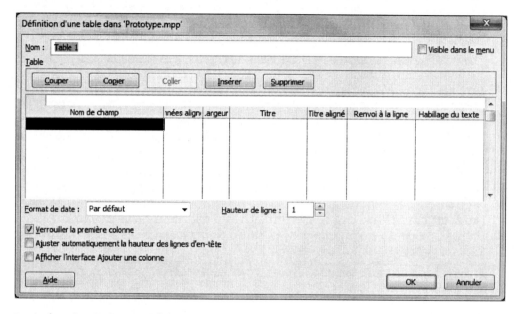

*La boîte de dialogue **Définition d'une table** est vide dans le cas d'une création (bouton **Créer**) sinon elle affiche les composants de la table servant de modèle si vous avez utilisé le bouton **Copier**.*

⊟ Donnez un **Nom** à la nouvelle table.

⊟ Si vous désirez que le nom de cette nouvelle table s'affiche dans le sous-menu **Table**, cochez l'option **Visible dans le menu**.

*Lorsque cette option est cochée, la table est directement accessible par l'onglet **Affichage** - outil **Tables**. Sinon, vous devez l'atteindre par l'option **Plus de tables**.*

⊟ Pour chaque colonne :

- Sélectionnez le **Nom de champ** après avoir cliqué sur la flèche associée à la cellule.

- Choisissez la position dans la liste **Données alignées**.

Pour les champs de type numérique et de type date, la norme est l'alignement droit.

*Pour le champ **Nom**, évitez les alignements **Droite** et **Centré** sinon vous n'aurez plus les retraits associés au mode plan.*

⊟ Précisez la **Largeur** qui sera attribuée par défaut à la colonne.

⊟ Dans la zone **Titre**, entrez, au besoin, le futur libellé de la colonne.

En laissant la cellule Titre vide, Project reprend le nom du champ en tant que libellé.

*Saisir un **Titre** spécifique permet de personnaliser les en-têtes de colonne mais peut poser des problèmes. Lors des tris par exemple, Project propose les noms de champ en tant que critères et non les libellés de colonnes.*

⊟ Au besoin, ouvrez la liste **Titre aligné** et choisissez l'alignement attendu pour le titre de la colonne.

⊟ Si les champs de type date doivent avoir un format particulier, choisissez-le dans la liste **Format de date**.

⊟ Au besoin, intervenez sur la **Hauteur de ligne**.

⊟ Si vous souhaitez toujours visualiser la première colonne lors de vos déplacements vers la droite de la table, laissez actif le choix **Verrouiller la première colonne**.

⊟ Pour **Ajuster automatiquement la hauteur des lignes d'en-tête** afin que tout le texte apparaisse, cochez l'option correspondante.

⊟ Cochez l'option **Afficher l'interface Ajouter une colonne** si vous souhaitez intégrer automatiquement dans cette table une colonne vierge qui vous permet, comme son nom l'indique, d'**Ajouter une nouvelle colonne** facilement.

⊟ Validez par le bouton **OK** puis par **Appliquer** ou **Fermer**.

✍ Dans le cas d'une création de table à partir d'une table existante, sachez que la table de référence reste inchangée.

Rappelons qu'il est possible de supprimer et/ou de copier une table (d'un projet à un autre si besoin) grâce au bouton **Organiser** de la boîte de dialogue **Plus de tables** (cf. Fichiers projet - Copier, renommer ou supprimer un élément de projet).

Utiliser certains champs de tâches

⊡ Parmi les nombreux champs proposés, certains ont été créés et réservés à l'usage personnel de chaque utilisateur de Microsoft Project. En voici quelques uns :

Types de champs	Noms des champs	Observations
Numérique	Numéro1 à Numéro20	Pour stocker des nombres.
Coût	Coût1 à Coût10	Pour stocker des nombres en format monétaire. Attention, données non prises en compte dans le coût total.
Oui/Non	Indicateur1 à Indicateur20	Pour ne saisir que des valeurs "Oui" ou "Non". Valeur par défaut "Non".
Texte	Texte 1 à Texte 30	Pour saisir des informations de texte.
Durée	Durée 1 à Durée 10	Pour contenir des valeurs de durée ou de travail.
Date	Date 1 à Date 10 Fin 1 à Fin 10 Début 1 à Début 10	Pour stocker des dates. Pour stocker des dates de fin ou d'autres dates. Pour stocker des dates de début ou d'autres dates.
Code	Code hiérarchique 1 à Code hiérarchique 10	Pour stocker des informations sur des codes hiérarchiques.

Utiliser quelques champs de ressources

⊡ Pour les ressources, les champs personnalisés sont les suivants :

Types de champs	Noms des champs
Texte	Texte1 à Texte30
Numérique	Numéro1 à Numéro20
Coût	Coût1 à Coût10
Date	Date1 à Date10 Fin1 à Fin10 Début1 à Début10

Gestion des tables

Types de champs	Noms des champs
Durée	Durée1 à Durée10
Code	Code hiérarchique 1 à Code hiérarchique 10
Oui/Non	Indicateur 1 à Indicateur 20

 Pour obtenir de plus amples informations sur un champ, vous pouvez effectuer une recherche dans le fichier d'Aide de Project (☐) en saisissant les mots clés **Types de champs**.

Supprimer une table

⊟ Onglet **Affichage** - outil **Tables** (groupe **Données**) - option **Plus de tables**

⊟ Activez l'option **Tâche** ou **Ressource** selon le type de table concernée.

⊟ Cliquez sur le bouton **Organiser** de la fenêtre **Plus de tables**.

⊟ Vérifiez que le projet contenant la table à supprimer est bien actif, dans le cas contraire, sélectionnez-le dans la liste **Tables disponibles dans**.

⊟ Cliquez sur la table à supprimer afin de la sélectionner.

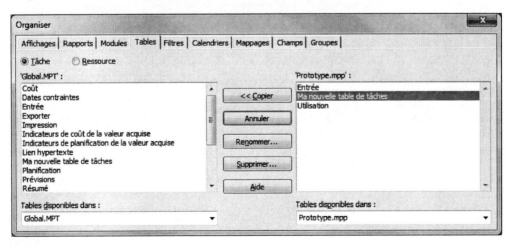

⊟ Cliquez sur le bouton **Supprimer**.

⊟ Validez la suppression par le bouton **Oui**.

Modifier le contenu d'une table

⊟ Affichez la table à modifier à partir de l'onglet **Affichage** - outil **Tables**.

Changer le contenu d'une colonne

⊟ Faites un clic droit sur le nom de l'en-tête de colonne dont le contenu doit être changé, puis cliquez sur l'option **Paramètres de champ** du menu contextuel.

*Vous pouvez aussi utiliser l'outil **Paramètres de colonne** puis **Paramètres de champ** (onglet **Outils Diagramme de Gantt** - **Format** - groupe **Colonnes**) pour afficher la boîte de dialogue **Paramètres de champ**.*

⊟ Pour modifier le **Nom de champ**, ouvrez la liste déroulante correspondante puis choisissez le champ de remplacement.

⊟ Modifiez si besoin le **Titre** de la colonne, l'**Alignement du titre**, l'**Alignement des données** et/ou la **Largeur**.

⊟ Pour renvoyer à la ligne suivante le texte de l'en-tête de colonne, cochez l'option **Renvoyer le texte d'en-tête à la ligne**.

⊟ Validez ou cliquez sur le bouton **OK**.

Insérer une colonne

🖱 Cliquez sur l'en-tête de la colonne qui suivra la nouvelle colonne puis cliquez sur l'outil **Insérer une colonne** de l'onglet **Outils Diagramme de Gantt - Format** - groupe **Colonnes**.

*Vous pouvez aussi faire un clic droit sur l'en-tête de la colonne qui suivra la nouvelle puis cliquez sur l'option **Insérer une colonne** du menu contextuel.*

Vous pouvez aussi cliquer sur l'en-tête de la colonne qui suivra la nouvelle colonne puis appuyer sur la touche Inser *.*

*De même que vous pouvez cliquer sur l'en-tête **Ajouter une nouvelle colonne***

*si l'option **Afficher l'interface Ajouter une colonne** a été cochée dans les paramètres de la table (**Affichage** - **Tables** - **Plus de tables** - **Modifier**).*

🖱 Cliquez, dans la liste déroulante qui s'affiche automatiquement, sur le nom du champ souhaité.

🖱 Pour modifier les paramètres de cette nouvelle colonne, cliquez sur l'outil **Champs personnalisés** (onglet **Outils Diagramme de Gantt - Format** - groupe **Colonnes**).

*La boîte de dialogue **Champs personnalisés** s'affiche.*

🖱 Personnalisez, si vous le souhaitez, la colonne à l'aide des options proposées.

Supprimer une colonne

🖱 Faites un clic droit sur l'en-tête de la colonne à supprimer puis cliquez sur l'option **Masquer la colonne**.

*Vous pouvez aussi utiliser l'option **Masquer la colonne** de l'outil **Paramètres de colonne** (onglet **Outils Diagramme de Gantt - Format** - groupe **Colonnes**).*

Le masquage est instantané. Bien évidemment, la colonne est supprimée dans la table mais pas le champ !

Déplacer une colonne

🖱 Cliquez sur l'en-tête de colonne à déplacer afin de la sélectionner.

🖱 Pointez l'en-tête ainsi sélectionnée puis faites un cliqué-glissé vers l'emplacement souhaité lorsque le pointeur de souris prend l'aspect d'une flèche à quatre pointes.

🖱 Relâchez la souris à l'endroit souhaité représenté par un gros trait vertical.

Modifier la largeur des colonnes

🗂 Positionnez le pointeur de la souris sur le trait vertical situé à droite du libellé de la colonne à modifier.

🗂 Vérifiez que le pointeur de la souris se transforme en une flèche à deux têtes puis faites un cliqué-glissé dans le sens souhaité pour agrandir ou diminuer la largeur à votre guise ou procédez à un double clic pour ajuster la largeur de la colonne à l'entrée la plus large.

Modifier le fractionnement des volets

🗂 Placez la souris sur la barre de fractionnement.

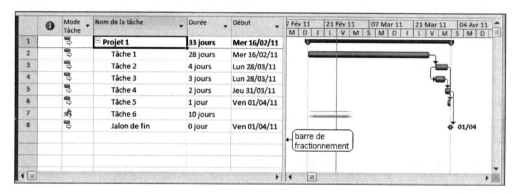

Le pointeur de la souris adopte une nouvelle forme.

🗂 Faites un cliqué-glissé dans le sens souhaité.

🗂 Après avoir relâché le bouton de la souris, faites un double clic sur la barre de fractionnement afin de la superposer à la barre de la colonne la plus proche.

👋 Parfois, une barre de fractionnement horizontal peut être proposée. En ce cas, un double clic dessus supprime le fractionnement horizontal de la fenêtre.

Modifier l'aspect des tables

Quadriller les tables

🗂 Onglet **Format** - outil **Quadrillage** (groupe **Format**) - option **Quadrillage**

🗂 Choisissez le **Trait à modifier**.

▢ Définissez sa mise en valeur.

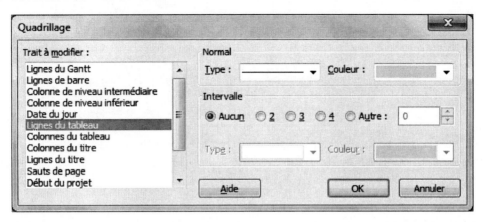

▢ Validez ou cliquez sur le bouton **OK**.

Modifier l'apparence des caractères

▢ S'il s'agit des caractères d'une cellule particulière de la table, faites un clic droit sur cette cellule pour afficher la barre d'outils provisoire.

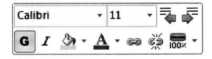

Puis cliquez sur l'outil de mise en forme souhaité.

▢ S'il s'agit des caractères de données spécifiques, utilisez l'onglet **Outils Diagramme de Gantt - Format** - outil **Styles du texte** (groupe **Format**).

▢ Si vous avez choisi **Styles du texte**, indiquez l'**Élément à modifier**.

Les options proposées varient selon qu'il s'agit d'une table de tâches ou d'une table de ressources.

▢ Indiquez la **Police**, le **Style**, la **Taille** et si le texte doit être **Souligné** et/ou **Barré**.

▢ Modifiez, si nécessaire, la **Couleur** du texte, la **Couleur d'arrière-plan** ainsi que le **Motif d'arrière-plan**.

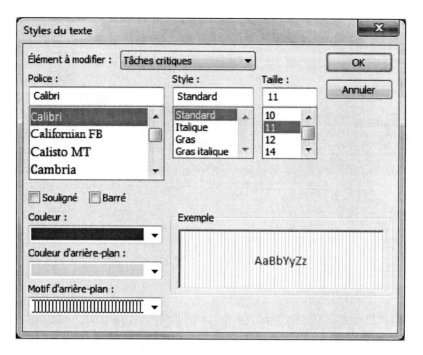

⊟ Validez ou cliquez sur le bouton **OK**.

✍ Attention, les changements d'aspect des tables concernent toutes les tables de la catégorie en cours (tâches ou ressources) et pas seulement la table en cours.

Gestion des cellules

Recopier un contenu d'une cellule vers les cellules adjacentes

⊟ Activez la cellule à recopier.

⊟ Pointez la poignée de recopie de la cellule représentée par un petit carré sombre situé en bas à droite de la cellule.

	ⓘ	Nom de la ressource ▾	Type ▾	Étiquette Matériel ▾	Initiales ▾	Groupe ▾	Capacité max. ▾
1		Ampoule	Matériel		AM	RE	
2		Fin fin	Matériel		FI	RE	
3		Roue	Matériel		RO	RE	
4		Moyeu	Matériel		MO	RE	
5		Circuit imprimé	Matériel		CI	CE	
6		Compteur décimal HC458	Matériel		CD		

Notez le nouvel aspect du pointeur de la souris.

⊟ Cliquez, et sans relâcher le bouton de la souris, faites glisser celle-ci en direction de la dernière cellule destinatrice de la copie.

Les cellules ainsi "balayées" apparaissent encadrées de noir.

⊟ Quand la dernière cellule destinatrice est atteinte, relâchez le bouton de la souris.

Instantanément la copie est réalisée !

Recopier un contenu de cellule vers d'autres cellules

⊟ Sélectionnez la cellule à recopier et les cellules destinataires de la recopie.

	ⓘ	Nom de la ressource ▾	Type ▾	Étiquette Matériel ▾	Initiales ▾	Groupe ▾	Capacité max. ▾
7							
8		HUCHET Yann	Travail		H	EQ01	1
9		BARBOT Sylvaine	Travail		B		1
10		CORBINEAU Claire	Travail		C		1
11		MOREAU Bruno	Travail		M		1
12		NASHITA Laure	Travail		N		1
13		REGIO Mathias	Travail		R		1

La cellule à recopier doit obligatoirement être au-dessus ou au-dessous des cellules destinataires. Ces dernières peuvent être non contiguës (vous devez alors les sélectionner à l'aide de la touche $\boxed{\text{Ctrl}}$).

⊡ Faites un clic droit sur la sélection puis cliquez sur **Recopier en bas** du menu contextuel.

Utiliser le copier/coller

Vous pouvez désormais copier et coller du contenu entre Project 2010 et d'autres applications Office tout en conservant les en-têtes de colonne, les niveaux hiérarchiques et la mise en forme.

⊡ Dans Project 2010, ouvrez le projet dont le contenu doit être copié.

⊡ Sélectionnez à l'aide d'un cliqué-glissé (ou $\boxed{\text{Ctrl}}$ clic) les données concernées, faites un clic droit sur la sélection puis cliquez sur l'option **Copier** du menu contextuel.

⊡ Ouvrez, si ce n'est déjà fait, l'application Office et le fichier dans lequel les données doivent être copiées.

⊡ Puis utilisez la fonctionnalité de collage de cette application (ex. Excel 2010 : onglet **Accueil** - outil **Coller**).

Vous pouvez aussi copier des données d'une application Office dans un projet de Project 2010 à l'aide de la fonctionnalité Copier/Coller.

Mettre en surbrillance les données filtrées

Les filtres sont utilisés pour visualiser une partie des tâches ou des ressources, mais aussi pour présenter différemment les lignes filtrées tout en continuant de visualiser les autres.

▭ Activez l'onglet **Affichage**, ouvrez la liste déroulante **Filtrer** [Aucun filtre ▾] puis cliquez sur **Autres filtres**.

▭ Sélectionnez le nom du filtre à appliquer.

▭ Lancez l'exécution du filtre en cliquant sur le bouton **Surbrillance**.

Par défaut, les lignes filtrées ont une couleur de surbrillance qui est le bleu.

✎ La couleur de surbrillance peut être modifiée par l'onglet **Format** - groupe **Format** - outil **Styles du texte** - **Élément à modifier : Tâches** (ou **Ressources**) **en surbrillance**.

Pour annuler l'application du filtre, utilisez l'onglet **Affichage** - outil **Filtrer** - option **Aucun filtre**.

Personnaliser un filtre

▭ Activez l'onglet **Affichage**, ouvrez la liste **Filtrer** [Aucun filtre ▾] puis cliquez sur **Autres filtres**.

▭ Précisez s'il s'agit d'un filtre : **Tâche** ou **Ressource** en activant l'option correspondante.

▭ Pour créer un tout nouveau filtre, cliquez sur le bouton **Créer**.

Pour créer un nouveau filtre en utilisant un filtre existant, sélectionnez ce filtre puis cliquez sur le bouton **Copier**.

Pour modifier le filtre sélectionné, cliquez sur le bouton **Modifier**.

▭ Donnez un **Nom** au nouveau filtre ou modifiez, si nécessaire, le nom du filtre s'il s'agit d'une modification.

▭ Choisissez si le filtre doit être **Afficher dans le menu** ou non.

*La boîte de dialogue **Définition d'un filtre** est vide dans le cas d'une création (bouton **Créer**), sinon elle affiche les composants du filtre servant de modèle si vous avez utilisé le bouton **Copier** ou **Modifier**.*

▭ Posez vos conditions.

▭ Cliquez sur **Enregistrer** puis choisissez de l'**Appliquer** ou de **Fermer**.

Poser un critère de tri

⊟ Activez le mode création ou modification d'un filtre.

⊟ Cliquez dans la première cellule **Nom du champ** et, par la liste de la cellule, sélectionnez le champ sur lequel repose la condition.

⊟ Activez la cellule **Condition** et choisissez l'opérateur de comparaison dans la liste.

⊟ Cliquez dans la cellule **Valeur(s)** et saisissez la ou les valeurs de comparaison.

Pour les conditions Compris entre et Non compris entre, un domaine doit être proposé. Pour cela, tapez la Valeur inférieure, un point-virgule puis la Valeur supérieure.

*Vous pouvez aussi utiliser les caractères génériques ? Et *.*

Pour comparer un champ par rapport à un autre champ, ouvrez la liste du dessus. Les noms y sont proposés entre crochets.

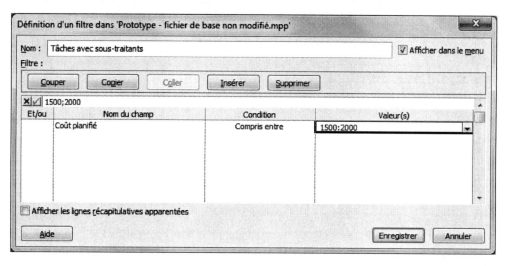

Dans cet exemple, les valeurs saisies seront complétées du symbole € après valida-tion du filtre en raison du champ choisi.

⊟ Cliquez sur le bouton **Enregistrer** puis sur **Appliquer**.

Poser plusieurs critères de tri

⊟ Activez le mode création ou modification de filtre.

⊟ Posez une condition par ligne.

*Si plusieurs conditions portent sur un même champ, répétez le **Nom du champ** sur chaque ligne.*

⊟ Activez la cellule **Et/ou** de chaque ligne utilisée (sauf la première) et indiquez si toutes les conditions doivent obligatoirement être satisfaites (**Et**) ou seulement l'une d'entre elles (**Ou**).

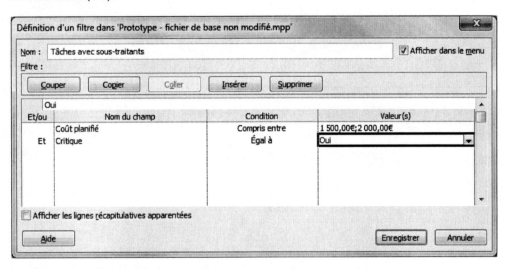

⊟ Cliquez sur le bouton **Enregistrer** et éventuellement sur **Appliquer**.

Créer un filtre interactif

⊟ Activez le mode Création ou Modification de filtre.

⊟ Accédez à la cellule **Valeur(s)** de la condition concernée par l'interactivité.

⊟ Saisissez entre guillemets le message qui guidera les utilisateurs.

⊟ Après les seconds guillemets, sans espace, saisissez le point d'interrogation (?).

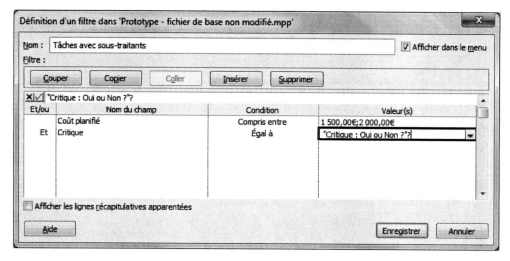

- Cliquez sur le bouton **Enregistrer** puis sur **Appliquer** ou **Fermer**.

  Le message s'affiche :

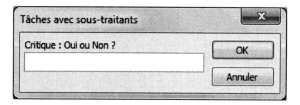

- Répondez à la question posée puis validez afin de filtrer les données selon le critère souhaité.

Utiliser les filtres automatiques

Activer/désactiver l'accès aux filtres automatiques

- Activez l'onglet **Affichage**, ouvrez la liste déroulante **Filtrer** [▽ [Aucun filtre] ▾] puis cliquez sur l'option **Afficher le filtre automatique**.

	Nom de la tâche	Travail	Planification	Variation	Réel
1	⊟ ANALYSE DE L'AFFAIRE !	700 hr	0 hr	700 hr	0 hr
2	Demande du client	0 hr	0 hr	0 hr	0 hr
3	Analyse préliminaire	140 hr	0 hr	140 hr	0 hr
4	Analyse détaillée	350 hr	0 hr	350 hr	0 hr

Lorsque les filtres automatiques sont accessibles, des flèches apparaissent à droite de chaque en-tête de colonnes.

Filtrer sur une valeur d'une colonne

⊟ Cliquez sur la flèche de la colonne concernée.

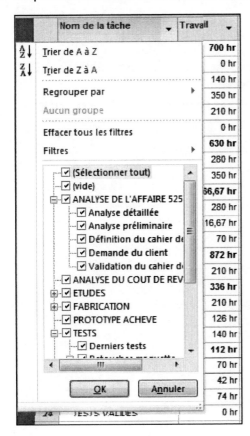

Project affiche la liste de toutes les valeurs contenues dans la colonne active. Par défaut, les cases à cocher correspondantes sont activées : vous visualisez toutes les valeurs de la colonne. Vous retrouvez également dans ce menu, les options de tri.

⊟ Pour masquer certaines valeurs, décochez les cases à cocher correspondantes.

⊟ Pour afficher quelques valeurs, il est plus rapide de décocher l'option (**Sélectionner tout**) puis de cocher les valeurs à afficher.

⊟ Pour filtrer les cellules non vides, activez l'option (**Sélectionner tout**) puis désactivez l'option (**Vide**) située en bas de la liste des valeurs ; au contraire, pour filtrer les cellules vides, désactivez l'option (**Sélectionner tout**) et activez l'option (**Vide**).

*L'option (**Vide**) n'apparaît pas si la colonne ne contient pas de cellules vides.*

⊟ Cliquez sur le bouton **OK**.

Seules les lignes correspondant aux valeurs sélectionnées sont visibles. Le bouton de

la liste déroulante apparaît sous la forme suivante : ⧩ *. Si vous pointez ce bouton, une info-bulle affiche le filtre qui est appliqué à la colonne.*

Vous pouvez personnaliser vos critères de filtre ou utiliser des filtres spécifiques aux données de type numérique, date...

Combiner un critère avec un "ET" sur plusieurs champs

⊟ Posez vos conditions dans chaque colonne concernée.

Poser deux critères sur un même champ

⊟ Cliquez sur la flèche de la colonne concernée.

⊟ Cliquez sur l'option **Filtres** puis **Personnalisé**.

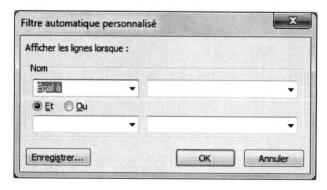

⊟ Posez votre première condition.

⊟ Précisez comment les critères doivent être combinés : avec un **Et** ou avec un **Ou**.

⊟ Posez votre deuxième condition.

⊟ Validez ou cliquez sur le bouton **OK**.

Annuler le filtre d'une colonne

⊟ Cliquez sur le symbole ▽ de la colonne concernée.

⊟ Cliquez sur l'option **Effacer le filtre de "Nom de la colonne"**.

Annuler tous les filtres

⊟ Cliquez sur le symbole ▽ de la première colonne filtrée puis cliquez sur l'option **Effacer tous les filtres**.

Enregistrer un filtre automatique

⊟ Accédez à la boîte de dialogue **Filtre automatique personnalisé** par l'option **Personnalisé** du filtre automatique concerné.

⊟ Posez les conditions voulues.

⊟ Cliquez sur le bouton **Enregistrer**.

La boîte de dialogue de définition d'un filtre s'affiche.

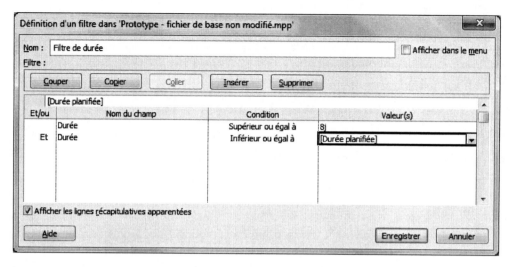

⊟ Donnez un **Nom** au nouveau filtre.

⊟ Cochez ou non l'option **Afficher dans le menu**.

⊟ Validez par le bouton **Enregistrer** la création du nouveau filtre.

⊟ Lancez l'application du filtre automatique par le bouton **OK**.

Définition des tâches

Saisir les tâches d'un projet

Les tâches représentent le travail à accomplir pour atteindre l'objectif du projet. Elles représentent de ce fait, les éléments de base de tout projet. Une tâche, c'est-à-dire le travail du projet, est décrite en termes de séquence, de durée et de ressources. Tout nouveau projet commence par la saisie de la liste des tâches recensées lors de la préparation.

⊡ Vérifiez que le fichier de projet actif est bien celui dans lequel vous souhaitez créer des tâches.

⊡ Affichez si ce n'est déjà fait le **Diagramme de Gantt** (combiné avec la table **Entrée**).

Pour le moment nous allons saisir le nom des tâches. Nous verrons ultérieurement comment importer des tâches ou indiquer des jalons.

⊡ Activez la première cellule de la colonne **Nom de la tâche** de la **Table Entrée** du **Diagramme de Gantt**.

⊡ Saisissez le nom de la tâche.

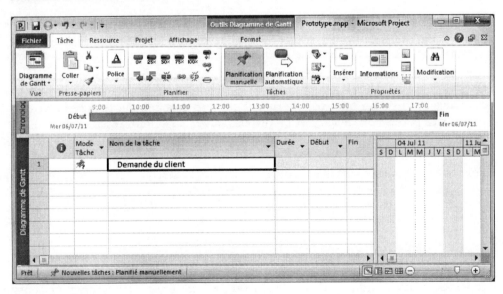

⊡ Validez la saisie par la touche ⏎ ou par ⬇.

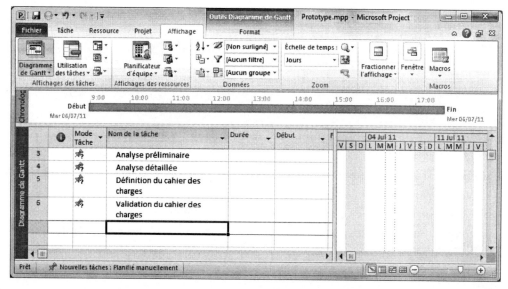

☞ Si, suite à l'utilisation de la touche ⬐, la cellule du dessous n'est pas activée, utilisez l'onglet **Fichier** - **Options** - **Options avancées** puis cochez l'option **Déplacer la sélection après validation** (zone **Modification**).

☞ Avec la version 2010 de Project, la saisie dans les cellules devient plus souple puisque vous n'êtes plus obligé de renseigner toutes les valeurs (date, durée...) comme auparavant. Imaginez que vous ne connaissiez pas précisément la durée d'une tâche ou sa date précise de début... et bien vous pouvez désormais laisser certaines zones vides ou bien saisir une information textuelle quelconque (même s'il s'agit d'une colonne du type date). Cette fonctionnalité est liée à la **planification manuelle.**

Pour saisir des données dans un projet, vous pouvez aussi utiliser la méthode classique du copier - coller afin de récupérer des tâches saisies au préalable dans un autre logiciel Office (ex. MS Excel...) (cf. Gestion des cellules - Utiliser le copier/coller).

Importer des tâches de Microsoft Outlook

Cette fonctionnalité permet d'importer dans le projet en cours des tâches créées au préalable dans l'application Microsoft Outlook et enregistrées dans les dossiers Tâches.

⊡ Ouvrez le projet dans lequel vous souhaitez importer des tâches.

Définition des tâches

⊡ Cliquez sur la flèche associée à l'outil **Tâche** de l'onglet **Tâche** (groupe **Insérer**) puis cliquez sur l'option **Importer des tâches d'Outlook**.

La liste des tâches d'Outlook apparaît :

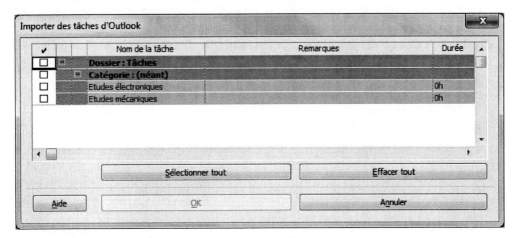

Les tâches Outlook indiquées comme étant 100% achevées n'apparaissent pas dans cette boîte de dialogue.

⊡ Pour sélectionner une ou plusieurs tâches, cochez leur case respective située à gauche du **Nom de la tâche**.

⊡ Pour sélectionner une catégorie entière de tâches, cochez la case associée à la catégorie concernée.

⊡ Pour sélectionner toutes les tâches, cliquez sur le bouton **Sélectionner tout**.

*À l'inverse, le bouton **Effacer tout** désélectionne toutes les tâches.*

⊡ Cliquez sur le bouton **OK** pour importer les tâches dans le projet actif.

Les tâches sont ajoutées aux éventuelles tâches existantes du projet.

⊡ Planifiez les tâches ainsi importées selon les besoins du projet.

Supprimer une tâche

⊡ Sélectionnez la tâche à supprimer en cliquant sur son numéro.

⊡ Faites un clic droit sur la sélection afin d'afficher le menu contextuel, puis cliquez sur l'option **Supprimer la tâche**.

Les projets pilotés par les tâches

Pour supprimer la tâche sélectionnée, vous pouvez aussi appuyer sur la touche Suppr *du clavier.*

Notez que la tâche est supprimée directement sans aucun message d'avertissement.

☞ Si vous avez sélectionné uniquement le **Nom de la tâche** (et non la ligne entière) puis appuyé sur la touche Suppr, une icône d'avertissement s'affiche vous permettant ainsi, à l'aide de ses options accessibles par la petite flèche, d'**Effacer uniquement le nom de la tâche** ou bien de **Supprimer la tâche complète**.

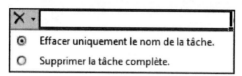

✕ ▾	
⦿	Effacer uniquement le nom de la tâche.
○	Supprimer la tâche complète.

Si vous avez sélectionné uniquement la **Durée** *ou un champ de date (et non la ligne entière) puis appuyé sur la touche* Suppr*, MS Project 2010 remplace la valeur de ce champ par la valeur définie par défaut (***Durée** : 1 jour, date : date calculée par Project).*

Créer les jalons d'un projet

Les jalons sont des tâches particulières dans le sens où elles représentent des événements significatifs, mais pas un travail, elles ont donc une durée nulle.

⊟ Activez la cellule dans laquelle vous souhaitez ajouter un jalon, puis cliquez sur l'outil

Insérer un jalon ![icône] (onglet **Tâche** - groupe **Insérer**).

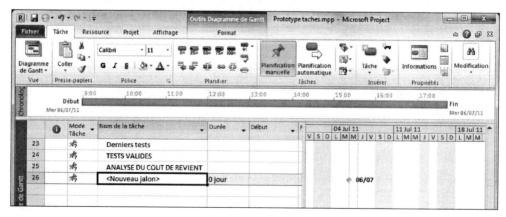

Définition des tâches

*Dans le **Planning du Gantt**, les jalons sont symbolisés par des losanges suivis de la date de la tâche.*

🖰 Saisissez le **Nom de la tâche** jalon comme une tâche ordinaire.

👌 Pour transformer une tâche en tâche de type jalon, il suffit de saisir la valeur **0** dans le champ **Durée**.

Transformer une tâche en jalon sans modifier sa durée

🖰 Réalisez un double clic dans la tâche concernée.

Si sa durée est différente de zéro, Project ne la considère pas automatiquement comme un jalon.

🖰 Activez, si besoin est, l'onglet **Avancées**.

🖰 Cochez l'option **Marquer la tâche en tant que jalon**.

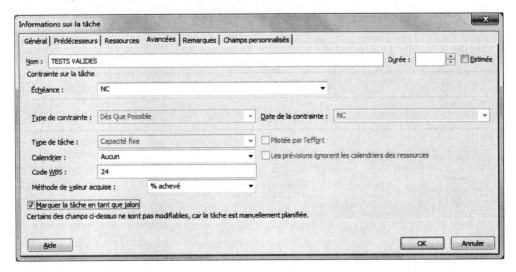

🖰 Validez ou cliquez sur le bouton **OK**.

Imprimer les jalons d'un projet

Les tâches jalons peuvent être imprimées séparément des autres tâches.

🖰 Activez l'onglet **Projet** puis cliquez sur l'outil **Rapports** (groupe **Rapports**).

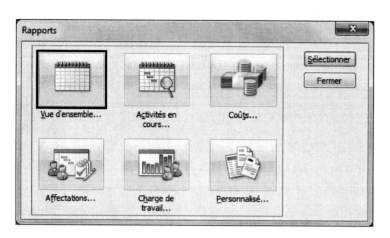

🔲 Réalisez un double clic sur **Vue d'ensemble.**

🔲 Parmi les cinq choix proposés, réalisez un double clic sur **Jalons.**

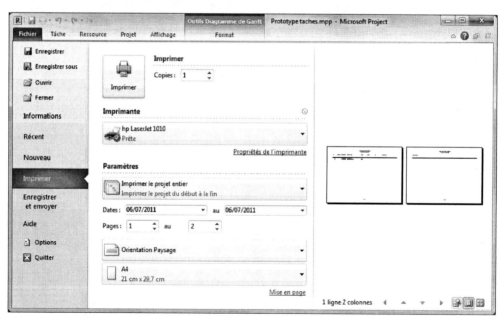

Un aperçu avant impression est proposé dans la partie droite de la fenêtre.

🔲 Cliquez sur le bouton **Imprimer.**

Définition des tâches

Attribuer une durée aux tâches

La durée d'une tâche correspond à la quantité de temps nécessaire pour être accomplie. Microsoft Project mesure cette durée à l'aide d'unités de mesure allant de la minute au mois (l'unité seconde n'est donc pas utilisable par Project). Dans la majorité des cas, les tâches définies dans Microsoft Project seront accomplies durant les périodes ouvrées. Pour illustrer ce fait, prenons l'exemple d'une tâche nécessitant 14 heures de travail. Si un calendrier de projet a été affecté à votre projet et que celui-ci définit les périodes ouvrées du lundi au vendredi, de 9 h à 18 h avec deux heures de coupure pour le déjeuner, et que les périodes chômées couvrent les soirées et les week-ends, vous pourriez saisir 2j en tant que durée pour planifier le travail sur deux jours ouvrés de 7 heures. De ce fait, si la tâche commence le vendredi à 9 h, elle devrait donc être terminée le lundi suivant à 18 h.

Sachez que Microsoft Project permet aussi de planifier l'exécution des tâches durant les périodes chômées, on parle alors de durée écoulée. Cette notion est traitée dans le titre "Travailler en temps écoulé et non en temps ouvré" du chapitre "Définition des tâches".

*Selon le mode de planification des tâches (manuelle ou automatique) défini dans Project 2010, la méthode de saisie de la durée des tâches varie. La **planification manuelle** intégrée à la version 2010 de Project permet désormais de saisir des tâches sans en préciser obligatoirement la durée ni la date de début ou de fin. Cette fonctionnalité s'avère utile quand le Chef de projet n'a pas toutes les données requises de son projet, en particulier au tout début de ce projet. Alors que la **planification automatique** (déjà utilisée dans les versions précédentes de Project) calcule les dates de début et de fin de la tâche en fonction de la durée saisie et de la date du début du projet.*

Vérifier/modifier le mode de planification des tâches par défaut

Le mode de planification actif s'affiche dans la barre d'état de Project 2010 :

ou

Par défaut, la planification des tâches est manuelle.

⊟ Pour modifier le mode de planification des tâches par défaut, cliquez sur l'outil **Mode de planification** situé dans l'onglet **Tâche** - groupe **Tâches**.

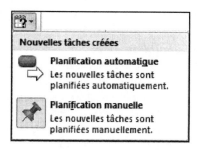

⊟ Cliquez sur l'option **Planification automatique** ou **Planification manuelle** selon le cas.

Cette manipulation n'a pas d'incidence sur les tâches déjà saisies.

✍ Vous pouvez aussi modifier le mode de planification par défaut, en sélectionnant dans la liste déroulante **Nouvelles tâches créées** l'option **Planifié manuellement** ou **Planifié automatiquement** selon le cas (onglet **Fichier - Outils - Planification** - zone **Options de planification pour ce projet**).

Autre méthode, pour modifier le mode de planification des prochaines tâches, vous pouvez également cliquer dans la barre d'état sur l'icône représentant le mode de planification actif, puis cliquer sur l'option de votre choix :

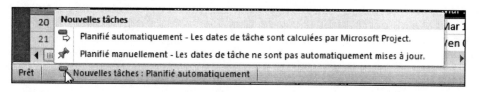

Modifier le mode de planification d'une tâche

Pour modifier le mode de planification d'une tâche en particulier, cliquez sur son ***Mode Tâche*** *puis choisissez l'option* ***Planifié manuellement*** *ou* ***Planifié automatiquement*** *:*

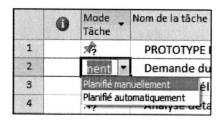

Définition des tâches

👉 L'outil **Planification automatique** (onglet **Tâche** - groupe **Tâches** (ou ⌨Ctrl ⇧ A)) calcule les valeurs de **Durée**, de **Début** et de **Fin** de la tâche sélectionnée en fonction des dépendances, des contraintes, du calendrier... et affiche le symbole ▭▷ dans la colonne **Mode Tâche**.

L'outil **Planification manuelle** (onglet **Tâche** - groupe **Tâches** (ou ⌨Ctrl ⇧ M)) affecte le type de planification manuelle à la tâche sélectionnée, et évite ainsi que ses dates de début et de fin, ainsi que sa **Durée** soient mises à jour automatiquement. Le symbole 📌, ou 📌? selon le cas, apparaît dans la colonne **Mode Tâche**.

Saisir une durée en planification manuelle

*Dans ce cas, le symbole 📌 de la colonne **Mode Tâche** signale une planification "manuelle" de la tâche correspondante. Un point d'interrogation est associé à ce symbole 📌? tant que deux des trois facteurs de planification (date de **Début**, date de **Fin** et **Durée**) n'auront pas été renseignés.*

⊟ Activez la cellule de la durée.

⊟ Si la durée est déjà dans l'unité proposée, tapez seulement le nombre. Sinon, tapez le nombre suivi des lettres "m" pour minutes, "h" pour heures, "j" pour jours, "s" pour semaines, "ms" pour mois.

Vous pouvez également saisir un texte quelconque à la place de la durée, ce qui peut s'avérer pratique si vous ne la connaissez pas encore.

⊟ Validez par la touche ⏎.

*Notez que la barre (légèrement transparente) de la tâche du **Planning du Gantt** se dimensionne en fonction de la durée saisie.*

*Mais aucune date de **Début** n'apparaît car par défaut les tâches sont enregistrées en Planification manuelle (onglet **Fichier** - **Options** - **Planification** - option **Nouvelles tâches créées** de la zone **Options de planification pour ce projet**). Rappelons que la planification manuelle est symbolisée dans la colonne **Mode Tâche** par le symbole 📌. Ce symbole est accompagné d'un point d'interrogation (📌?) tant que les dates de **Début** et de **Fin** de la tâche n'auront pas été renseignées.*

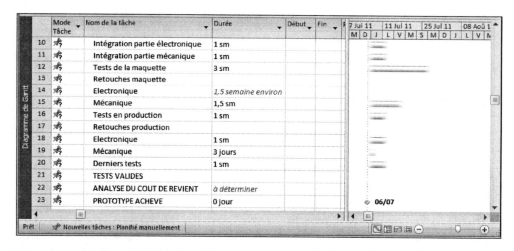

Dans cet exemple, ne connaissant pas la durée exacte des tâches **14-Electronique** et **22-ANALYSE DU COUT DE REVIENT**, le texte a été saisi à la place d'un nombre. Pour se distinguer d'une durée, la texte apparaît en italique et en bleu clair par défaut.

Saisir une durée en planification automatique

Dans ce cas, le symbole apparaît dans la colonne **Mode Tâche** associée à la tâche.

⊟ Activez la cellule de la durée.

Si la durée est déjà dans l'unité proposée, tapez seulement le nombre. Sinon, tapez le nombre suivi des lettres "m" pour minutes, "h" pour heures, "j" pour jours, "s" ou "sm" pour semaines, "ms" pour mois.

⊟ Validez par la touche ⏎.

Notez que les dates de **Début** et de **Fin** sont automatiquement calculées en fonction de la **Durée** saisie et de la date de début (ainsi que la date de fin, les relations entre tâches, les contraintes, les calendriers des tâches et tout autre facteur de planification). Et la barre de la tâche du **Planning de Gantt** se dimensionne en fonction de la durée saisie.

Dans notre exemple, aucune liaison n'ayant été établie pour le moment entre les tâches, ces dernières débutent toutes à la même date.

Afficher la tâche récapitulative du projet

Project 2010 peut afficher par défaut le résumé du projet sous la forme d'une tâche récapitulative.

⊡ Activez l'onglet **Outils Diagramme de Gantt - Format**, puis cochez l'option **Tâche récapitulative du projet** du groupe **Afficher/Masquer**.

*Le titre du projet, sa **Durée** totale ainsi que ses dates de **Début** et de **Fin** s'affichent alors sur une ligne numérotée **0** en haut du Diagramme de Gantt.*

⊡ Pour masquer la **Tâche récapitulative du projet**, décochez cette option.

✎ Pour **Afficher la tâche récapitulative du projet**, vous pouvez aussi utiliser l'option de même nom accessible à partir de l'onglet **Fichier - Options - Options avancées - zone Options d'affichage de ce projet**.

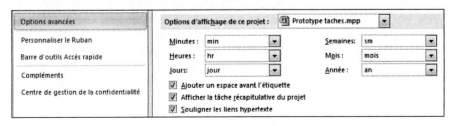

Modifier l'unité de temps par défaut pour les durées

Cette fonctionnalité n'a aucun effet sur les durées déjà saisies, ni sur les projets futurs.

⊡ Onglet **Fichier** - **Options** - **Planification**

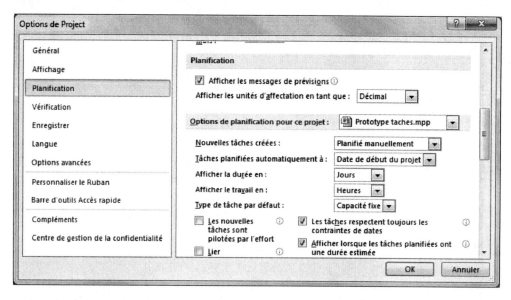

*L'unité de temps proposée par défaut pour la durée est **Jours**.*

⊡ Ouvrez la liste **Afficher la durée en** et, choisissez l'unité de temps souhaitée.

⊡ Validez ou cliquez sur le bouton **OK**.

Travailler en temps écoulé et non en temps ouvré

Pour certains délais, il faut raisonner en temps réel et non en temps ouvré (par exemple : le séchage d'une peinture peut se faire la nuit !). Project intègre donc la notion de temps écoulé.

⊡ Au lieu de saisir les codes "m" (minutes), "h" (heures), "j" (jours), "s" (semaines) et "ms" (mois), saisissez les codes "mé" (minutes écoulées), "hé" (heures écoulées), "jé" (jours écoulés) "sé" (semaines écoulées), et "msé" (mois écoulés) pour travailler en temps écoulé.

semaine écoulée	1 smé
jour écoulé	1 jouréc
heure écoulée	1 hré
mois écoulé	1 moiséc
minute écoulée	1 miné

Vous pouvez bien sûr également saisir les codes repris par défaut par Project, à savoir "miné" (minutes écoulées), "hré" (heures écoulées), "jouréc" (jours écoulés), "smé" (semaines écoulées), "moiséc" (mois écoulés).

Organiser les tâches en phases (mode plan)

*La **Tâche récapitulative** regroupe des **Tâches subordonnées** qu'elle synthétise. Visuellement, les tâches subordonnées apparaissent en retrait sous la tâche récapitulative.*

*Cette notion de **Tâche récapitulative** et de **Tâche subordonnée** relève du **Mode Plan** (appelé aussi mode phase ou la WBS pour Work Breakdown Structure). Outre une meilleure compréhension des différentes étapes d'un projet, le mode plan permet de réduire le nombre de tâches affichées.*

Dans les versions précédentes de Project, le responsable du projet devait créer les tâches subordonnées puis les reporter dans une tâche récapitulative. Désormais, Project 2010 autorise la création de la tâche récapitulative (dite "tâche récapitulative verticale") sans pour autant lui insérer des tâches subordonnées, et sans donner nécessairement une durée à cette tâche récapitulative.

Notez que selon le mode de création utilisé pour insérer une tâche récapitulative, le résultat peut être différent.

Créer une tâche récapitulative à planification automatique

- Sélectionnez les tâches subordonnées qui doivent être intégrées dans une même tâche récapitulative.

- Cliquez sur l'icône **Insérer une tâche récapitulative** située dans l'onglet **Tâche** - groupe **Insérer**.

*Une **Nouvelle tâche récapitulative** est aussitôt ajoutée au-dessus des tâches sélectionnées et au niveau le plus haut du plan.*

Les projets pilotés par les tâches

*Que les tâches soient en mode de planification automatique ou manuelle (cf. Définition des tâches - Attribuer une durée aux tâches), en utilisant la méthode qui suit, vous noterez que par défaut la nouvelle tâche récapitulative est planifiée automatiquement, et de ce fait, Project indique la **Durée** et les dates de **Début** et de **Fin** des tâches récapitulatives.*

Il est malgré tout possible de modifier le mode de planification d'une tâche récapitulative, comme vous pourriez le faire pour une tâche ordinaire (cf. Définition des tâches - Attribuer une durée aux tâches - Modifier le mode de planification d'une tâche).

Exemple de tâches subordonnées en mode automatique :

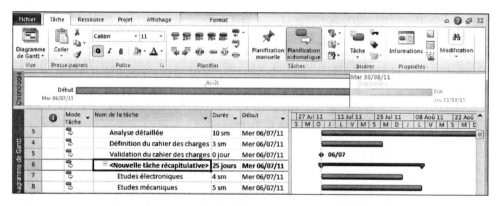

*Les tâches subordonnées (**Etudes électroniques** et **Etudes mécaniques** dans notre exemple) apparaissent en retrait dans la colonne **Nom de la tâche**. La tâche récapitulative apparaît en gras. Sa durée et ses dates de début et de fin sont calculées automatiquement par Project. Et sa représentation dans le Planning de Gantt est nouvelle.*

Exemple de tâches subordonnées en mode manuel :

		Mode Tâche	Nom de la tâche	Durée	Début	Fin
3			Analyse détaillée	10 sm		
4			Définition du cahier des charges	3 sm		
5			Validation du cahier des charges	0 jour		
6			<Nouvelle tâche récapitulative>	25 jours	Mer 06/07/11	Mer 10/08/11
7			Etudes électroniques	4 sm		
8			Etudes mécaniques	5 sm		
9			Maquette	4 sm		

Définition des tâches

*Bien que les tâches subordonnées soient planifiées manuellement, la nouvelle tâche récapitulative est par défaut planifiée automatiquement, et de ce fait Project indique la **Durée** et les dates de **Début** et de **Fin** de cette tâche récapitulative. Mais, selon la méthode habituelle il vous est tout à fait possible de modifier ce mode de planification (cf. Définition des tâches - Attribuer une durée aux tâches - Modifier le mode de planification d'une tâche).*

⊟ Renommez la **Nouvelle tâche récapitulative** ainsi insérée.

Project 2010 ne limite pas (théoriquement) le nombre de niveaux de la WBS. Vous pouvez ainsi créer des tâches récapitulatives qui contiennent elles-mêmes des phases.

*Dans notre exemple, la tâche récapitulative **TESTS** contient deux autres tâches récapitulatives (**Retouches maquette** et **Retouches production**) et trois tâches "normales" (**Tests de la maquette**, **Tests en production** et **Derniers tests**).*

Créer une tâche récapitulative verticale (planification manuelle)

La tâche récapitulative verticale est en quelque sorte une variante de la tâche en mode manuel.

Pour illustrer cette fonctionnalité, nous allons utiliser pour exemple un nouveau projet pour lequel nous ne connaissons que les étapes de premier niveau.

⊟ Vérifiez que le mode actif de planification des tâches est bien manuel (cf. Attribuer une durée aux tâches - Vérifier/modifier le mode de planification des tâches par défaut).

⊟ Saisissez le nom des tâches ainsi que leur durée si vous les connaissez.

Pour le moment, les tâches saisies sont considérées comme des tâches ordinaires au mode de planification manuel.

⊟ Si besoin, liez les tâches entre elles.

*Pour notre exemple, nous avons lié les tâches par un lien de type **Fin à Début**.*

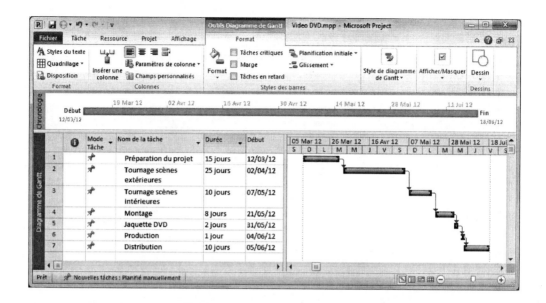

⊟ À l'aide de l'outil **Tâche** ⬚ de l'onglet **Tâche** - groupe **Insérer**, insérez une nouvelle tâche ordinaire après chacune des tâches existantes.

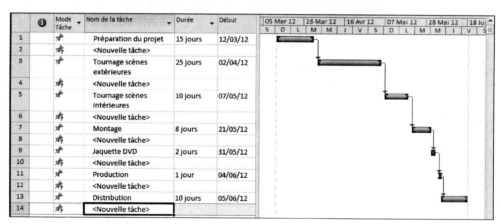

⊟ Sélectionnez chaque **<Nouvelle tâche>** puis cliquez sur l'outil **Abaisser la tâche** ⬚ (onglet **Tâche** - groupe **Planifier**) pour les transformer en tâche subordonnée unique des tâches d'origine.

Définition des tâches

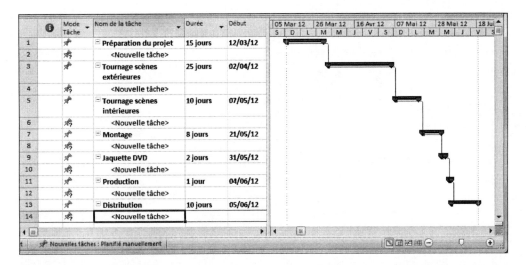

Notez que les tâches récapitulatives veticales sont toujours en mode de planification manuel.

Réduire/développer des tâches subordonnées

⊡ Pour réduire une phase par rapport à une tâche précise, cliquez dans la tâche récapitulative concernée puis sur le signe moins (-) qui précède le nom de la tâche.

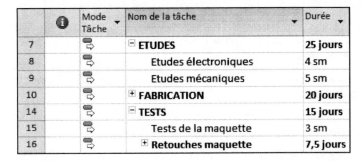

		Mode Tâche	Nom de la tâche	Durée
7			⊟ **ETUDES**	**25 jours**
8			Etudes électroniques	4 sm
9			Etudes mécaniques	5 sm
10			⊞ **FABRICATION**	**20 jours**
14			⊟ **TESTS**	**15 jours**
15			Tests de la maquette	3 sm
16			⊞ **Retouches maquette**	**7,5 jours**

Les tâches subordonnées sont instantanément masquées. Actuellement, seul le fait de passer de la tâche 10 à la tâche 14 signale que des tâches sont masquées.

⊡ Pour afficher de nouveau les subordonnées d'une tâche récapitulative précise, cliquez sur la tâche puis sur le signe plus (+) qui précède le nom de la tâche.

⊟ Pour accéder à un niveau de phase précis, ouvrez la liste déroulante **Plan** (onglet **Affichage** - groupe **Données**) puis choisissez le niveau hiérarchique souhaité.

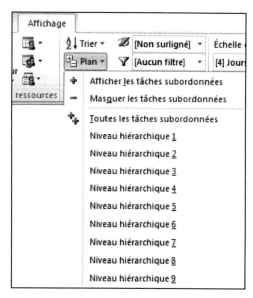

⊟ Pour afficher toutes les tâches subordonnées quel que soit leur niveau, ouvrez la liste déroulante **Plan** (onglet **Affichage** - groupe **Données**) puis cliquez sur l'option **Toutes les tâches subordonnées**.

⊟ Pour masquer <u>toutes</u> les tâches subordonnées d'un projet, ouvrez la liste **Filtrer** de l'onglet **Affichage** [⧨ [Aucun filtre] ▾] puis choisissez l'option **Autres filtres**, cliquez sur l'option **Tâches de niveau supérieur** dans la liste des **Filtres** de type **Tâche**, puis validez par le bouton **Appliquer**.

⊟ Inversement, pour afficher de nouveau, <u>toutes</u> les subordonnées, ouvrez une seconde fois la liste **Filtrer** et, choisissez l'option **Effacer le filtre**.

⊟ Enfin, pour n'afficher que les tâches récapitulatives d'un projet, ouvrez la liste **Filtrer** et cliquez sur l'option **Tâches récapitulatives**.

Déplacer un groupe de tâches organisées en plan

⊟ Réduisez la tâche récapitulative qui regroupe les tâches à déplacer. Bien que cette manipulation ne soit pas obligatoire, elle rend le déplacement des tâches plus visuel.

⊟ Déplacez la tâche récapitulative par un cliqué-glissé à l'endroit désiré.

Définition des tâches

🗗 Vérifiez et modifiez si besoin, le niveau hiérarchique appliqué aux tâches déplacées.

Reporter une barre du Gantt sur une barre récapitulative

🗗 Affichez un Gantt.

🗗 Réalisez un double clic sur la tâche subordonnée à reporter.

🗗 Activez l'onglet **Général**.

🗗 Cochez l'option **Report**.

🗗 Validez ou cliquez sur le bouton **OK**.

Établir des liaisons entre les tâches (planification automatique)

*Débutons avec ces quelques rappels. On appelle **Prédécesseur** une tâche qui doit commencer ou se terminer avant qu'une autre tâche puisse commencer ; on appelle **Successeur** une tâche qui dépend de la date de début ou de fin d'une tâche précédente.*

Le fait de lier les tâches du projet entre elles permet (entre autres) à Project 2010 de calculer la durée du projet.

Établir une liaison de type Fin à début

🗗 Assurez-vous que toutes les tâches sont affichées dans le Diagramme de Gantt.

🗗 À l'aide d'un cliqué-glissé, sélectionnez dans la **Table** du **Gantt** les tâches à lier.

🗗 Cliquez sur l'outil **Lier les tâches** de l'onglet **Tâche** - groupe **Planifier** pour créer une liaison de type Fin à Début.

*Dans le **Planning du Gantt**, la liaison se matérialise par une flèche.*

Dans cet exemple, la tâche 2 prenant fin le 3 août, la tâche 3 peut débuter le jeudi 4 août pour se terminer le jeudi 13 octobre. De ce fait, la tâche 4 peut à son tour démarrer le vendredi 14 octobre.

Cette méthode s'avère pratique pour lier plusieurs tâches consécutives ou non dans une seule séquence de Fin à début.

⊟ Pour établir un lien de **Fin à début,** vous pouvez aussi pointer la barre qui représente la première tâche, afin que le pointeur prenne la forme d'une flèche à quatre têtes

. Puis cliquez et sans relâcher la souris, tirez celle-ci vers la seconde barre.

	Nom de la tâche	Durée	Début	7 Jui 11			18 Jui 11			08 Aoû 11	
	Liaison fin à début			M	J	V	S	D	L	M	M
5	À partir de la fin de :		Tâche7	◆ 06/07							
6	Au début de :		Tâche8								
7	Etudes électroniques	4 sm	Mer 0(								
8	Etudes mécaniques	5 sm	Mer 0(								

Le pointeur change de forme lorsqu'il quitte la première barre (prédécesseur) et représente désormais des maillons de chaîne. Notez également la présence d'une bulle d'aide qui précise les numéros des tâches à relier ainsi que le type de lien.

Relâchez le bouton de la souris quand vous aurez atteint la barre de la seconde tâche (successeur).

Établir une liaison de tout type entre deux ou plusieurs tâches

⊟ Réalisez un double clic dans une cellule de la tâche Successeur.

*La boîte de dialogue **Informations sur la tâche** regroupe une grande partie des renseignements connus sur la tâche sélectionnée. Ces derniers sont répartis dans différents onglets.*

⊟ Cliquez sur l'onglet **Prédécesseurs** afin de l'activer.

⊟ Cliquez sur la cellule **N°** de la première ligne du tableau si vous connaissez le numéro de la tâche Prédécesseur.

Si vous ne connaissez pas parfaitement ce numéro, cliquez dans la cellule **Nom de la tâche** afin de pouvoir accéder à la liste qui s'affiche dans la cellule.

⊟ Tapez alors le numéro de la tâche prédécesseur puis, appuyez sur la touche ⊡ ou, sélectionnez le nom de la tâche dans la liste.

Définition des tâches

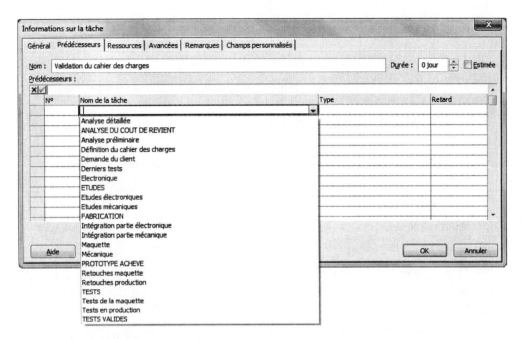

La liste **Nom de la tâche** propose toutes les tâches du projet par ordre alphabétique.

⊟ Validez votre choix.

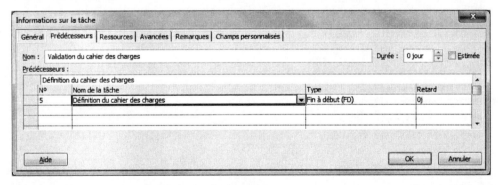

*Aussitôt sont renseignés le numéro et le nom de la tâche prédécesseur ; le **Type** de relation proposé par défaut est **Fin à début (FD)**.*

⊟ Si le type de relation proposé est incorrect, cliquez sur la cellule **Type** ; ouvrez la liste proposée puis cliquez sur le bon type de relation.

⊟ Lorsque toutes les relations entre ce successeur et ses prédécesseurs sont établies, confirmez en cliquant sur le bouton **OK**.

Établir tout type de liaisons (autre méthode)

⊟ Faites glisser si besoin le séparateur entre le tableau et le graphique du Diagramme de Gantt pour afficher la colonne **Prédécesseurs**.

⊟ À partir de la **Table Entrée** du **Gantt**, cliquez dans la cellule **Prédécesseurs** de la tâche successeur.

⊟ Renseignez alors les numéros des prédécesseurs à l'aide des règles suivantes :

- Numéro des prédécesseurs :

Un seul prédécesseur	saisir son numéro.
Plusieurs prédécesseurs	séparer les numéros par un point-virgule.

- Type de relation :

Relation de type Fin à début	ne saisir que les numéros.
Relation de type Début à début	faire suivre le numéro des lettres DD.
Relation de type Fin à fin	faire suivre le numéro des lettres FF.
Relation de type Début à fin	faire suivre le numéro des lettres DF.

Exemple de saisies :

Durée	Début	Fin	Prédécesseurs
5 sm	Lun 07/11/11	Lun 12/12/11	8DD;6
25 jours	**Mar 13/12/11**	**Lun 16/01/12**	
4 sm	Mar 13/12/11	Lun 09/01/12	8;9
1 sm	Mar 03/01/12	Lun 09/01/12	11FF
1 sm	Mar 10/01/12	Lun 16/01/12	12
48 jours	**Mar 17/01/12**	**Jeu 22/03/12**	
3 sm	Mar 17/01/12	Lun 06/02/12	11;12;13

⊟ Validez par la touche ⏎.

✍ Pour supprimer toutes les liaisons qui relient un successeur à ses prédécesseurs, cliquez sur la tâche successeur et cliquez sur l'outil [⬚] situé dans le groupe **Planifier** - onglet **Tâche** du ruban. Vous pouvez également utiliser le raccourci-clavier [Ctrl] [⇧] [F2].

Définir des délais sur les liens (planification automatique)

<u>Par la boîte "Informations sur la tâche"</u>

Microsoft Project permet d'intégrer des délais sur les liens. Ce qui s'avère pratique si vous souhaitez, par exemple, laisser un laps de temps entre deux tâches.

-🗐 Réalisez un double clic sur la tâche Successeur.

-🗐 Activez l'onglet **Prédécesseurs** de la boîte de dialogue **Informations sur la tâche**.

-🗐 Cliquez dans la cellule **Retard** de la liaison concernée.

-🗐 Entrez le délai en respectant les règles suivantes :

Si le délai correspond à	saisissez une valeur
un retard une avance	Positive négative
Les délais peuvent être exprimés en unités de temps (minutes, heures, jours, semaines, mois) ou en pourcentage.	

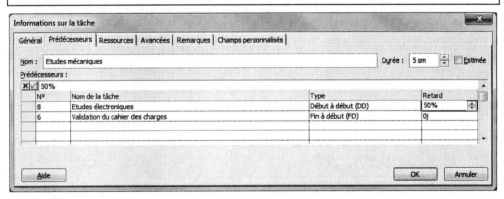

-🗐 Cliquez sur le bouton **OK**.

*Dans la colonne **Prédécesseurs** de la **Table Entrée**, la liaison s'affiche, dans notre exemple, sous la forme **8DD+50%;6**. L'échelle de temps montre qu'un retard a bien été inséré entre les tâches 8 et 9 qui auraient dû, selon le planning défini auparavant, démarrer en même temps (type DD).*

*Le **Retard** ainsi enregistré a une incidence sur les dates de **Début** et de **Fin** des tâches qui le succèdent. Les dates concernées apparaissent désormais sur fond bleu.*

Par la table Entrée

⊟ Dans la table Entrée, activez la cellule **Prédécesseurs** de la tâche Successeur.

⊟ Respectez toutes les règles vues précédemment ; mais, sachez que pour les relations de type Fin à début, les lettres FD doivent **impérativement** être saisies lorsqu'il y a des délais.

Par la boîte "Interdépendances des tâches"

⊟ Dans le Diagramme de Gantt, faites un double clic sur le lien concerné par la saisie du délai.

*La boîte de dialogue **Interdépendance des tâches** s'ouvre :*

⊟ En respectant les règles vues précédemment, saisissez le **Retard** souhaité.

*Dans notre exemple, nous souhaitons faire démarrer la tâche **Intégration partie électronique** 2 semaines avant la fin de la tâche **Maquette**, nous avons donc saisi une valeur négative (**2sm**).*

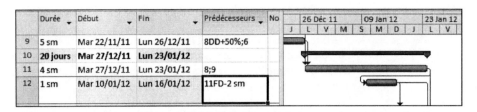

	Durée	Début	Fin	Prédécesseurs	No	26 Déc 11	09 Jan 12	23 Jan 12
						J L V M S	M D J L	V
9	5 sm	Mar 22/11/11	Lun 26/12/11	8DD+50%;6				
10	20 jours	Mar 27/12/11	Lun 23/01/12					
11	4 sm	Mar 27/12/11	Lun 23/01/12	8;9				
12	1 sm	Mar 10/01/12	Lun 16/01/12	11FD-2 sm				

Notez que les barres des deux tâches concernées (11 et 12 dans notre exemple) se "chevauchent" désormais.

Établir des liaisons entre les tâches (planification manuelle)

La procédure de création des liaisons entre les tâches en planification manuelle est identique à celle décrite pour les tâches en planification automatique (cf. Établir des liaisons entre les tâches (planification automatique)). Mais le résultat en termes de durée et de délai sera bien sûr différent. Pour illustrer cette fonctionnalité, nous allons utiliser un exemple de projet dont les tâches sont planifiées manuellement, mais dont certaines tâches récapitulatives sont planifiées soit automatiquement, soit manuellement. Nous allons ainsi pouvoir comparer les effets de liaisons selon la situation.

Si la tâche récapitulative est en mode de planification automatique

Sélectionnez les tâches pour lesquelles vous souhaitez créer une liaison de type Fin à

début, puis cliquez sur l'outil **Lier les tâches** 🔗 situé dans le groupe **Planifier** de l'onglet **Tâche**.

	ⓘ	Mode Tâche	Nom de la tâche	Durée	Début	Fin	7 Jui 11	18 Jui 11	08 Aoû 11	29 Aoû 11
							M J V S	D L M	M J	V
6		🏳	⊟ ETUDES	45 jours	Mer 06/07/11	Jeu 08/09/11				
7		📌	Etudes électroniques	4 sm	Mer 06/07/11	Mer 03/08/11				
8		📌	Etudes mécaniques	5 sm	Jeu 04/08/11	Jeu 08/09/11				

Dans cet exemple, la tâche récapitulative ETUDES étant en mode de planification automatique (icône 🔗 dans la colonne Mode Tâche), la Durée ainsi que les dates de Début et de Fin ont été calculées automatiquement en fonction de la planification des tâches qui viennent d'être liées.

Notez que les tâches manuellement planifiées (7 et 8 dans notre exemple), disposent

désormais de l'icône 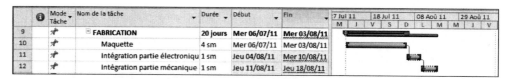 *dans la colonne* **Mode Tâche** *puisqu'au moins deux de ses trois facteurs de planification (date de* **Début**, *date de* **Fin** *et* **Durée**) *ont été renseignés. Notez également le nouvel aspect de leurs barres du planning de Gantt, ces dernières sont représentées avec une sorte de crochet noir à leurs deux extrémités.*

Si la tâche récapitulative est en mode de planification manuelle

⊟ Sélectionnez les tâches pour lesquelles vous souhaitez créer une liaison de type Fin à début, puis cliquez sur l'outil **Lier les tâches** 🔗 situé dans le groupe **Planifier** de l'onglet **Tâche**.

	❶	Mode Tâche	Nom de la tâche	Durée	Début	Fin
9		📌	⊟ FABRICATION	20 jours	Mer 06/07/11	Mer 03/08/11
10		📌	Maquette	4 sm	Mer 06/07/11	Mer 03/08/11
11		📌	Intégration partie électroniqu	1 sm	Jeu 04/08/11	Mer 10/08/11
12		📌	Intégration partie mécanique	1 sm	Jeu 11/08/11	Jeu 18/08/11

Dans cet exemple, la tâche récapitulative **FABRICATION** *étant en mode de planification manuelle (l'icône* 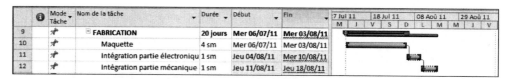 *dans la colonne* **Mode Tâche**), *Project n'a pas su calculer la durée totale des tâches qui viennent d'être liées par un type de liaison Fin à début.*

Dans le Planning de Gantt, vous noterez que la tâche récapitulative est représentée par une barre (rouge) de type **Report récapitulatif manuel (avertissement)** *dont la longueur est proportionnelle à la durée totale de la phase (6 semaines dans notre exemple). Cette barre commence sur la barre (gris noir)* **Récapitulatif manuel** *proportionnelle à la durée de la première tâche du lot, et qui a la même apparence qu'une barre de tâche récapitulative normale.*

En pointant la barre (rouge) **Report récapitulatif manuel (avertissement)**, *une info bulle apparaît :*

/11   Mer 03/08/11
    *Report récapitulatif manuel (avertissement)
Tâche : FABRICATION
Début prévu : Mer 06/07/11
Fin prévue : Jeu 18/08/11
Durée : 20j   (Durée des tâches subordonnées : 30j)

Définition des tâches

En pointant la barre (gris noir) **Récapitulatif manuel** *, une info bulle apparaît :*

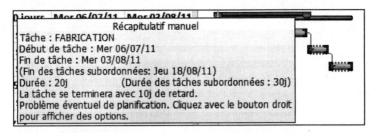

Un trait rouge souligne chaque date devant être planifiée.

Notez également le nouvel aspect des barres subordonnées dans le planning de Gantt, ces dernières sont représentées avec une sorte de crochet noir à leurs deux extrémités, et entourées de pointillés noir.

Attention, il est important de noter que Project 2010 calcule la date de début du successeur en fonction de la **Durée** *qu'avait son prédécesseur avant que les deux tâches ne soient liées ! De ce fait, en fonction de l'ordre dans lequel les données auront été saisies, le résultat obtenu peut être différent.*

Définir des délais sur les liens (planification manuelle)

⊟ Réalisez un double clic sur la tâche Successeur.

⊟ Activez l'onglet **Prédécesseurs** de la boîte de dialogue **Informations sur la tâche**.

⊟ Cliquez dans la cellule **Retard** de la liaison concernée.

⊟ Entrez le délai en respectant les règles suivantes :

Si le délai correspond à	Saisissez une valeur
Un retard	Positive
Une avance	Négative
Les délais peuvent être exprimés en unités de temps (minutes, heures, jours, semaines, mois) ou en pourcentage.	

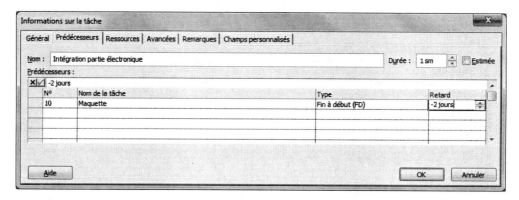

⊟ Cliquez sur le bouton **OK**.

*Dans notre exemple, la tâche **Intégration partie électronique** commence désormais avant la fin de la tâche **Maquette** ; mais notez que la tâche **Intégration partie mécanique** ne s'est pas déplacée et commence toujours le 11/08/11, elle n'a donc pas tenu compte de l'avance prise par son prédécesseur.*

✎ Sachez que Project 2010 gère la planification d'une tâche subordonnée en mode manuel de la même manière qu'elle soit sous une tâche récapitulative en mode automatique ou en mode manuel.

Modifier une durée en mode Planification manuelle

Ce titre a pour objectif de mieux comprendre l'incidence que peut avoir la modification d'une durée d'une tâche planifiée en mode manuel sur la tâche récapitulative, elle-même planifiée en mode manuel. Et nous verrons ainsi que cette fonctionnalité peut s'avérer pratique pour effectuer des simulations.

Pour illustrer ce titre, nous allons utiliser cet exemple :

*Nous allons dans un premier temps passer la durée de la tâche **Qualité** de 5 à 10 jours.*

⊟ Modifiez la **Durée** de la tâche concernée.

*Notez que la barre (rouge) **Report récapitulatif manuel (avertissement)** de la tâche récapitulative affiche bien les 10 jours correspondant à la nouvelle durée de la tâche subordonnée (**Qualité**).*

*Dans le cadre de notre exemple, nous allons désormais annuler cette dernière modification, repasser la durée de la tâche **Qualité** à 5 jours, et nous allons saisir une durée de 20 jours pour la tâche récapitulative (saisie possible en raison du mode manuel affecté à cette tâche). Puis nous pourrons observer le résultat.*

⊟ Annulez la dernière saisie à l'aide de l'outil **Annuler** 🔄 de la barre d'outils accès rapide.

⊟ Puis saisissez la nouvelle **Durée** de la tâche récapitulative dont la planification est définie en mode manuel.

Observons les résultats :

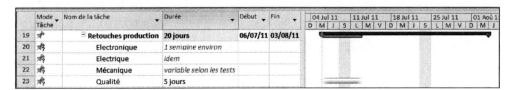

*La tâche récapitulative est désormais représentée par deux barres dans le planning de Gantt. La barre classique (**Récapitulatif manuel**) affiche une durée de 20 jours (durée saisie) sur l'échelle temps, et la barre du dessous (bleu) signale un **Report récapitulatif manuel**.*

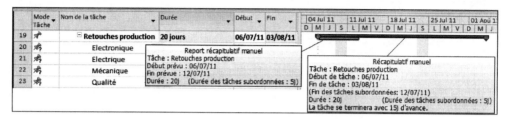

Désactiver/réactiver les tâches

Cette nouvelle fonctionnalité (indisponible dans la version Standard de MS Project 2010) donne la possibilité au Chef de projet d'intégrer ou non des tâches dans la planification et l'analyse de son projet. Cela lui permet par exemple de simuler une planification de son projet sans une de ses phases afin d'effectuer des comparaisons, ou bien d'intégrer ou non certaines tâches dont la faisabilité est hypothétique.

Pour désactiver des tâches, sélectionnez les tâches concernées ou uniquement la tâche récapitulative si toutes ses tâches subordonnées doivent être désactivées.

⊟ Cliquez sur l'outil **Activer/Désactiver les tâches sélectionnées** ⊜ situé dans le groupe **Planifier** de l'onglet **Tâche**.

Pour notre exemple, nous avions prévu une phase d'analyse assez conséquente afin d'élaborer un cahier des charges précis. Mais dans le cas où notre client serait en mesure de nous en fournir un, il ne serait plus nécessaire de tenir compte des tâches correspondant à cette analyse.

Définition des tâches

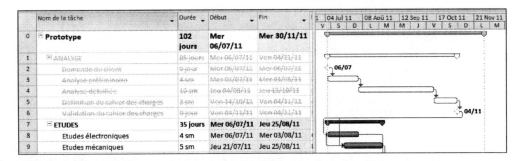

Les tâches désactivées apparaissent grisées et barrées dans la partie table du Diagramme de Gantt, et les barres correspondantes du planning sont blanches.

*Notez également que Project planifie la phase suivante (**ETUDES** dans notre exemple) sans tenir compte de la phase ANALYSE.*

Attention, si vous souhaitez conserver un lien entre une éventuelle tâche <u>précédent</u> les tâches désactivées avec une tâche <u>suivant</u> ces tâches désactivées, vous devrez le créer.

⊡ Pour réactiver les tâches afin de les réintégrer dans la durée du projet, sélectionnez les tâches concernées ou la tâche récapitulative si toutes ses tâches subordonnées doivent être réactivées. Puis cliquez à nouveau sur l'outil **Activer/Désactiver les tâches sélectionnées** ⊟ situé dans le groupe **Planifier** de l'onglet **Tâche**.

Pour désactiver ou réactiver une tâche, vous pouvez aussi faire un clic droit sur cette tâche, puis cliquer sur l'option **Désactiver la tâche** de son menu contextuel.

Gérer le calendrier de tâche

Lorsqu'une tâche doit être accomplie en dehors des périodes ouvrées du calendrier de projet ou du calendrier de ressources, la solution consiste à lui appliquer un calendrier de tâche personnalisé. Ce calendrier peut être l'un des calendriers de base fournis par Project (Standard, 24 Heures, Équipe de nuit) ou bien un calendrier de votre création. Contrairement aux calendriers de ressources, Microsoft Project ne crée pas automatiquement de calendriers de tâche au moment de la création de la tâche car il utilise, dans ce cas, le calendrier de projet.

Créer un nouveau calendrier

La procédure de création d'un calendrier destiné à une (ou plusieurs) tâche(s) est identique à celle d'une ressource ou d'un projet.

🗐 Activez l'onglet **Projet** puis cliquez sur l'outil **Modifier le temps de travail**.

🗐 Cliquez sur le bouton **Créer un nouveau calendrier** de la boîte de dialogue **Modifier le temps de travail**.

🗐 Attribuez un **Nom** au nouveau calendrier.

🗐 Précisez si vous souhaitez **Créer un nouveau calendrier de base** ou **Faire une copie du calendrier** sélectionné dans la zone adjacente.

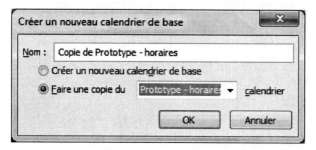

🗐 Cliquez sur le bouton **OK**.

🗐 Adaptez alors le calendrier à vos besoins selon la méthode décrite précédemment (cf. Projet - Créer et/ou modifier un calendrier de projet) puis validez le nouveau calendrier en cliquant sur le bouton **OK**.

✍ Pour supprimer un calendrier de base, utilisez l'Organisateur de Project (onglet **Fichier - Informations** - bouton **Organisateur**). Pour en savoir plus, veuillez vous référer au titre Copier, renommer ou supprimer un élément d'un modèle de projet du chapitre Fichiers projet de cet ouvrage.

Lier le calendrier à une tâche

🗐 Sélectionnez la tâche concernée par ce calendrier.

🗐 Cliquez sur l'outil **Informations sur la tâche** situé dans le groupe **Propriétés** de l'onglet **Tâche**.

🗗 Cliquez sur l'onglet **Avancées**.

🗗 Sélectionnez à l'aide de la liste déroulante associée à la zone **Calendrier**, celui que vous souhaitez appliquer à cette tâche.

Si vous appliquez un calendrier à une tâche pour laquelle des ressources ont été affectées, sachez que Project prévoit par défaut la tâche dans les périodes ouvrées <u>communes</u> *au calendrier des tâches et aux calendriers des ressources ! Mais vous pouvez bien sûr demander à Project de ne tenir compte que du calendrier des tâches.*

🗗 Pour que Project ne tienne compte que du calendrier de tâche et ignore les calendriers des ressources, cochez l'option **Les prévisions ignorent les calendriers des ressources**.

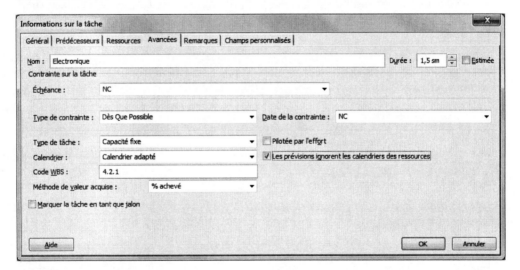

🗗 Cliquez sur le bouton **OK**.

L'icône 📷 *apparaît dans la colonne **Indicateurs*** ℹ️ *de la tâche pour signaler qu'un calendrier de tâche a été affecté à cette tâche.*

*Lorsque l'option **Les prévisions ignorent les calendriers des ressources** est cochée, les ressources affectées à cette tâche sont alors replanifiées à des moments qui pourraient être, pour elles, des périodes chômées !*

Découvrir les dates de début et de fin de tâche

⊟ Déplacez-vous dans la largeur de la **Table Entrée** du **Gantt**.

⊟ Par défaut, vous trouvez les colonnes du numéro, des indicateurs ⓘ , **Mode Tâche**,

Nom de la tâche, Durée, Début et **Fin** (utilisez si besoin est la flèche ▶ de la barre de défilement horizontal).

En cas de planification <u>automatique</u>, il est fortement déconseillé de saisir des dates dans les deux dernières colonnes citées (bien que cela soit techniquement possible). Mieux vaut laisser Project les calculer seul ! Si vous avez des impératifs de dates, Project a prévu un module pour en tenir compte. Les calculs effectués tiennent compte d'un ensemble de facteurs, dont les liaisons entre les tâches et le calendrier du projet.

*Rappelons qu'en planification <u>manuelle</u>, il est possible de renseigner la **Durée** ou la date de **Début** ou la date de **Fin** sans avoir l'obligation de renseigner les autres champs (cf. Définition des tâches - Attribuer une durée aux tâches).*

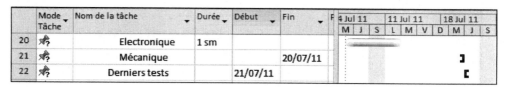

*Avec Project 2010, vous pouvez désormais renseigner l'une des données manquantes (**Durée, Début** ou **Fin**) pour que les autres soient calculées.*

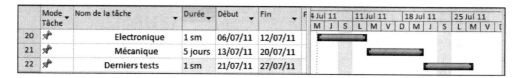

*Si vous renseignez la **Durée** de la tâche alors que la date de **Fin** est déjà connue (tâche 21 dans notre exemple), vous noterez que la date de **Début** est automatique-ment calculée, et ce, quelle que soit le mode de planification par la "date de début" ou la "date de fin" choisie par défaut pour le projet (cf. Projet - Planifier par la date de fin).*

Définition des tâches

Lier une tâche à un lien hypertexte

Cette fonctionnalité permet de créer un lien entre la tâche concernée et un fichier ou une page Web. Le principe consiste à associer la tâche à une adresse de fichier ou de page Web si l'intégralité de ce fichier ou page Web contient des informations relatives à la tâche concernée. Mais si vous souhaitez créer un lien vers une partie spécifique de ce fichier ou page Web, il est alors possible de renvoyer ce lien vers un signet.

⊟ Sélectionnez la tâche concernée par le lien.

⊟ Utilisez le raccourci-clavier Ctrl K pour activer la boîte de dialogue **Insérer un lien hypertexte**.

⊟ Si vous souhaitez afficher un texte particulier dans une info-bulle lorsque vous pointerez le lien hypertexte, saisissez le **Texte à afficher** dans la zone réservée à cet effet.

Si vous ne spécifiez rien dans cette zone, Project reprend le chemin ou l'adresse du fichier dans l'info-bulle.

⊟ Si vous souhaitez créer un lien vers un fichier existant, recherchez-le à l'aide de la liste **Regarder dans** et du cadre qui lui est associé, puis sélectionnez-le.

Si vous souhaitez créer un lien vers une adresse Internet, saisissez l'**Adresse** correspondante dans la zone du même nom (exemple : http://www.editions-eni.fr). Validez par le bouton **OK**.

Si vous souhaitez créer un lien vers un signet, cliquez sur le bouton correspondant, puis sélectionnez-le.

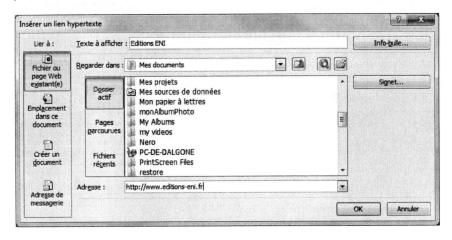

⊟ Cliquez sur le bouton **OK**.

L'icône *apparaît en marge de la tâche dans la colonne Indicateurs. En pointant cette icône, sa description apparaît dans une info-bulle.*

Pour ouvrir la page Web dans votre navigateur ou le fichier correspondant, cliquez sur l'icône *en marge de la tâche.*

Modifier la liste des tâches

Supprimer une tâche

⊟ Positionnez-vous dans une cellule de la tâche à supprimer.

⊟ Faites un clic droit sur la tâche concernée puis cliquez sur l'option **Supprimer la tâche** du menu contextuel.

La touche ⌨Suppr *supprime également la tâche dont le numéro aura été sélectionné au préalable.*

Instantanément, la tâche est retirée de la liste et les tâches suivantes sont renumérotées.

Insérer une nouvelle tâche ordinaire

⊟ Cliquez sur la tâche qui suivra la nouvelle.

⊟ Cliquez sur la flèche associée à l'outil **Tâche** de l'onglet **Tâche** (groupe **Insérer**) puis cliquez sur l'option **Tâche** (ou ⌨Inser).

*Vous pouvez aussi faire un clic droit sur la sélection, puis cliquez sur l'option **Insérer une tâche** de son menu contextuel.*

Le mode de planification de la tâche est identique au mode actif du projet. (cf. Attribuer une durée aux tâches).

Une nouvelle ligne s'insère et les activités suivantes sont renumérotées.

Mode manuel :

	ℹ	Mode Tâche	Nom de la tâche	Durée	Début	Fin
6			⊟ **ETUDES**	**45 jours?**	**06/07/11**	**08/09/11**
7		📌	Etudes électroniques	4 sm	06/07/11	03/08/11
8		📌	<Nouvelle tâche>			
9		📌	Etudes mécaniques	5 sm	04/08/11	08/09/11

Mode automatique :

	❶	Mode Tâche	Nom de la tâche	Durée	Début	Fin
0		⇨	⊟ **Prototype**	187 jours?	06/07/11	28/03/12
1		⇨	⊟ ANALYSE	85 jours?	06/07/11	04/11/11
2		⇨	<Nouvelle tâche>	1 jour?	06/07/11	06/07/11
3		⇨	Demande du client	0 jour	06/07/11	06/07/11

⊟ Saisissez le **Nom de la tâche** et les données qui s'y rapportent (si vous les connaissez bien sûr).

Recopier une tâche

⊟ Sélectionnez la tâche à copier en cliquant sur son numéro.

⊟ Cliquez sur l'outil **Copier** 🗍 de l'onglet **Tâche** (groupe **Presse-papiers**) (ou Ctrl C).

Project copie la sélection dans le Presse-papiers Windows.

⊟ Sélectionnez la ligne de destination de la copie.

⊟ Cliquez sur l'outil **Coller** 🗍 de l'onglet **Tâche** (groupe **Presse-papiers**) (ou Ctrl V).

La tâche copiée est immédiatement collée à l'emplacement indiqué et, à nouveau, les tâches suivantes sont renumérotées et les liaisons sont mises à jour.

Déplacer une tâche

⊟ Sélectionnez la ligne de la tâche à déplacer.

⊟ Placez le pointeur de la souris sur un bord de la ligne jusqu'à ce que celui-ci se transforme en une flèche à 4 têtes.

⊟ Faites un cliqué-glissé jusqu'au nouvel emplacement de la tâche en vous aidant de la barre horizontale grise qui apparaît.

⊟ Relâchez la souris lorsque l'emplacement vous convient.

✍ Si vous n'avez pas accès à cette technique de déplacement, utilisez l'onglet **Fichier** - **Options** - catégorie **Options avancées**, puis cochez l'option **Glisser - déplacer les cellules** de la zone **Modification**.

Gestion des tâches

Suite à ces diverses modifications, Project s'efforce de mettre à jour les liaisons. Si cela n'est pas le cas ou inversement, si vous souhaitez assumer seul(e) cette gestion, utilisez l'onglet **Fichier - Options** - catégorie **Options avancées**, puis cochez ou pas l'option **Confirmer la mise à jour automatique des liens** de la zone **Modification**.

Rappelons que les modifications apportées peuvent être annulées afin de rétablir une situation antérieure (Cf. Project 2010 : environnement - Annuler les dernières manipulations).

Trier la liste des tâches

Project 2010 permet de trier rapidement les tâches d'après les valeurs contenues dans l'une de ses colonnes.

Trier selon un critère standard

Activez l'onglet **Affichage** puis cliquez sur l'outil **Trier** (groupe **Données**).

Sauf intervention, cinq critères de tri standards sont proposés.

Cliquez sur le critère à appliquer.

Toutes les tâches suivent le tri demandé mais, sauf intervention préalable, les tâches ne sont pas renumérotées.

Trier selon un autre critère

Onglet **Affichage** - outil **Trier** (rubrique **Données**)

Cliquez sur **Trier par**.

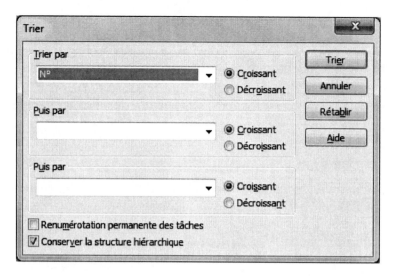

*La boîte de dialogue **Trier** vous permet de préciser trois critères de tri (**Trier par**, **Puis par** deux fois). Chaque tri peut être demandé en ordre **Croissant** ou **Décroissant**.*

⊟ Pour chaque critère de tri à poser, sélectionnez le nom du champ dans la liste appropriée (**Trier par**, **Puis par** et **Puis par**) et indiquez si le tri doit être **Croissant** ou **Décroissant**.

⊟ Si les tâches doivent conserver leur numéro d'origine, décochez l'option **Renumérotation permanente des tâches**. Attention : si vous la cochez, sachez que les tris ne sont pas annulables.

⊟ Conservez l'option **Conserver la structure hiérarchique** cochée pour que le tri des tâches s'effectue à l'intérieur de leur structure hiérarchique, c'est-à-dire que les tâches subordonnées restent avec leurs tâches récapitulatives...

⊟ Lancez la réorganisation des tâches par le bouton **Trier**.

✎ Le bouton **Rétablir** sert à retrouver les paramètres par défaut de la boîte de dialogue **Trier**.

Lorsque la renumérotation des tâches n'a pas été demandée, pour retrouver l'ordre d'origine, utilisez l'onglet **Affichage** - outil **Trier** - **N°** ou le raccourci-clavier ⇧ F3.

Poser une date de contrainte

<u>Découvrir les types et les catégories de contraintes de tâche</u>

Microsoft Project gère huit types de contraintes réparties en trois grandes catégories :

1. Les **contraintes** sont **inflexibles** dans le cas où la tâche doit commencer ou s'achever à une certaine date. On les appelle aussi les contraintes dures car elles empêchent toute replanification de la tâche. Il est conseillé de n'utiliser cette catégorie de contrainte que lorsque c'est absolument nécessaire.

2. Les **contraintes flexibles** sont utilisées dans le cas où Microsoft Project peut changer les dates de début et de fin de la tâche. Aucune contrainte de date n'est alors associée aux contraintes flexibles, ce qui fait qu'elles permettent de planifier les tâches sans autre contrainte que la liaison avec le prédécesseur et le successeur. Il est vivement conseillé d'utiliser cette catégorie de contrainte le plus souvent possible car elles permettent à Microsoft Project de tirer pleinement profit de son moteur de planification.

3. Les **contraintes** sont **semi-flexibles** lorsqu'il y a une contrainte sur la date de début ou sur la date de fin de la tâche. Dans ce cas, Microsoft Project peut changer la date de fin ou la date de début de la tâche. Comme par exemple, lorsqu'une tâche doit s'achever au plus tard à une date donnée, elle peut toutefois être achevée plus tôt. Mais cette catégorie de contrainte limite obligatoirement la replanification d'une tâche à la date qui a été spécifiée. On dit parfois des contraintes semi-flexibles qu'elles sont molles ou modérées.

TYPES DE CONTRAINTES (*)	EFFET
Catégorie : contraintes inflexibles	
Doit Commencer Le (DCL)	La tâche doit commencer à la date de contrainte que vous spécifiez. Utilisez ce type de contrainte pour vous assurer qu'une tâche débutera à une certaine date.
Doit Finir Le (DFL)	La tâche doit se terminer à la date de contrainte que vous spécifiez. Utilisez ce type de contrainte pour vous assurer qu'une tâche se terminera à une certaine date.

TYPES DE CONTRAINTES (*)	EFFET
Catégorie : contraintes flexibles	
Dès Que Possible (DQP)	La tâche commence dès que possible en fonction des autres contraintes et liaisons. C'est le type de contrainte par défaut qui est appliqué à toutes les nouvelles tâches lorsque la planification se fait à partir de la date de début du projet.
Le Plus Tard Possible (LPTP)	La tâche commencera le plus tard possible en fonction des autres contraintes et liaisons. C'est le type de contrainte par défaut qui est appliqué à toutes les nouvelles tâches lorsque la planification se fait à partir de la date de fin de projet.
Catégorie : contraintes semi-flexibles	
Début Au Plus Tôt Le (DPTO)	La tâche doit commencer au plus tôt à la date stipulée. S'applique aux tâches qui ne peuvent pas commencer avant une date donnée.
Début Au Plus Tard Le (DPTA)	La tâche doit commencer au plus tard à la date précisée. Cette option permet de garantir qu'une tâche ne commencera pas après une date déterminée.
Fin Au Plus Tôt Le (FPTO)	La tâche doit s'achever le jour de la date de contrainte que vous spécifiez ou après cette date. S'applique aux tâches qui ne peuvent pas se terminer avant une date donnée.
Fin Au Plus Tard Le (FPTA)	La tâche doit s'achever au plus tard à la date de contrainte précisée. Ce type de contrainte permet une garantie qu'une tâche ne se terminera pas après une date déterminée.

(*) : en toutes lettres et en abrégé

En conclusion de cette partie très théorique, retenez que l'utilisation de contraintes inflexibles n'est justifiée que dans le cas où la date de début ou de fin de la tâche dépend de facteurs extérieurs indépendants des personnes qui travaillent sur le projet. Si ce n'est pas le cas, préférez les contraintes flexibles qui vous donnent, à vous ainsi qu'à Microsoft Project, plus de liberté pour ajuster les dates de début et de fin.

Gestion des tâches

En général, un trop grand nombre de contraintes inflexibles ou semi-flexibles peuvent réduire énormément la flexibilité en matière de planification. Ce risque peut être atténué si vous utilisez une **date d'échéance** au lieu d'une contrainte de type Doit Finir Le par exemple (cf. Gestion des tâches - Définir une date d'échéance pour une tâche).

Appliquer une date de contrainte

⊟ Sélectionnez dans la table ou recherchez à l'aide de l'outil **Atteindre la tâche** concernée par la date de contrainte (onglet **Tâche** - groupe **Modification**).

Notez que cette méthode a le double avantage d'atteindre la tâche souhaitée dans la table mais également dans le planning de Gantt.

⊟ Faites un double clic sur la tâche sélectionnée pour ouvrir la boîte de dialogue **Informations sur la tâche**.

⊟ Activez l'onglet **Avancée** puis ouvrez la liste **Type de contrainte**.

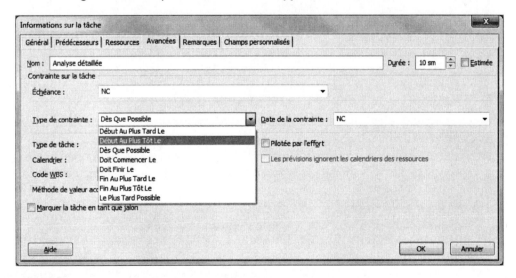

⊟ Cliquez sur le type de contrainte souhaitée.

⊟ Selon le type de contrainte choisie, et selon les données connues par le Chef de projet, saisissez ou sélectionnez la **Date de la contrainte** souhaitée.

Rappelons qu'il est possible de compléter la saisie d'une date par la saisie de l'heure en les séparant par un espace (exemple : 24/11/11 10:30).

⊟ Cliquez sur le bouton **OK**.

	ⓘ	Mode Tâche ▾	Nom de la tâche ▾	Durée ▾	Début ▾	Fin ▾	Préd	11	31 Oct 11	14 Nov 11
									D J L V M S M D	
6		⤳	Définition du cahier des charges	3 sm	14/10/11	04/11/11	5			
7	▦	⤳	Validation du cahier des charges	0 jour	04/11/11	04/11/11	6		◆ 04/11	
8		⤳	⊟ ETUDES	35 jours	07/11/11	26/12/11				
9		⤳	Etudes électroniques	4 sm	07/11/11	05/12/11	7			

Un indicateur de contrainte s'affiche dans la colonne des indicateurs (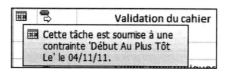 *: 2ème colonne de la Table Entrée).*

✍ En pointant l'icône de contrainte située dans la colonne Indicateurs, les détails de la contrainte apparaissent dans une info-bulle.

▦	⤳	Validation du cahier
▦ Cette tâche est soumise à une contrainte 'Début Au Plus Tôt Le' le 04/11/11.		

Pour supprimer une contrainte, faites un double clic sur la tâche concernée pour ouvrir la boîte de dialogue **Informations sur la tâche**, puis activez l'onglet **Avancées**. Sélectionnez le **Type de contrainte : Dès Que Possible** ou, **Le Plus Tard Possible** si la planification se fait à partir de la date de fin du projet.

Lorsque Project planifie une tâche au plus tard, notez qu'il tient compte de la Marge totale et non de la Marge libre.

Avant de poursuivre notre apprentissage de Project, prenons encore quelques instants pour constater la ou les incidences que peuvent avoir certaines manipulations sur les contraintes de tâches :

- Si par exemple vous renseignez une date de début à une tâche, soit en la saisissant dans la colonne Début, ou bien en faisant glisser la barre de Gantt directement dans le diagramme de Gantt, sachez que Project applique une contrainte Début Au Plus Tôt Le à la tâche concernée.

- Si vous renseignez une date de fin à une tâche, dans ce cas, Project applique une contrainte de type Fin Au Plus Tôt à la tâche concernée.

Découvrir les indicateurs de contrainte

Contrainte fixe

Fin Au Plus Tard Le	pour les projets prévus à partir de la date de début.
Doit Commencer Le	pour tous les projets.

Contrainte moyennement flexible

Fin Au Plus Tôt Le	pour les projets prévus à partir de la date de début.
Fin Au Plus tard Le	pour les projets prévus à partir de la date de fin.
Début Au Plus Tôt Le	pour les projets prévus à partir de la date de début.
Début Au Plus Tard Le	pour les projets prévus à partir de la date de fin.

Contrainte non respectée

La tâche correspondante n'a pas été prévue ou achevée dans le délai de la contrainte.

Définir une date d'échéance pour une tâche

Rappelons qu'il est parfois préférable de ne pas appliquer une contrainte flexible ou semi-flexible à une tâche afin de ne pas nuire à la flexibilité en matière de planification de votre projet. La solution consiste à y appliquer une date d'échéance. En effet, cette fonctionnalité vous permet de suivre l'échéance d'une tâche particulière sans pour autant verrouiller vos prévisions par une contrainte fixe.

- Faites un double clic sur la tâche concernée par la date d'échéance pour ouvrir la boîte de dialogue **Informations sur la tâche**.

- Activez l'onglet **Avancées** puis renseignez le champs **Echéance** de la zone **Contrainte sur la tâche**.

- Validez par le bouton **OK**.

Une flèche verte ⇩ signale sur le Diagramme de Gantt la date d'échéance appliquée à la tâche.

ⓘ	Mode Tâche	Nom de la tâche	Durée	Lun 23 Jan			
				0	6	12	18
11		⊟ **FABRICATION**	**20 jours**				
12		Maquette	4 sm				
13		Intégration partie	1 sm				

Si la date de fin de tâche est postérieure à la date d'échéance, Microsoft Project signale l'échéance manquée à l'aide de cet indicateur rouge ⬙ dans la colonne Indicateurs de la tâche.

Utiliser l'Inspecteur de tâches

L'Inspecteur de tâches affiche les facteurs qui influencent la date de début de la tâche sélectionnée. Ces facteurs sont le ou les prédécesseurs, les contraintes ainsi que les exceptions de calendrier. En cas de conflit/difficulté sur une tâche, il vous permet aussi, à l'aide d'options diverses, de résoudre ces problèmes.

▭ Pour afficher l'Inspecteur de tâches, cliquez sur l'outil **Inspecter** 🔍 situé dans l'onglet **Tâche** - groupe **Tâches**.

L'Inspecteur s'affiche sous forme de volet dans la partie gauche de l'écran.

Premier exemple : cas classique

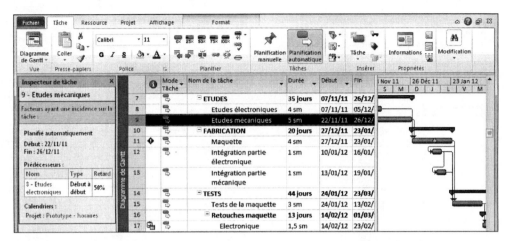

⊡ Cliquez dans la table Entrée sur la tâche pour laquelle vous souhaitez afficher les facteurs ayant une incidence sur la date de début.

Si la tâche sélectionnée dispose de plusieurs prédécesseurs ou une contrainte de planification Au plus tôt, il est vraisemblable que Project 2010 privilégie un seul de ces prédécesseurs ou alors la contrainte pour calculer la date de début au plus tôt de la tâche.

*Notez qu'en cliquant sur le **Nom** du prédécesseur (affiché en bleu dans l'Inspecteur de tâche, vous affichez directement les facteurs de cette tâche dans l'Inspecteur.*

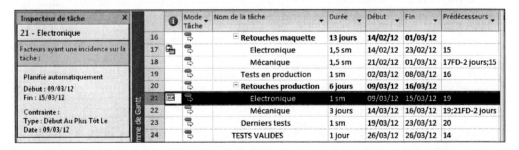

*Dans cet exemple, la tâche sélectionnée dispose d'un seul prédécesseur mais d'une contrainte de planification de type **Début Au Plus Tôt** qui la fait démarrer le 09/03/12. Notez qu'ici, il n'est pas fait mention du calendrier, car l'impact de ce dernier sur la planification de cette tâche est inférieur à celui de la contrainte.*

Deuxième exemple : cas de conflit

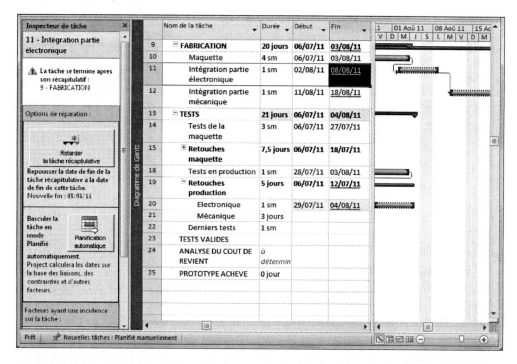

Dans ce cas, la tâche 11 débute avant la fin de la tâche 10 alors qu'elles sont liées par un lien de fin à début… ce qui a pour conséquence de générer une erreur repérable à l'aide du trait souligné rouge sous la date de fin de la tâche 11.

Ici, l'**Inspecteur de tâche** propose des **Options de réparation** permettant de régler le conflit.

Ces options sont également accessibles à partir du menu contextuel de la donnée conflictuelle (clic droit sur cette donnée).

⊟ Pour masquer l'**Inspecteur de tâches**, cliquez à nouveau sur l'outil **Inspecter** (onglet **Tâche** - groupe **Tâches**), ou cliquez sur son bouton de fermeture ☒ .

👉 Pour **Afficher les avertissements**, **Afficher les suggestions** et/ou **Afficher les problèmes ignorés** pour toutes les tâches de votre projet, vous pouvez cliquer sur la flèche de l'outil **Inspecter** 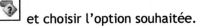 et choisir l'option souhaitée.

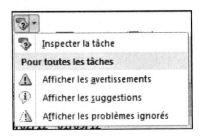

Vous pouvez également trouver ces options à partir de l'onglet Fichier - Options - Planification - zone Planifier les options des alertes.

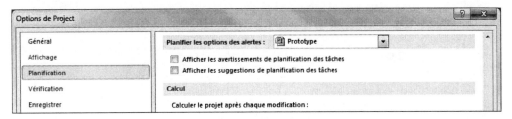

Saisir et mettre en forme une remarque sur une tâche

⊡ Sélectionnez la tâche concernée pour la remarque.

⊡ Cliquez sur l'outil **Notes de tâche** 📋 situé dans l'onglet **Tâche** - groupe **Propriétés**.

Cet outil active l'onglet Remarques de la boîte de dialogue Informations sur la tâche.

⊡ Cliquez dans la zone de saisie **Remarques** et saisissez votre commentaire en utilisant la touche ⏎ pour changer de paragraphe ou ⇧⏎ pour provoquer un saut de ligne.

⊡ Cliquez sur le bouton **OK** pour fermer la boîte de dialogue **Informations sur la tâche**.

Formater les caractères d'une remarque

⊡ Faites un double clic sur la tâche pour laquelle une remarque a été associée afin d'ouvrir la boîte de dialogue **Informations sur la tâche** - onglet **Remarques**.

⊟ Sélectionnez les caractères à mettre en valeur à l'aide d'un cliqué-glissé.

⊟ Cliquez sur l'outil [A].

⊟ Modifiez les attributs **Police**, **Style de police** et **Taille** et attribuez éventuellement une **Couleur** au texte.

⊟ Cliquez sur le bouton **OK** pour fermer la boîte de dialogue **Police**.

⊟ Cliquez sur le bouton **OK** pour fermer la boîte de dialogue **Informations sur la tâche**.

Formater les paragraphes d'une remarque

⊟ Accédez à la boîte de dialogue **Informations sur la tâche**, onglet **Remarques** après avoir sélectionné la tâche concernée par la remarque.

⊟ Sélectionnez les paragraphes à mettre en forme puis utilisez les possibilités suivantes :

pour aligner à gauche.

pour centrer.

pour aligner à droite.

pour présenter sous forme d'une liste à puce.

⊟ Cliquez sur le bouton **OK**.

Dans la colonne des indicateurs, l'icône représentant une petite feuille matéria-lise la présence d'une remarque.

☞ L'outil de la boîte de dialogue **Informations sur la tâche** peut être utilisé pour insérer un objet dans la remarque.

Pour visualiser une remarque, pointez l'icône qui représente la remarque et qui est située dans la colonne **Indicateurs**. La remarque apparaît alors dans une info-bulle. Si la remarque est trop longue pour apparaître dans une info-bulle, vous pouvez aussi faire un double clic sur cette même icône pour ouvrir la boîte de dialogue **Informations sur la tâche** - onglet **Remarques**.

Gestion des tâches

Consulter la remarque d'une tâche à l'aide d'une fiche

⊟ Affichez un Gantt.

⊟ Cliquez sur l'outil **Afficher les détails de la tâche** ▦ situé dans l'onglet **Tâche -**
groupe **Propriétés**.

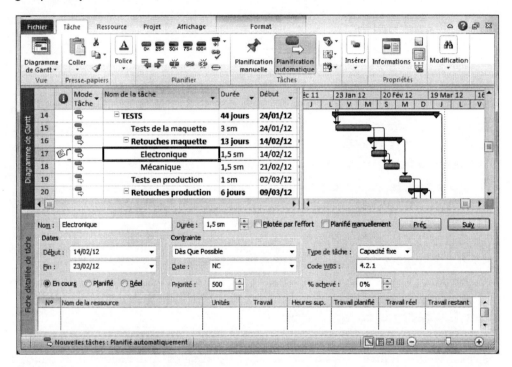

*Dans la partie supérieure de l'écran, le Gantt reste affiché et, dans la partie
inférieure est proposée une FICHE. Cette fiche concerne la tâche sélectionnée dans
le Gantt.*

⊟ Cliquez avec le bouton DROIT dans la fiche visualisée pour afficher le menu
contextuel.

Les projets pilotés par les tâches

Pour la tâche sélectionnée, une liste de fiches est proposée. La fiche précédée d'une coche est la fiche active.

⊟ Choisissez la fiche **Notes.**

⊟ Consultez ainsi les remarques (notes) en cliquant sur les tâches de votre choix.

⊟ Pour revenir à un affichage standard, cliquez à nouveau sur l'outil ⊞.

✍ Rappelons que pour consulter dans une info-bulle la remarque associée à une tâche, il suffit de pointer l'icône représentant la remarque dans la colonne des indicateurs du Gantt.

Filtrer les tâches commentées

⊟ Ouvrez la liste **Filtrer** ⟨ ▼ [Aucun filtre] ▼ ⟩ de l'onglet **Affichage**, puis cliquez sur l'option **Autres filtres.**

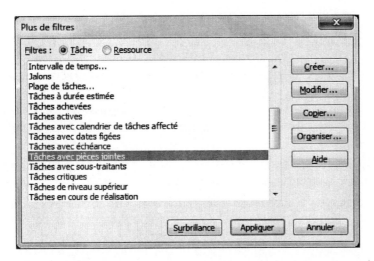

🗁 Sélectionnez l'option **Tâches avec pièces jointes** et validez par le bouton **Appliquer** située en bas de la liste.

🗁 Pour désactivez le filtre, cliquez sur l'outil [Aucun filtre ▼] puis choisissez l'option **Aucun filtre**.

Fractionner une tâche

🗁 Affichez un Gantt.

🗁 Sélectionnez la tâche à fractionner.

🗁 Utilisez, si besoin est, l'outil **Atteindre la tâche** (onglet **Tâche** - groupe **Modification**) afin de la visualiser.

🗁 Cliquez sur l'outil **Fractionner la tâche** de l'onglet **Tâche** - groupe **Planifier**.

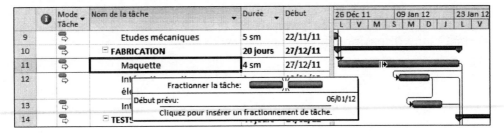

Le pointeur de la souris change de forme et il est accompagné d'une aide.

(La touche ⌨Echap de votre clavier désactive le processus de fractionnement).

▣ Placez le pointeur de la souris au-dessus de la barre de Gantt de la tâche concernée.

L'info-bulle indique la date à laquelle le second segment de la tâche débutera si vous cliquez sur la barre de Gantt. L'info-bulle vous permet ainsi un fractionnement précis.

▣ Déplacez le pointeur de la souris sans cliquer au-dessus de la barre de Gantt de la tâche concernée jusqu'à ce que la date souhaitée de début de l'interruption apparaisse dans l'info-bulle.

▣ Cliquez puis faites glisser la partie fractionnée vers la droite jusqu'à ce que la date de début du second segment apparaisse dans l'info-bulle.

*Lors du cliqué-glissé, les dates proposées sont liées à l'échelle de temps définie dans la boîte de dialogue de même nom accessible à partir de l'option **Échelle de temps** de la liste déroulante de l'outil **Échelle de temps** (onglet **Affichage** - groupe **Zoom**). Cette dernière est subdivisée en niveaux. Project utilise le réglage du niveau inférieur pour déterminer comment fractionner les tâches.*

	ⓘ	Mode Tâche	Nom de la tâche	Durée	Début	26 Déc 11	09 Jan 12	23 Jan 12
9		⤵	Etudes mécaniques	5 sm	22/11/11			
10		⤵	⊟ FABRICATION	23 jours	27/12/11			
11		⤵	Maquette	4 sm	27/12/11			
12		⤵	Intégration partie électronique	1 sm	13/01/12			

L'interruption de la tâche est représentée dans le Diagramme de Gantt par une ligne pointillée entre les deux segments de la tâche.

▣ Pour supprimer le fractionnement d'une tâche, pointez le second segment, une fois que le pointeur de la souris a pris l'aspect d'une flèche à quatre pointes, faites glisser le segment jusqu'à ce qu'elle touche l'autre partie.

✍ Pour masquer les pointillés représentant les interruptions de tâche, décochez l'option **Afficher les fractionnements de barres** de la boîte de dialogue **Disposition** (onglet **Format** - outil **Disposition** du groupe **Format**).

Vous pouvez fractionner une tâche en autant de segments que vous le souhaitez.
Pour replanifier un segment, vous pouvez le faire glisser vers la gauche ou vers la droite.
La durée de l'interruption (ligne pointillée) n'est pas incluse dans la durée de la tâche, sauf si la tâche est de type Durée fixe.

Si la durée de la tâche fractionnée est amenée à changer, c'est le dernier segment de la tâche qui se modifie. De même, si une tâche est replanifiée (en raison par exemple d'un changement de date de début), sachez que c'est l'ensemble de la tâche, interruptions comprises, qui est replanifié. La tâche conserve le même nombre de segments et d'interruptions.

Créer une tâche périodique

Sélectionnez la tâche au-dessus de laquelle la nouvelle tâche doit apparaître.

Activez l'onglet **Tâche**, cliquez sur l'outil **Tâche** du groupe **Insérer**, puis cliquez sur l'option **Tâche périodique**.

Saisissez le **Nom de la tâche** périodique.

Renseignez sa **Durée**.

Précisez la **Périodicité** de l'événement en activant l'une des options : **Quotidien**, **Hebdomadaire**, **Mensuelle** ou **Annuelle**.

Donnez alors toutes les informations nécessaires quant à la fréquence de la tâche.

*Les renseignements sur la fréquence dépendent de la nature même de la **Périodicité** de l'événement.*

⊟ Si la répétition est limitée dans le temps ou dans le nombre de répétitions, utilisez les options du cadre **Plage de périodicité** :

- pour une limitation dans le temps, saisissez la date de **Début** et la date de **Fin le**,

- pour une limitation dans le nombre de répétitions, renseignez ce nombre dans la zone **Fin après...   occurrence(s)**.

⊟ Affectez le **Calendrier** adéquat puis cochez l'option **Les prévisions ignorent les calendriers de ressources** si vous souhaitez que les ressources affectées à cette tâche l'exécutent même si elles sont en congés à cette date.

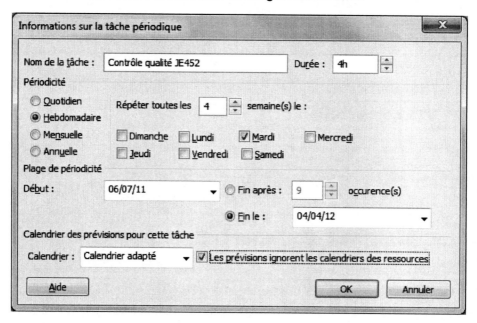

⊟ Validez ou cliquez sur le bouton **OK**.

⊟ En cas de conflit entre une des occurrences de la tâche et un jour chômé du calendrier, Project peut vous proposer de «replanifier les tâches afin qu'elles se produisent pendant la première période ouvrée disponible».

214

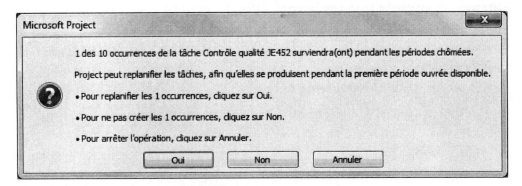

🖵 Dans ce cas, cliquez sur l'option qui convient.

La tâche s'affiche sous la forme d'une tâche récapitulative dans la table Entrée. Son indicateur est ↻. Il y a autant de tâches élémentaires que de répétitions de la tâche ; chaque subordonnée reprend le nom de la tâche suivi d'un numéro. Ces tâches sont créées à l'instant "T". Si la durée du projet change, les tâches répétitives n'en tiennent pas compte.

🖵 Pour supprimer une des occurrences de tâche périodique, cliquez sur son numéro pour la sélectionner et appuyez sur la touche ⌜Suppr⌝ de votre clavier.

🖵 Pour supprimer toutes les occurrences, sélectionnez la tâche récapitulative puis appuyez sur ⌜Suppr⌝.

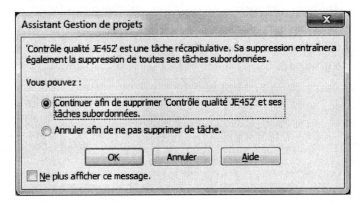

🖵 Dans ce cas, maintenez l'option **Continuer afin de supprimer...** active puis cliquez sur **OK**.

Filtrer les tâches sur un intervalle de temps

⊟ Ouvrez la liste **Filtrer**  située dans l'onglet **Affichage** (groupe **Données**).

⊟ Cliquez sur l'option **Intervalle de temps**.

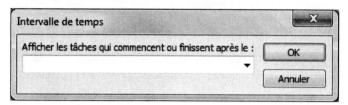

⊟ Saisissez la première borne de l'intervalle et validez.

⊟ Saisissez alors la seconde borne et validez.

Regrouper les tâches ou les ressources

Par défaut, Project 2010 présente les tâches dans l'ordre croissant de leur numéro de ligne (Diagramme de Gantt), mais il peut s'avérer pratique de les présenter regroupées en fonction d'un paramètre quelconque.

⊟ Activez l'affichage de tâches (**Utilisation des tâches**, **Diagramme de Gantt**) ou l'affichage de ressources (**Tableau des ressources**, **Utilisation des ressources**).

⊟ Activez l'onglet **Affichage**, ouvrez la liste **Grouper par** 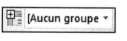 puis cliquez sur l'option **Plus de groupes**.

⊟ Activez l'option **Tâche** ou **Ressource** selon le cas.

⊟ Cliquez sur le bouton **Nouveau**.

⊟ Dans la boîte de dialogue **Définition du groupe**, saisissez le **Nom** du groupe puis cochez l'option **Afficher dans le menu** si vous souhaitez faire apparaître ce nouveau groupe dans la liste **Grouper par**.

⊟ Définissez les critères de regroupement grâce aux listes associées aux champs **Nom de champ** et **Ordre**.

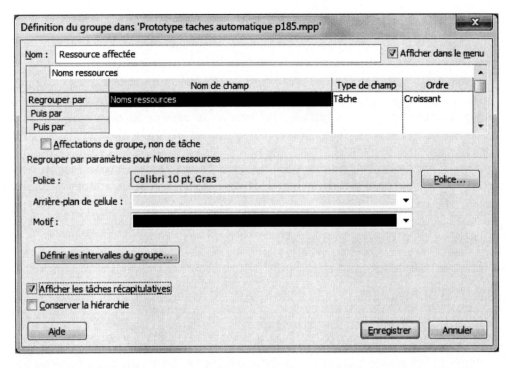

⊟ Cochez les options **Afficher les tâches récapitulatives** et/ou **Conserver la hiérarchie** selon votre souhait.

⊟ Cliquez sur le bouton **Enregistrer** pour refermer la boîte de dialogue.

⊟ Dans la boîte de dialogue **Plus de groupes**, cliquez sur **Appliquer** pour utiliser le nouveau groupe, ou **Fermer** pour revenir à l'écran de travail sans utiliser le groupe.

Rechercher le meilleur équilibre d'un projet

⊟ À ce stade de la conception, vous avez listé et ordonné les tâches jugées indispensables.

⊟ La recherche du meilleur équilibre consiste à ajuster le chemin critique du projet pour tenir les délais et optimiser les durées tout en conservant la qualité. Le chemin critique étant la série des tâches qui vont décaler la date de fin du projet si elles sont retardées.

⊟ Rechercher l'équilibre parfait est utopique du fait des changements permanents qui peuvent intervenir et modifier vos plans. Mais, nous vous conseillons d'ajuster au mieux avant que le projet ne soit en cours de réalisation (cf. Généralités - Équilibrer le réseau).

Visualiser le chemin critique

Pourquoi ajuster le chemin critique ?

⊟ La date de fin est directement liée à la durée des tâches figurant sur ce chemin ; c'est pourquoi on dit que les tâches sont critiques. Le terme "critique" n'a donc aucun rapport avec l'éventuelle importance de ces tâches dans l'ensemble du projet, il est important de n'y voir qu'une référence à leur incidence sur la date de fin de projet.

⊟ L'optimisation des délais passe en priorité par l'optimisation des tâches situées sur ce chemin.

Afficher le chemin critique

⊟ Affichez éventuellement le **Diagramme de Gantt** (onglet **Affichage** - groupe **Affichage des tâches**).

⊟ Activez l'onglet **Format**, puis cochez l'option **Tâches critiques** du groupe **Styles des barres**.

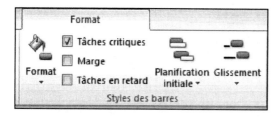

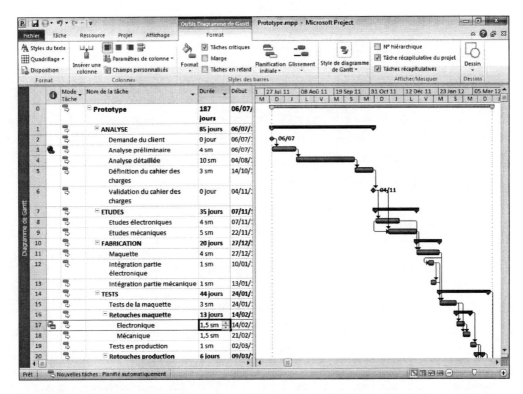

Les tâches critiques apparaissent dans le Diagramme de Gantt sous la forme de barres rouges alors que les tâches non critiques restent en bleu.

⊟ Pour ne visualiser que les tâches critiques, appliquez un filtre en ouvrant la liste **Filtrer** de l'onglet **Affichage** (groupe **Données**) puis en choisissant l'option **Tâches critiques**.

⊟ Pour afficher de nouveau toutes les tâches, ouvrez cette même liste puis choisissez l'option **Aucun filtre**.

Définir le seuil de définition d'une tâche critique

⊟ Onglet **Fichier** - option **Options** - catégorie **Options avancées**

⊟ Saisissez le seuil critique dans la zone **Tâches critiques si la marge est inférieure ou égale à ... jours.**

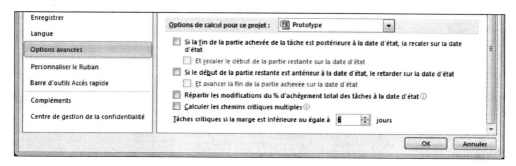

⊟ Validez ou cliquez sur le bouton **OK**.

Afficher plusieurs chemins critiques

Par défaut, un seul chemin critique est affiché, mais vous pouvez demander à afficher des chemins critiques pour chaque réseau de tâches indépendant au sein du projet.

⊟ Onglet **Fichier** - options **Options** - catégorie **Options avancées**

⊟ Cochez l'option **Calculer les chemins critiques multiples** de la zone **Options de calcul pour ce projet.**

Sachez que généralement, Project définit la date de fin au plus tard des tâches sans successeurs ni contraintes comme étant la date de fin du projet. Mais quand cette option est cochée, Project fixe la date de fin au plus tard de ces tâches à leur date de fin au plus tôt, ce qui les transforme en tâches critiques.

⊟ Validez ou cliquez sur le bouton **OK**.

Imprimer le chemin critique

L'impression du chemin critique est une mine d'informations sur les tâches critiques et vous permet de mieux cerner les tâches à ajuster.

À partir du Gantt ou de l'Organigramme des tâches

⊟ Filtrez les tâches critiques.

⊟ Affichez les colonnes de votre choix.

⊟ Lancez l'impression à l'aide de l'option **Imprimer** de l'onglet **Fichier** puis en cliquant sur le bouton **Imprimer**.

Optimisation du réseau

À partir de la fonction Rapports

⊟ Activez l'onglet **Projet**, cliquez sur l'outil **Rapports** du groupe **Rapports**.

⊟ Réalisez un double clic sur la catégorie **Vue d'ensemble** puis sur **Tâches critiques**.

⊟ Lancez l'impression par le bouton **Imprimer**.

Vérifier l'intérêt des dates de contrainte posées

Les projets sont assez fréquemment figés à cause des dates de contrainte posées. Ce problème est d'autant plus pointu, qu'à moins d'une remarque, ces dates ne sont pas affichées.

Vérifier les dates de contrainte par l'application d'un filtre

⊟ Ouvrez la liste **Filtrer** ▼[Aucun filtre] ▾ de l'onglet **Affichage** (groupe **Données**) puis cliquez sur l'option **Autres filtres**.

⊟ En milieu de liste, cliquez sur l'option **Tâches avec dates figées** puis sur le bouton **Appliquer**.

*Project ne liste plus que les tâches pour lesquelles le type de contrainte est différent de **Dès que possible**. Mais, vous ne visualisez pas ces dates.*

Au cours des suivis d'avancement, ce filtre concerne aussi les tâches qui ont une date de début réel.

Vérifier les dates de contrainte par la table des dates de contrainte

⊟ Activez l'onglet **Affichage** et cliquez sur l'option **Tables** (groupe **Données**).

⊟ Choisissez l'option **Plus de tables**.

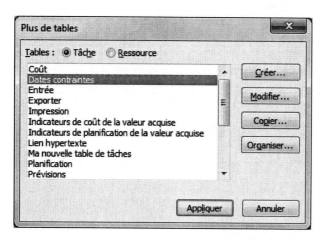

☐ Dans la boîte de dialogue **Plus de tables**, réalisez un double clic sur l'option **Dates contraintes**.

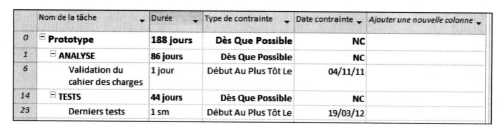

	Nom de la tâche	Durée	Type de contrainte	Date contrainte	Ajouter une nouvelle colonne
0	⊟ **Prototype**	**188 jours**	**Dès Que Possible**	NC	
1	⊟ **ANALYSE**	**86 jours**	**Dès Que Possible**	NC	
6	Validation du cahier des charges	1 jour	Début Au Plus Tôt Le	04/11/11	
14	⊟ **TESTS**	**44 jours**	**Dès Que Possible**	NC	
23	Derniers tests	1 sm	Début Au Plus Tôt Le	19/03/12	

*Pour chaque tâche, cette table liste son numéro, son **Nom**, sa **Durée**, son **Type de contrainte** et sa **Date contrainte**. Nous vous rappelons que le type **Dès que possible** revient à "pas de contrainte".*

Optimiser les liaisons

Les liaisons établies entre les tâches doivent également être étudiées avec attention pour être optimisées.

Afficher la fiche "prédécesseurs et successeurs"

☐ Affichez le Gantt, si besoin est, par l'onglet **Tâche** - outil **Diagramme de Gantt**.

☐ Activez l'onglet **Affichage** puis cochez l'option **Détails** du groupe **Fractionner l'affichage**.

Optimisation du réseau

Dans la partie supérieure de l'écran, le Gantt reste affiché et dans la partie infé-
*rieure, s'affiche le **Formulaire tâche**. Comme toujours, ce formulaire concerne la*
tâche qui est sélectionnée dans le Gantt.

⊡ Cliquez avec le bouton DROIT de la souris dans le formulaire.

Project propose une liste de fiches.

⊡ Cliquez sur l'option **Prédécesseurs et successeurs**.

⊡ Sélectionnez dans le Gantt la tâche à étudier.

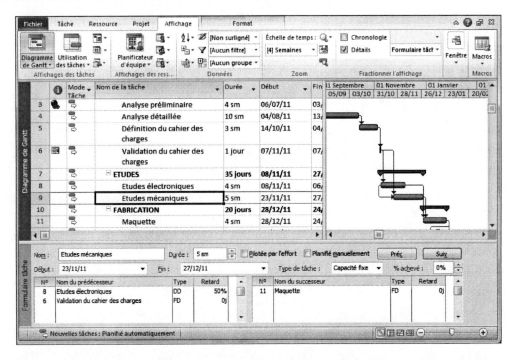

Dans la partie gauche de la fiche sont proposés les prédécesseurs et dans la partie
droite les successeurs de la tâche sélectionnée dans le Gantt.

⊡ Mettez fin à la visualisation du formulaire en décochant l'option **Détails** (onglet
Affichage - groupe **Fractionner l'affichage**).

Afficher le schéma des dépendances

⊡ Affichez un diagramme de Gantt.

⊡ Cochez l'option **Détails** de l'onglet **Affichage** (groupe **Fractionner l'affichage**).

La fiche précédemment activée s'affiche de nouveau.

🖅 Cliquez dans la fiche afin d'activer cette partie de l'écran.

🖅 Ouvrez la liste déroulante associée à l'outil **Détails** (onglet **Affichage** - groupe **Fractionner l'affichage**) puis cliquez sur l'option **Plus d'affichages**.

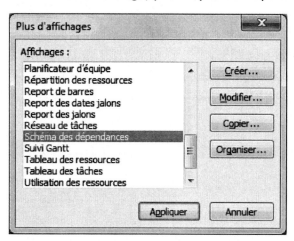

🖅 Parmi tous les choix proposés, réalisez un double clic sur l'option **Schéma des dépendances**.

Le schéma affiché dans la partie inférieure concerne la tâche sélectionnée dans le Gantt.

🖅 Sélectionnez, dans le Gantt, la tâche à examiner.

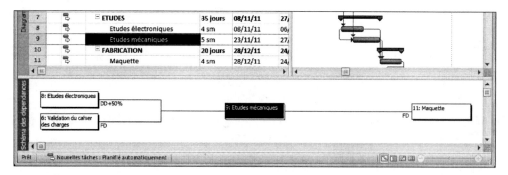

Cette tâche a pour prédécesseur les tâches 8 et 6 (relation de type DD et FD) et pour successeur la tâche 11 (relation de type FD).

224

Optimisation du réseau

<u>Créer une table relative aux liaisons</u>

- Onglet **Affichage** - outil **Tables** - option **Plus de tables**

- Cliquez sur le bouton **Créer**.

- Tapez le **Nom** de la table.

- Cochez, si vous le souhaitez, l'option **Visible dans le menu** afin d'insérer cette table dans le menu **Table**.

- Cliquez dans la cellule **Nom de champ** de la première ligne du tableau puis ouvrez la liste et cliquez sur l'option **N°**.

- Choisissez la position en ouvrant la liste de la cellule **Données alignées**.

- Cliquez dans la cellule **Largeur** et saisissez la largeur souhaitée.

- Selon le même principe, ajoutez les champs **Nom**, **Prédécesseurs** et **Successeurs**.

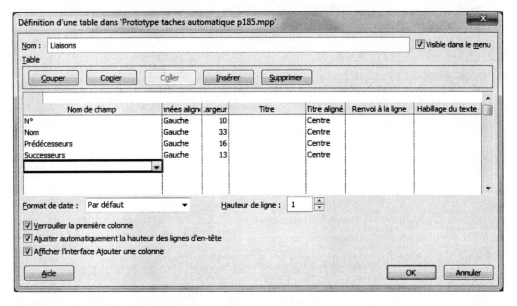

- Insérez, si vous le souhaitez, des champs supplémentaires.

- Validez ou cliquez sur le bouton **OK**.

- Choisissez alors d'**Appliquer** la nouvelle table.

*La table créée remplace la table **Entrée**. Une fois conçue, elle s'utilise comme toutes les tables fournies en standard avec Project. La principale différence est qu'elle n'existe pour l'instant que dans le projet en cours.*

Quelques idées d'optimisation des liaisons

- Recherchez l'exécution simultanée des tâches. Dans la pratique, il est fréquent que des relations de type Fin à début soient transformables en Début à début avec retard ou, encore, conservées en Fin à début mais avec avance.

- Étudiez si les longues tâches ne peuvent pas être divisées en sous-tâches possédant leurs propres liaisons. Cela peut avoir un effet non négligeable sur le chemin critique et, parfois, sur les durées.

Prendre conscience des marges existantes

Pour en savoir plus sur la définition des marges, veuillez vous reporter au titre Équilibrer le réseau dans le chapitre Généralités de cet ouvrage.

Afficher la table Prévisions

- Onglet **Affichage** - outil **Tables** - option **Prévisions**

	Marge libre	Marge totale
6	0 jour	5 jours
7	**5 jours**	**5 jours**
8	0 sm	1 sm
9	0 sm	1 sm
10	**5 jours**	**5 jours**
11	0 sm	1 sm
12	0 sm	1,4 sm
13	0,4 sm	1,4 sm

*Nous vous rappelons que les deux dernières colonnes sont les colonnes **Marge libre** et **Marge totale**.*

*Si l'option **Ajuster automatiquement la hauteur des lignes d'en-tête** associée à la table n'a pas été cochée, il peut être nécessaire d'élargir les colonnes pour visualiser les en-têtes intégralement.*

Le planning du Gantt peut également afficher ces marges.

Afficher le Gantt relatif aux marges

⊡ Activez l'onglet **Affichage**, puis ouvrez la liste des options associée à l'outil **Diagramme de Gantt** puis cliquez sur l'option **Plus d'affichages.**

⊡ Réalisez un double clic sur l'option **Gantt relatif aux marges.**

Les barres des tâches critiques s'affichent en rouge. Les tâches non critiques sont en bleu, leur marge est matérialisée par un trait vert et, la durée de leur marge libre est affichée.

*La table proposée est la table **Retard** d'audit.*

⊡ Si vous ne visualisez pas le planning du Gantt, utilisez l'outil **Zoom sur tout le projet**

 de l'onglet **Affichage** - groupe **Zoom.**

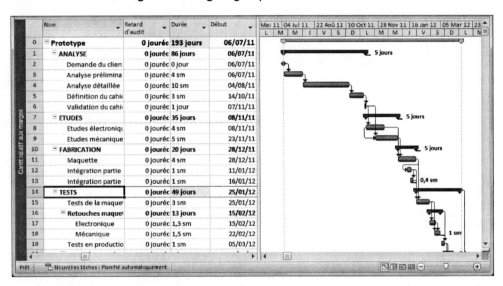

Créer un affichage personnalisé pour les marges

*Bien que le processus de création d'affichage ait déjà été abordé dans d'autres titres de cet ouvrage, nous vous proposons de créer un affichage particulier à partir du **Gantt relatif aux marges** afin d'obtenir une meilleure visualisation des marges libres et totales des tâches d'un projet.*

⊡ Activez l'onglet **Tâche**, ouvrez la liste déroulante associée à l'outil **Diagramme de Gantt** (groupe **Vue**) puis cliquez sur l'option **Plus d'affichages.**

⊟ Sélectionnez l'affichage **Gantt relatif aux marges** puis cliquez sur le bouton **Copier**.

⊟ Saisissez le **Nom** de l'affichage dans le champ correspond, et conservez les autres options proposées.

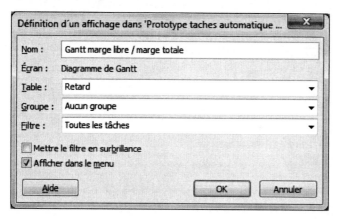

⊟ Cliquez sur **OK** pour valider, puis sur le bouton **Appliquer** de la boîte de dialogue **Plus d'affichages**.

⊟ Ensuite, personnalisez ce nouvel affichage à l'aide de l'onglet **Format** - outil **Format** - option **Barres et Styles**.

⊟ Cliquez sur **Glissement** de la colonne **Nom** puis appuyez sur la touche ⌊Inser⌋ de votre clavier pour insérer une nouvelle ligne sous la barre **Marge** afin d'y afficher la marge totale.

⊟ Cliquez dans la cellule vide de la colonne **Nom** puis tapez le nom souhaité (exemple : **Marge totale**).

⊟ Choisissez une **Apparence**.

⊟ Cliquez dans la cellule de la colonne **Représente les tâches,** puis choisissez les tâches **Normales** et **Non critiques**.

⊟ Pour représenter la barre **De** la **Fin de tâche** jusqu'**A** la **Marge totale**, choisissez les options correspondantes.

⊟ Activez l'onglet **Texte** de la boîte de dialogue **Styles des barres**, activez la ligne **Intérieur**, puis choisissez l'option **Marge totale** dans la liste déroulante qui lui est associée.

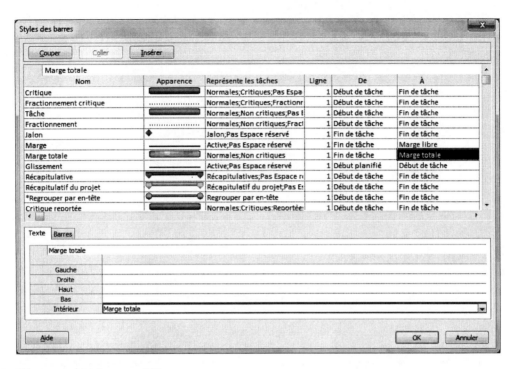

⊟ Cliquez sur le bouton **OK**.

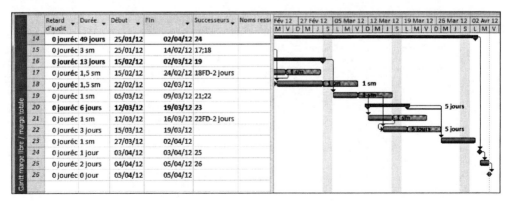

Les projets pilotés par les tâches

Définition des ressources

Découvrir les ressources

La réalisation des tâches d'un projet est considérée comme une production effectuée par les **ressources**. Il existe trois types de ressources : les ressources **Travail**, les ressources **Matériel** et les ressources de type **Coût**. La ressource sera ensuite affectée à une ou plusieurs tâches.

Les ressources **Travail** correspondent aux <u>personnes</u> et aux <u>équipements</u> qui consacrent du temps aux tâches qu'elles exécutent. Les ressources **Matériel** correspondent à un stock <u>consommable</u> utilisé pour exécuter une tâche. Et les ressources **Coût** correspondent aux charges purement financières susceptibles d'être affectées à une tâche.

Afin d'illustrer ce qui vient d'être dit, voici quelques exemples :

Type de ressource	Exemple	
	Identification	**Nom de la ressource**
Travail	individu identifié par son nom	Yann Huchet
Travail	individu identifié par son emploi ou fonction	Ingénieur en robotique
Travail	groupe d'individus ayant des compétences communes	Département budget
Travail	équipement	laboratoire, caméra, ordinateur, camion, machinerie...
Matériel	consommable	ampoules, circuit imprimé, moyeu...
Coût	charge financière	billet d'avion d'un technicien

Les ressources **Travail** et **Matériel** ont des caractéristiques communes : elles ont une disponibilité limitée ; elles peuvent parfois être partagées entre différents projets ; elles ont leur propre capacité de production ; elles ont un coût...

Mais les ressources **Matériel** diffèrent des ressources **Travail** sur quelques points. En effet, les ressources matérielles n'utilisent pas de calendrier des ressources, n'ont pas de taux de coût pour les heures supplémentaires ni d'unités d'affectation, et ne peuvent pas faire l'objet d'un audit. Sachez également que les unités matérielles disponibles ne peuvent pas être spécifiées, de même que le coût par utilisation ne fonctionne pas de la même manière que pour les ressources **Travail**.

Quant aux ressources **Coût**, bien qu'affectées à une tâche, elles ne sont pas liées au profil du travail. Par conséquent la modification de la date de fin ou du pourcentage de réalisation du travail n'aura pas d'incidence sur les ressources de coût. Notez également qu'un calendrier ne peut pas leur être appliqué, donc elles n'affectent pas les prévisions de la tâche.

Nous aurons bien sûr l'occasion d'approfondir tous ces éléments ultérieurement.

Avant de vouloir enregistrer une quelconque ressource, commencez par déterminer les compétences (ou profils) ainsi que la quantité et la qualité des éléments consommables requis pour chaque tâche afin de pouvoir déterminer la quantité de ressources nécessaires pour tenir les délais. Ensuite, passez de ces ressources globales aux ressources nominatives.

Si les ressources de votre entreprise peuvent être utilisées dans plusieurs projets (simultanément ou pas), il est conseillé de saisir la liste des ressources dans un fichier Project dédié (appelé pool ou **Liste des ressources**). Notez qu'il s'agit d'un fichier Project "ordinaire" (.mpp) ne contenant aucune tâche mais uniquement des ressources. Vous prendrez soin alors de nommer ce fichier de manière à vous rappeler qu'il s'agit d'un fichier de ressources et non d'un projet. Pour en savoir plus sur le partage des ressources, veuillez vous reporter à la partie qui lui est consacrée dans cet ouvrage.

Créer la liste des ressources

Créer manuellement une ressource de type Travail

Rappelons qu'une ressource de type Travail peut être une personne (c'est-à-dire tout individu identifié par son nom, ou un groupe d'individus identifié par un emploi ou une qualification) ; mais la ressource de type Travail peut également correspondre à un équipement. Bien que dans les deux cas le processus de création soit identique, il est important de noter que leur utilisation comporte quelques nuances. Par exemple, la journée de travail d'une ressource « personne » peut être au maximum de 12 heures, alors que la ressource "équipement" peut travailler 24 h/24 h. La ressource "personne" peut, suivant ses compétences, accomplir diverses tâches alors qu'une ressource "équipement" n'aura pas autant de flexibilité dans les tâches.

⊟ Affichez le tableau des ressources, pour cela, cliquez sur l'outil **Tableau des ressources** de l'onglet **Affichage** (groupe **Affichage des ressources**).

Définition des ressources

*Vous pouvez également activer l'onglet **Ressource** du Ruban puis ouvrir la liste déroulante de l'outil **Planificateur d'équipe** et cliquer sur l'option **Tableau des ressources**.*

Vous pouvez aussi cliquer directement sur l'icône ▦ *située dans la barre d'état à gauche du zoom.*

🖰 Saisissez le **Nom de la ressource** dans le champ correspondant puis appuyez sur la touche ⊟ pour valider votre saisie et passer au champ **Type**.

🖰 Dans la colonne **Type**, conservez l'option **Travail** proposée par défaut.

🖰 Appuyez sur la touche ⊟ pour passer au champ suivant.

		Nom de la ressource	Type	Étiquette Matériel	Initiales	Groupe	Capacité max.	Tx. standard	Tx. hrs. sup.	Coût/Utilis	/
	12	NASHITA Laure	Travail		N	EQ01	1	20,00 €/hr	0,00 €/hr	0,00 €	F
	13	REGIO Mathias	Travail		R		1	20,00 €/hr	0,00 €/hr	0,00 €	F
	14	Electronicien	Travail		ELN	OUV	3	22,00 €/hr	0,00 €/hr	0,00 €	F
	15	Mécanicien	Travail		MEC	OUV	2	20,00 €/hr	0,00 €/hr	0,00 €	F
	16	Contrôleur DC/DC	Travail		DC	MAT	1	150,00 €/jour	0,00 €/hr	0,00 €	F
	17	Onduleur SP1021	Travail		ON	MAT	1	0,00 €/hr	0,00 €/hr	700,00 €	F

*Le champ **Etiquette Matériel** est utilisé pour les ressources de type **Matériel** uniquement.*

🖰 Le champ **Initiales** sert fréquemment de substitut au **Nom de la ressource** et permet de désigner une ressource par ses initiales plutôt qu'en toutes lettres. Sauf modification de votre part, Project propose comme **Initiales** la première lettre du nom de la ressource.

🖰 Si besoin, saisissez dans le champ **Groupe** le nom de la famille de ressources. Cette donnée peut vous permettre par exemple de différencier les qualifications de personnel, ou bien des équipements, etc.

🖰 La **Capacité max.** (Capacité maximum) correspond au nombre maximum d'unités disponibles ou le nombre d'individus exerçant la même fonction. Ce nombre peut être affiché en **Pourcentage** ou en **Décimal** selon le paramètre **Afficher les unités d'affectation en tant que** choisi (onglet **Fichier - Options - Planification** - zone **Planification**). En affichage de type **Décimal**, si la ressource représente un métier et non une personne, la capacité maximum peut être supérieure à **1**. Et cette capacité peut aussi être inférieure à **1** pour indiquer que la ressource est disponible à temps partiel. Modifiez si besoin la valeur proposée par défaut (**1**).

Pour en savoir plus sur la capacité maximum d'une ressource, voir le titre Définir la capacité maximale d'une ressource Travail de cet ouvrage.

*Le champ **Code** permet d'associer un code analytique à la ressource, permettant ainsi de renseigner une comptabilité analytique de projet à partir des données chiffrées contenues dans le fichier de Project 2010.*

*La notion de coût ayant fait l'objet d'une partie spécifique dans cet ouvrage (cf. Les coûts), nous vous invitons à vous y référer pour obtenir de plus amples informations concernant les champs **Tx. Standard**, **Tx. hrs. sup.**, **Coût/Utilis.**, etc.*

Créer manuellement une ressource de type Matériel

⊟ Affichez le **Tableau des ressources** à l'aide de l'outil [icon] (onglet **Affichage** - groupe **Affichages des ressources**).

⊟ Pour chaque ressource de type **Matériel**, commencez par renseigner le **Nom de la ressource**.

⊟ Ouvrez la liste **Type** puis choisissez l'option **Matériel** ou saisissez directement la lettre **M**.

⊟ Indiquez dans le champ **Étiquette Matériel**, si nécessaire, l'unité de mesure utilisée par la ressource matérielle en cours de création.

Cette étiquette sera ensuite utilisée avec les unités d'affectation de la ressource pour obtenir par exemple 5 pots. Tout type d'unité de mesure peut ainsi être saisi, comme par exemple, tonne, m (pour mètre), boîte, etc. Cette unité de mise en œuvre de la ressource est sans effet sur les calculs, il s'agit seulement d'une étiquette.

⊟ Renseignez les champs **Initiales** et **Groupe**.

	ⓘ	Nom de la ressource	Type	Étiquette Matériel	Initiales	Groupe	Capacité max.	Tx. standard	Tx. hrs. sup.	Coû
1		Ampoule	Matériel	boîte 6	AM	CONS		0,00 €		
2		Roue	Matériel	unité	RO	CONS		0,00 €		
3		Moyeu	Matériel	unité	MO	CONS		0,00 €		
4		Circuit imprimé	Matériel	unité	CI	CONS		0,00 €		
5		Compteur décimal HC458	Matériel	unité	CD	CONS		0,00 €		
6		Câble électrique	Matériel	bobine	CAB	CONS		0,00 €		
7										

*La définition des champs **Capacité max**, **Tx hrs sup** et **Calendrier** n'est utile que pour la ressource de type Travail.*

Définition des ressources

*Le champ **Tx standard** affiche le prix de la ressource par unité de mise en œuvre indiquée dans le champs **Etiquette Matériel**. Mais nous verrons ultérieurement comment affecter un coût à chacune de ces ressources.*

Créer manuellement une ressource de type Coût

*Rappelons qu'une ressource de **Coût** permet d'affecter un coût à une tâche tel que des frais de déplacement par exemple. Comme le **Coût fixe** (cf. Coûts - Renseigner les Coûts liés aux tâches), la ressource de **Coût** reste constante quel que soit la durée de la tâche ou le travail réalisé. Par contre, vous pouvez appliquer plusieurs ressources de coûts à une tâche, ce qui n'est pas le cas du **Coût fixe**. Par conséquent, les ressources de **Coût** vous permettent d'appliquer plus précisément les différents types de coûts aux tâches.*

⊟ Affichez le **Tableau des ressources** à l'aide de l'outil (onglet **Affichage** - groupe **Affichages des ressources**).

⊟ Pour chaque ressource de type **Coût**, commencez par renseigner le **Nom de la ressource** puis validez par la touche pour activer la cellule suivante.

⊟ Ouvrez la liste **Type** puis choisissez l'option **Coût** ou saisissez directement la lettre **C**.

Nous associerons une valeur à cette ressource au moment de son affectation à une tâche.

✐ Pour insérer une ressource, cliquez sur la ressource qui suivra la nouvelle ressource dans le tableau et appuyez sur la touche Inser ou bien ouvrez la liste déroulante associée à l'outil **Ajouter des ressources** (onglet **Ressource** - groupe **Insérer**) puis cliquez sur l'option **Ressource de travail**, **Ressource matérielle** ou **Ressources de coûts** selon le cas.

Créer des ressources à partir d'une source extérieure

Cette fonctionnalité vous permet de créer des ressources dans Project à partir de votre carnet d'adresses d'Outlook ou à partir d'un annuaire d'entreprise.

⊟ Affichez le **Tableau des ressources** à l'aide de l'outil (onglet **Affichage** - groupe **Affichages des ressources**).

⊟ Activez une ligne vide.

⊡ Ouvrez la liste déroulante associée à l'outil **Ajouter des ressources** (onglet **Ressource** - groupe **Insérer**).

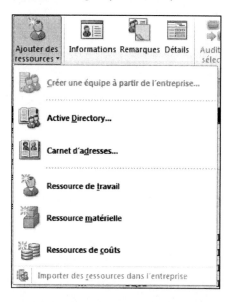

À partir du carnet d'adresses de Microsoft Outlook

⊡ Cliquez sur l'option **Carnet d'adresses** pour afficher la boîte de dialogue **Sélectionner les ressources**.

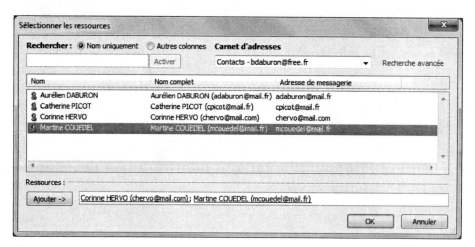

Définition des ressources

⊟ Sélectionnez dans la colonne **Nom** la ressource que vous souhaitez ajouter dans Project, puis cliquez sur le bouton **Ajouter**.

⊟ Renouvelez cette opération pour chaque ressource ou groupe de ressources ou liste de diffusion que vous souhaitez ajouter.

⊟ Cliquez sur le bouton **OK** pour ajouter dans votre projet les **Ressources** ainsi sélectionnées.

Les ressources sont instantanément ajoutées à votre liste de ressources.

⊟ Renseignez si besoin les éventuels champs vides.

À partir de l'annuaire de l'entreprise

⊟ Cliquez sur l'option **Active Directory** (outil **Ajouter des ressources** - onglet **Ressource** - groupe **Insérer**).

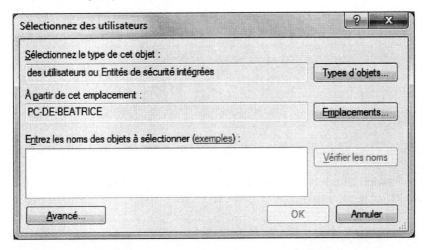

⊟ Cliquez, si besoin est, sur le bouton **Types d'objets** afin de sélectionner les groupes (**Entités de sécurité intégrés**) ou **des utilisateurs** de l'annuaire de l'entreprise. Dans ce cas, validez votre choix par le bouton **OK**.

⊟ Affichez, si besoin est, les **Emplacements** dans lesquels votre recherche doit s'effectuer. Choisissez-le puis cliquez sur le bouton **OK** pour valider.

⊟ Saisissez, dans le cadre **Entrez les noms des objets à sélectionner**, le nom de la ressource à sélectionner.

⊟ Saisissez ainsi tous les noms des ressources séparés par un point virgule puis cliquez sur le bouton **Vérifier les noms** afin de lancer la recherche.

Lorsque le nom a été trouvé dans la base, celui-ci apparaît souligné.

⊟ Si Project ne trouve pas dans la base la ressource recherchée, ce message vous le signale :

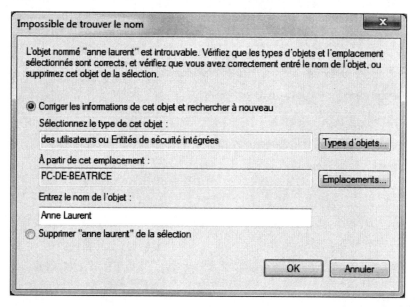

⊟ Dans ce cas, apportez des modifications grâce aux boutons **Types d'objets** et/ou **Emplacements** si nécessaire puis cliquez sur **OK** pour lancer une nouvelle recherche. Sinon, activez l'option **Supprimer... de la sélection** puis cliquez sur **OK** si vous ne poursuivez pas la recherche de cette ressource.

Supprimer une ressource

⊟ Affichez le Tableau des ressources.

⊟ Cliquez sur le numéro de la ressource à supprimer.

⊟ Appuyez sur la touche Suppr ou bien faites un clic droit sur la ressource puis cliquez sur l'option **Supprimer la ressource** du menu contextuel.

La suppression est immédiate.

Définition des ressources

Définir la capacité maximale d'une ressource Travail

Rappelons que pour définir une ressource Travail, vous devez toujours vous placer dans un contexte temporel.

⊟ Affichez le tableau des ressources.

⊟ Cliquez sur le champ **Capacité max** de la ressource Travail concernée.

⊟ Indiquez combien de temps, ou de capacité maximale, la ressource doit consacrer au projet dans son ensemble, par exemple : 100 % pour un temps plein, 50 % pour un temps partiel, 300 % pour un temps multiple (si la ressource correspond à trois personnes qui travaillent à temps plein sur le même projet).

Une capacité maximale de 800 % pour une ressource Equipement, comme par exemple, un Oscilloscope signifie que vous comptez disposer de huit Oscilloscopes tous les jours ouvrés.

Le temps spécifié à ce niveau concerne le projet dans son ensemble, il ne faut pas le confondre avec une unité d'affectation qui correspond au temps saisi au moment de l'affectation de la ressource à une tâche. Contrairement à la capacité maximale, l'unité d'affectation est le temps que cette ressource peut consacrer à une tâche précise.

Notez que vous devez vous-même définir la capacité maximale par ressource ou par nom de ressources consolidées, Microsoft Project n'effectue aucun contrôle ni test à ce niveau là. Par contre un test de comparaison sera effectué entre la capacité maximale et le nombre d'unités d'affectation afin de déterminer si la ressource est surutilisée ou non.

☞ Pour présenter les unités maximales sous forme de pourcentage ou de nombre décimal, utilisez l'onglet **Fichier** - **Options** - **Planification** - zone **Planification**. Choisissez l'option **Pourcentage** ou **Décimal** du champ **Afficher les unités d'affectation en tant que.**

Définir les disponibilités d'une ressource dans le temps

Project vous permet de définir des capacités maximales variables dans le temps d'une ressource, ce qui vous laisse plus de souplesse pour contrôler avec précision la capacité maximale d'une ressource à un moment précis.

⊟ Soyez en affichage des ressources.

⊟ Cliquez sur le **Nom de la ressource** concernée par la définition des capacités maximales.

🗁 Cliquez sur l'outil **Informations** de l'onglet **Ressource** - groupe **Propriétés**.

🗁 Cliquez sur l'onglet **Général**.

🗁 Complétez les champs **Disponibles à partir de**, **Disponible jusqu'à** et **Unités** selon les disponibilités de la ressource.

Si vous ne souhaitez pas mettre de date limite à une des périodes, saisissez NC (pour Non Communiqué).

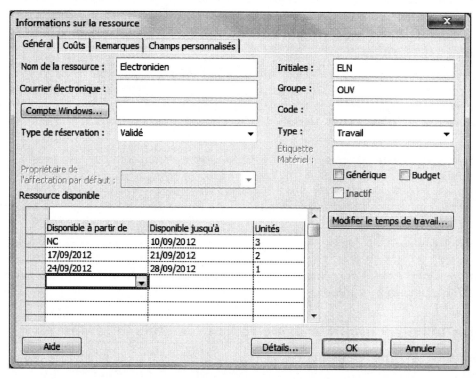

Dans notre exemple, pour la période du 17 au 21 septembre, nous pouvons planifier jusqu'à deux Electroniciens (2) sans risque de surutilisation. Avant cette période, nous disposons de trois spécialistes (3) (300%), et après cette période, d'un seul spécialiste (1).

Définition des ressources

⊟ Cliquez sur le bouton **OK** pour valider votre saisie et fermer la boîte de dialogue **Informations sur la ressource**.

*Désormais, le champ **Capacité maxi** (Tableau des ressources) de cette ressource affichera la valeur correspondante à la date système de votre ordinateur. Par exemple, si l'horloge interne de votre ordinateur est au 15/09/2012, le champ Unités affichera 3, et il n'affichera 1 qu'à partir du 24/09/2012.*

Trier la liste des ressources

⊟ Soyez en affichage des ressources.

⊟ Activez l'onglet **Affichage** puis cliquez sur l'outil **Trier** du groupe **Données**.

⊟ Sélectionnez l'un des critères proposés par Project (**Coût**, **Nom**, **N°**) ou utilisez l'option **Trier par**.

⊟ Si vous choisissez l'option **Trier par**, vous pouvez alors poser jusqu'à trois critères de tri. Précisez leur sens (**Croissant** ou **Décroissant**).

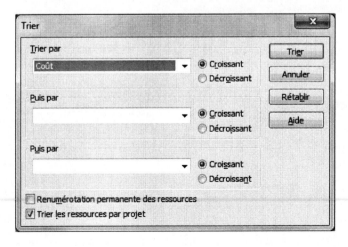

⌦ Cochez ou décochez l'option **Renumérotation permanente des ressources**, selon que les ressources sont à renuméroter après le tri ou conserver leur numérotation d'origine.

⌦ Exécutez le tri en cliquant sur le bouton **Trier**.

Comme pour le tri des tâches, les tris peuvent être annulés par les touches ⌗ ⌗ F3 *lorsque la renumérotation n'est pas demandée.*

Travailler sur les calendriers de plusieurs ressources Travail

⌦ Activez l'onglet **Projet** puis cliquez sur l'outil ⌗ Modifier le temps de travail .

⌦ Cliquez sur le bouton **Créer un nouveau calendrier**.

⌦ Attribuez un **Nom** au nouveau calendrier.

⌦ Précisez si vous souhaitez **Créer un nouveau calendrier de base** ou **Faire une copie du calendrier** précisé dans la zone adjacente.

Dans ce dernier cas, choisissez dans la liste déroulante le calendrier dont vous souhaitez faire une copie.

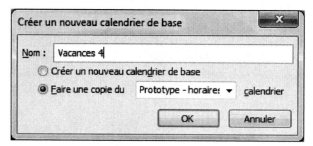

⌦ Validez ou cliquez sur le bouton **OK**.

⌦ Adaptez alors le calendrier à vos besoins.

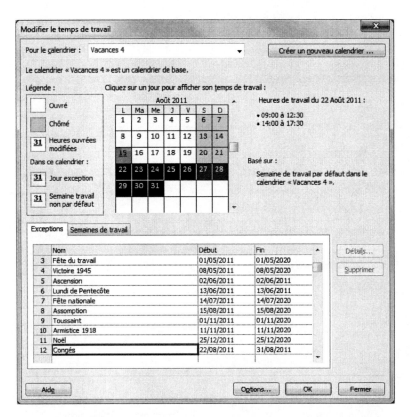

□ Validez la création du calendrier en cliquant sur le bouton **OK**.

□ L'étape suivante consiste à lier le nouveau calendrier aux ressources concernées. Pour cela, activez la cellule **Calendrier de base** de la ressource concernée (cette colonne est l'avant-dernière du tableau des ressources).

□ Ouvrez la liste déroulante proposée dans la cellule.

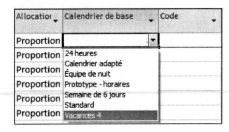

⊟ Cliquez sur le calendrier adapté à la ressource puis validez en appuyant sur la touche ⏎.

Travailler sur les calendriers d'une seule ressource

⊟ Soyez en affichage des ressources.

⊟ Activez l'onglet **Projet** puis cliquez sur l'outil ⎣ Modifier le temps de travail ⎦.

⊟ Ouvrez la liste **Pour le calendrier**.

Outre le calendrier de base (Standard) et les calendriers créés par vos soins, Microsoft Project propose un calendrier pour chaque ressource créée.

⊟ Cliquez sur le nom de la ressource concernée.

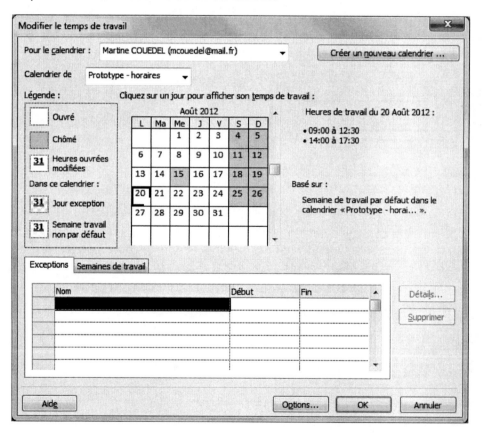

Définition des ressources

- Adaptez alors le calendrier aux besoins de la ressource.

- Validez ou cliquez sur le bouton **OK**.

- Pour garder une trace papier des calendriers créés, procédez comme pour imprimer le calendrier du projet (cf. Projet - Imprimer le calendrier de projet).

Saisir une remarque sur une ressource

- Sélectionnez la ressource concernée.

- Cliquez sur l'outil de l'onglet **Ressource** - groupe **Propriétés**.

- Saisissez vos observations dans la zone **Remarques**.

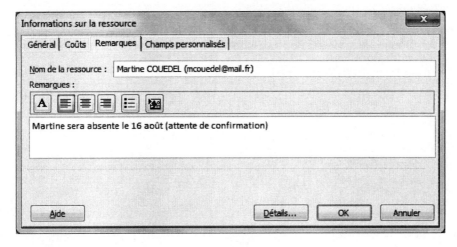

- Au besoin, mettez en forme le commentaire saisi.

- Cliquez sur le bouton **OK**.

   *Une petite feuille dans la colonne des **Indicateurs** matérialise la présence d'une remarque.*

- Pour modifier la remarque d'une ressource, faites un double clic sur l'icône ▧ affichée dans la colonne des **Indicateurs** puis apportez vos modifications avant de cliquer sur le bouton **OK**.

Consulter des remarques

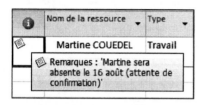

⊟ S'il n'y a qu'une remarque à consulter, cliquez sur l'outil de l'onglet **Ressource** - groupe **Propriétés** après avoir cliqué sur la ressource concernée, ou déplacez le pointeur de la souris dans la colonne **Indicateurs** sur l'icône de la remarque.

ⓘ	Nom de la ressource	Type
▨	Martine COUEDEL	Travail

Remarques : 'Martine sera absente le 16 août (attente de confirmation)'

La remarque apparaît dans une info-bulle.

⊟ Pour consulter les remarques, vous pouvez aussi cliquer sur l'outil **Détails** de l'onglet **Ressource** - groupe **Propriétés** pour afficher la **Formulaire ressource** dans la partie inférieure de l'écran.

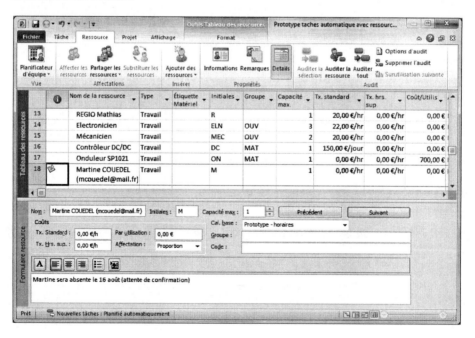

Définition des ressources

⊟ Sélectionnez dans la partie supérieure de la fenêtre, la ressource à étudier.

⊟ Mettez fin à la consultation en cliquant à nouveau sur l'outil **Détails** (onglet **Ressource** - groupe **Propriétés**).

Filtrer les ressources commentées

⊟ Ouvrez la liste **Filtrer** 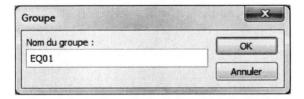 située dans l'onglet **Affichage** - groupe **Données**.

⊟ Sélectionnez l'option **Autres filtres**, puis le filtre **Ressources avec pièces jointes**.

⊟ Validez par le bouton **Appliquer**.

⊟ Pour afficher de nouveau toutes les ressources, ouvrez la liste des filtres puis cliquez sur l'option **Aucun filtre**.

Filtrer les ressources d'un groupe précis

⊟ Activez l'affichage des ressources.

⊟ Ouvrez la liste **Filtrer** située dans l'onglet **Affichage** - groupe **Données** puis cliquez sur l'option **Groupe**.

⊟ Saisissez le nom du groupe concerné.

⊟ Validez ou cliquez sur le bouton **OK**.

Imprimer le tableau des ressources

⊟ Soyez en affichage du tableau des ressources.

⊟ Activez l'onglet **Fichier** du Ruban puis cliquez sur l'option **Imprimer**.

L'aperçu avant impression apparaît à droite de l'écran.

⊟ Modifiez si besoin les **Paramètres** d'impression à l'aide des listes déroulantes d'options proposées.

⊟ Cliquez sur le bouton **Imprimer** pour lancer l'impression.

Pour quitter les options d'impression sans lancer l'impression, cliquez à nouveau sur l'onglet **Fichier**.

Affectation des ressources

Découvrir les prévisions pilotées par l'effort

Avant toute chose, il est important de comprendre que la charge de travail d'une tâche est définie au moment de la première affectation de sa ou de ses ressources. Rappelons que la charge de travail est différente de la durée de la tâche. En effet, le travail total (ou charge de travail) d'une tâche correspond au nombre de "personnes-heures" (en minutes, heures, jours, semaines ou mois) nécessaires à toutes les ressources pour accomplir une tâche. Par exemple, une ressource Travail peut nécessiter 28 heures de travail pour accomplir une tâche, mais la tâche peut être prévue avec une durée de 2 jours. Cela signifie que plusieurs ressources doivent être affectées à cette tâche, en l'occurrence, deux personnes pourront accomplir la tâche en 2 jours en travaillant 7 heures par jour sur la tâche.

Lorsque vous êtes amené à ajouter ou supprimer des ressources d'une affectation à cette tâche, Microsoft Project utilise par défaut une méthode de planification appelée les **prévisions pilotées par l'effort**. Cela signifie que la durée de la tâche varie, par contre la valeur de travail initiale de la tâche reste constante quel que soit le nombre de ressources qu'on ajoute ou supprime.

Pour reprendre notre exemple précédent dans lequel 2 ressources ont été affectées pour effectuer à temps plein (7 h/ressource) une tâche dont la durée est de 2 jours et dont le travail est de 28 heures, si nous supprimons une de ces ressources et que les "prévisions pilotées par l'effort" sont activées, la charge de travail de cette tâche reste constante, par contre, la durée, c'est-à-dire le temps que la ressource restante mettra pour effectuer la tâche, augmente et passe ainsi de 2 à 4 jours.

Activer/désactiver le pilotage par l'effort

D'une tâche

⊡ Réalisez un double clic sur la tâche concernée par un changement dans les affectations de ressources.

⊡ Activez l'onglet **Avancées** de la boîte de dialogue **Informations sur la tâche**.

⊡ Si le changement d'affectation ne doit pas entraîner de modifications dans la durée, décochez l'option **Pilotée par l'effort**.

Si la modification d'affectation doit avoir une répercussion sur la durée, cochez cette option.

⊡ Validez ou cliquez sur **OK**.

⊡ Réalisez la modification d'affectation de ressource.

De toutes les tâches

⊡ Pour désactiver les prévisions pilotées par l'effort pour toutes les tâches qui seront créées, décochez l'option **Les nouvelles tâches sont pilotées par l'effort** de l'onglet **Fichier - Options - Planification** - zone **Options de planification pour ce projet**.

Découvrir la fenêtre Affecter les ressources

Que la tâche sur laquelle vous allez affecter des ressources soit une tâche en mode de planification manuelle ou automatique, la méthode d'affectation utilisée ne diffère pas.

Cette fenêtre s'affiche lors d'une demande d'affectation de ressources à une tâche à

l'aide par exemple de l'outil **Affecter les ressources** *situé dans l'onglet* **Ressource** *- groupe* **Affectations** *(* Alt F10 *).*

Vous pouvez aussi ouvrir cette fenêtre en faisant un clic droit sur le nom de la tâche concernée, puis en cliquant sur l'option **Affecter les ressources** *du menu contextuel.*

La boîte de dialogue **Affecter les ressources** vous permet :

- d'affecter une ressource existante à une ou plusieurs tâches sélectionnées au préalable,
- de filtrer les ressources,
- d'ajouter une nouvelle ressource,
- de modifier les unités d'affectation d'une ressource pour la ou les tâches sélectionnées,
- de remplacer une ressource par une autre,
- de supprimer une affectation de ressource d'une tâche.

Affectation des ressources

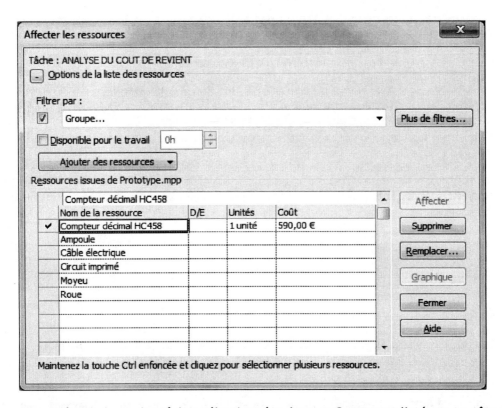

Le numéro de la ou des tâches sélectionnées dans un Gantt sont listés en-tête de la boîte de dialogue.

⊟ Pour afficher les **Options de la liste des ressources**, cliquez sur le bouton ⊞ et pour les masquer, cliquez sur le bouton ⊟.

⊟ Si vous souhaitez filtrer les ressources, selon un critère autre que leurs disponibilités pour le travail, cochez la première option de **Filtrer par** puis ouvrez la liste déroulante qui lui est associée afin de sélectionner le critère de votre choix.

*Par exemple, si vous ne souhaitez afficher que les ressources qui appartiennent à un des groupes définis dans l'affichage **Tableau des ressources** ; dans ce cas, choisissez l'option **Groupe** dans la liste **Filtrer par**, saisissez ensuite le nom du groupe recherché et validez par le bouton **OK**. Seules les ressources correspondant à ce critère seront listées dans la fenêtre **Affecter les ressources**.*

⊟ Si aucun des filtres de la liste **Filtrer par** ne vous convient, utilisez le bouton **Plus de filtres** afin de modifier un filtre existant ou de créer un filtre personnalisé (cf. chapitre Filtres - Personnaliser un filtre).

⊟ Pour limiter la liste des ressources à celles qui sont disponibles pour travailler pendant un nombre d'heures spécifiques, cochez l'option **Disponible pour le travail** puis saisissez ou sélectionnez le nombre d'heures pendant lesquelles les ressources doivent être disponibles pour travailler sur la tâche sélectionnée.

Notez qu'il est possible de combiner les différents filtres en cochant les deux options Filtrer par.

⊟ Pour ajouter une ressource à partir de la fenêtre **Affecter une ressource**, affichez les **Options de la liste des ressources**, puis cliquez sur le bouton **Ajouter des ressources**.

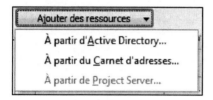

Les options proposées peuvent varier selon votre environnement de travail.

Selon votre source de données, cliquez sur l'option de votre choix puis sélectionnez les ressources à ajouter au projet :

À partir d'Active Directory vous permet de sélectionner dans Microsoft Active Directory des ressources à ajouter au projet sans avoir à entrer ces ressources dans Project.

À partir du Carnet d'adresses de Outlook (cf. Définition des ressources - Créer des ressources à partir d'une source extérieure).

⊟ La deuxième partie de la fenêtre **Affecter les ressources** liste les ressources (filtrées ou non) ainsi que leurs **Unités**.

Affectation des ressources

*Les **Unités** correspondent au niveau d'effort exprimé sous forme d'un pourcentage ou d'un nombre décimal pour cette affectation. Par exemple, pour affecter une ressource Travail pour un travail à mi-temps sur une tâche, vous saisirez 0,5 ou 50% (selon le cas). Il est important de comprendre que la valeur par défaut pour les unités d'affectation est identique à celle de la capacité maximale de la ressource, jusqu'à 100% ou 1. Ce qui se traduit par ceci :*

- Lorsque la capacité maximale d'une ressource est 1 ou 100%, sa valeur par défaut pour les Unités d'affectation est 1 ou 100%.

- Lorsque la capacité maximale d'une ressource est 50%, sa valeur par défaut pour les Unités d'affectation est 0,5 ou 50%.

- Lorsque la capacité maximale d'une ressource est 300%, sa valeur par défaut pour les Unités d'affectation est 300% ou 3.

Affecter des ressources à temps complet aux tâches

⊡ Affichez un Gantt.

⊡ Contrôlez l'état du paramètre "prévisions pilotées par l'effort" dans la fenêtre **Informations sur la tâche** pour chacune des tâches concernées.

⊡ Faites un double clic sur le nom d'une tâche pour afficher la fenêtre **Affecter les ressources**.

*La fenêtre **Affecter les ressources** liste par ordre alphabétique toutes les ressources créées, et sachez qu'elle peut aussi être activée à l'aide de l'outil **Affecter les*

ressources *situé dans l'onglet **Ressource**.*

⊡ Déplacez, si besoin est, la fenêtre **Affecter les ressources** à l'aide d'un cliqué-glissé à partir de sa barre de titre, afin de visualiser la colonne **Nom de la tâche**.

⊡ Sélectionnez la ou les tâches concernées par l'affectation de ressource(s). Pour sélectionner plusieurs tâches, cliquez sur la première puis maintenez la touche Ctrl enfoncée avant de cliquer sur les suivantes.

⊡ Sélectionnez dans la fenêtre **Affecter les ressources** la ou les ressources à affecter à temps complet à la (aux) tâche(s) sélectionnée(s). La méthode de sélection multiple est identique à celle présentée dans le point précédent.

⊡ Cliquez sur le bouton **Affecter**.

Si vous ne précisez pas la quantité à effectuer (Unités), par défaut Project affecte la ressource à la quantité standard : 1 ou 100% selon le format choisi.

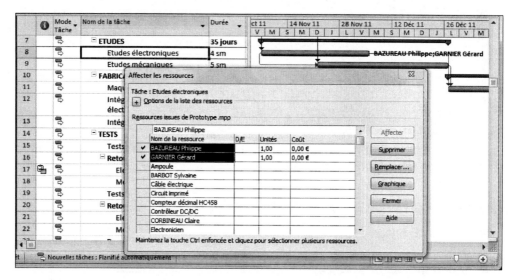

Les ressources affectées à la (aux) tâche(s) sélectionnée(s) apparaissent :

- *cochées et en début de liste dans la fenêtre **Affecter les ressources**.*

- *nommées en regard de la barre de Gantt (si l'option **Noms ressources** a été appliquée au style des barres dans la boîte de dialogue **Mise en forme de la barre** (onglet **Outils Diagramme de Gantt** - **Format** - outil **Format** du groupe **Styles des barres** - option **Barre** - onglet **Texte de la barre**).*

⊟ Quand toutes les affectations ont été saisies, fermez la boîte de dialogue **Affecter les ressources** à l'aide du bouton **Fermer**.

*Observons désormais le résultat de ces affectations. Pour cela, nous avons affiché le **Formulaire tâche** à l'aide de l'outil **Détails** (onglet **Affichage** - groupe **Fractionner l'affichage** - fiche **Planification**).*

Affectation des ressources

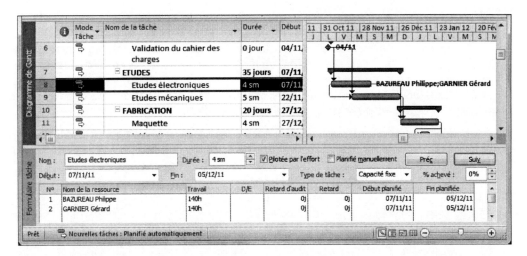

Voyons de plus près la logique utilisée par Project pour effectuer ses calculs.

Précisons de nouveau, pour rappel, qu'à la création de la tâche (8-Etudes électroniques pour notre exemple), mais avant d'y affecter une ressource, la tâche a une durée (4 semaines, soit 140 h), mais aucun travail n'y est affecté. Car en fait, le travail représente les efforts fournis par une ou des ressources qui auront la charge d'effectuer la tâche. En général, la charge de travail correspond à la durée de la tâche, à moins que la ressource ne travaille pas à temps plein ou que vous n'assigniez plusieurs ressources à cette tâche.

Prenons un exemple précis :

Voici comment Microsoft Project calcule la charge de travail (cette méthode est parfois appelée formule de planification) : Durée x unités = travail.

Notre tâche 8 a une durée de 140 h (soit : 4 sms de 35 h), et nous y avons affecté deux ressources à temps plein (soit chacune à 1 (ou 100%) unité d'affectation), Project définit les heures de travail ainsi :

140 heures de durée x 2 (200%) unités d'affectation = 280 heures de travail.

Les 280 heures de travail sont donc la somme des 140 h de notre ressource GARNIER, et les 140 h de notre ressource BAZUREAU, c'est-à-dire que les deux ressources vont travailler à cette tâche en même temps.

(Nous n'aurions affecté qu'une seule ressource à la tâche 8, Project aurait fait ce calcul :

140 heures de durée x 1 (ou 100%) unité d'affectation = 140 heures de travail).

Et pour terminer notre analyse des résultats obtenus par Project, notez que la durée de la tâche 8, de 4 semaines (soit 140 h) à l'origine est toujours de 140 h malgré les deux ressources affectées et bien que les prévisions pilotées par l'effort soient activées. Ceci s'explique par le fait qu'il s'agit de la toute première affectation de ressources. En effet, en cas d'ajout ou de suppression de ressources affectées, le résultat diffère ! (pour en savoir plus, veuillez vous reporter à la partie "Gestion des affectations" de cet ouvrage).

Pour affecter une ou plusieurs ressources à une tâche, vous pouvez aussi utiliser la colonne **Noms ressources** du Diagramme de Gantt. Pour cela, ouvrez le champ **Noms ressources** associé à la tâche pour laquelle vous souhaitez ajouter des ressources, puis cochez la ou les ressources à ajouter.

	ⓘ	Mode Tâche	Nom de la tâche	Durée	Début	Fin	Prédécesse	Noms ressources	uter une nouv
9		📌	⊟ **FABRICATION**	30 jours	06/07/11	18/08/11			
10		📌	Maquette	4 sm	06/07/11	03/08/11		BARBOT Sylvair ▾	
11		📌	Intégration partie électroniqu	1 sm	02/08/11	08/08/11	10FD-2 jours	☐ Ampoule	
12		📌	Intégration partie mécanique	1 sm	11/08/11	18/08/11	11	☑ BARBOT Sylvaine	
13		🖥	⊟ **TESTS**	15 jours	06/07/11	27/07/11		☐ Circuit imprimé	
14		🖥	Tests de la maquette	3 sm				☐ Compteur décimal HC458	
15		🖥	⊟ **Retouches maquette**	7,5 jours	06/07/11	18/07/11		☑ CORBINEAU Claire	
16		🖥	Electronique	1,5 semai				☐ Fin fin	
17		🖥	Mécanique	1,5 sm				☐ HUCHET Yann	
18		🖥	Tests en production	1 sm				☐ MOREAU Bruno	
19		📌	⊟ **Retouches production**	5 jours	06/07/11	12/07/11		☐ Moyeu	
20		🖥	Electronique	1 sm				☐ NASHITA Laure	
21		🖥	Mécanique	3 jours				☐ REGIO Mathias	
								☐ Roue	

Affecter une ressource de type Matériel

⊟ Affichez un Gantt.

⊟ Contrôlez pour chacune des tâches concernées, l'état du paramètre prévision **Pilotée par l'effort** dans la fenêtre **Informations sur la tâche** - onglet **Avancées**, puis refermez cette fenêtre.

⊟ Sélectionnez à l'aide de cliqué-glissé ou de [Ctrl] clics les tâches concernées par une même affectation de ressources.

⊟ Cliquez sur l'outil [Affecter les ressources] situé dans l'onglet **Ressource** - groupe **Affectations** pour afficher la boîte de dialogue **Affecter les ressources**.

Affectation des ressources

- Cliquez dans la cellule **Unités** de la ressource Matériel à affecter.

- Saisissez la quantité de matériel à utiliser.

  *L'unité de mesure utilisée lors de la définition de la ressource Matériel (tonne, mètre...) s'affiche par défaut. Il est également possible de saisir un taux de consommation dans le champ **Unités**. Par exemple, si une tâche nécessite 20 unités d'un matériau (ressource Matériel) par heure d'avancement, vous pouvez saisir **20/h** dans le champ **Unités**.*

- Cliquez sur le bouton **Affecter** puis sur le bouton **Fermer**.

Affecter une ressource travail à temps partiel

- Sélectionnez la ou les tâches concernées par l'affectation.

- Affichez la fenêtre d'affectation des ressources à l'aide de l'outil **Affecter les**

  ressources situé sur l'onglet **Ressource** - groupe **Affectations**.

- Cliquez dans la cellule **Unités** de la ressource à affecter à temps partiel.

- Saisissez le temps passé sur la tâche en pourcentage ou en valeur décimale selon le cas.

- Validez par la touche ⏎.

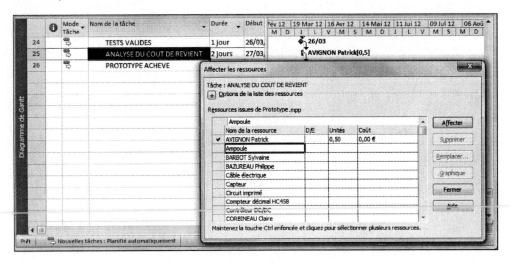

*Examinez la **Durée** de la tâche 25 : elle était et est toujours de 2 jours. Bien que le paramètre **Pilotée par l'effort** soit actif, Microsoft Project n'en tient pas compte car il s'agit de la toute première ressource affectée à cette tâche.*

⊡ Fermez la boîte de dialogue **Affecter les ressources**.

Affecter une ressource de type Coût

*Rappelons qu'une ressource **Coût** permet d'affecter un coût à une tâche tel que des frais de déplacement par exemple.*

⊡ Affichez le **Diagramme de Gantt** à l'aide de l'outil de même nom situé dans l'onglet **Tâche**.

⊡ Sélectionnez la tâche à laquelle vous souhaitez affecter une ressource Coût.

⊡ Cliquez sur l'outil **Affecter les ressources** situé dans l'onglet **Ressource** (groupe **Affectations**) (ou [Alt] [F10]).

⊡ Recherchez à l'aide de la barre de déplacement vertical la ressource de coût que vous souhaitez affecter puis saisissez éventuellement le **Coût** correspondant dans le champ qui lui est associé.

Vous pourrez aussi saisir une valeur ultérieurement (cf. Coûts - Saisir les coûts liés aux ressources de type Coût).

⊡ Validez par la touche [↵].

Affectation des ressources

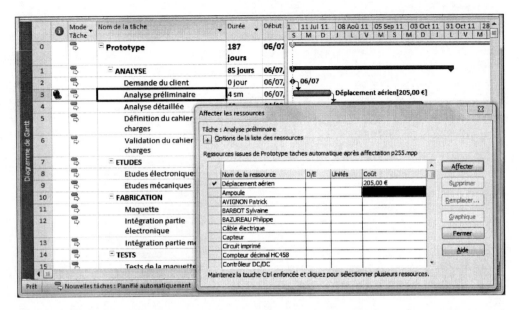

Vous pouvez ainsi associer une valeur spécifique pour chaque tâche disposant de cette ressource de type Coût.

⊟ Lorsque toutes les ressources de coûts ont été affectées, cliquez sur le bouton **Fermer**.

Afficher le graphe des disponibilités des ressources

⊟ Affichez un Gantt.

⊟ Sélectionnez la tâche sur laquelle les ressources concernées ont été affectées.

⊟ Cliquez sur l'outil **Affecter les ressources** afin d'ouvrir la boîte de dialogue **Affecter les ressources**.

⊟ Cliquez sur le bouton **Graphique** pour afficher le **Graphe des ressources**.

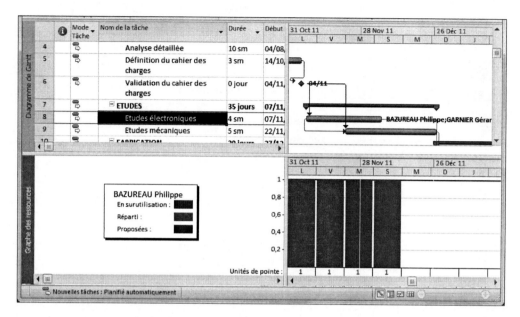

⊟ Utilisez la barre de défilement horizontal en bas de la fenêtre pour vous déplacer dans le graphique.

Notez que les deux parties sont synchronisées, de ce fait, vous voyez toujours les barres de tâches et l'histogramme simultanément.

⊟ Pour quitter l'affichage du **Graphe des ressources**, vous pouvez décocher l'option **Détails** de l'onglet **Affichage** - groupe **Fractionner l'affichage.**

⊟ Cliquez sur le bouton **Fermer** pour fermer la boîte de dialogue **Affecter les ressources.**

Retarder le travail d'une ressource sur une tâche

⊟ Sélectionnez la tâche concernée par la modification.

	Nom de la tâche	Travail	Durée	Début	Fin
7	⊟ **ETUDES**	**280 hr**	**35 jours**	**07/11/11 09:00**	**26/12/11 17:30**
8	⊟ Etudes électroniques	280 hr	4 sm	07/11/11 09:00	05/12/11 17:30
	BAZUREAU Philippe	*140 hr*		*07/11/11 09:00*	*05/12/11 17:30*
	GARNIER Gérard	*140 hr*		*07/11/11 09:00*	*05/12/11 17:30*
9	Etudes mécaniques	0 hr	5 sm	22/11/11 09:00	26/12/11 17:30

Affectation des ressources

Notez, dans cet exemple, que les ressources BAZUREAU et GARNIER ont prévu de débuter la tâche le même jour, à la même heure.

⊡ Pour retarder le début d'une affectation d'une ressource, saisissez ou sélectionnez une nouvelle date de **Début** de la ressource concernée. Mais vous pouvez également compléter la date de début par une heure précise.

Dans notre exemple, la durée de la tâche est bien évidemment modifiée ; elle est passée de 4 semaines à 4,2 semaines.

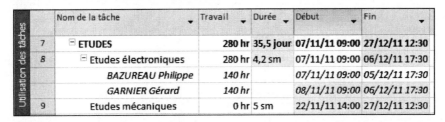

		Nom de la tâche	Travail	Durée	Début	Fin
	7	⊟ ETUDES	280 hr	35,5 jour	07/11/11 09:00	27/12/11 12:30
	8	⊟ Etudes électroniques	280 hr	4,2 sm	07/11/11 09:00	06/12/11 17:30
		BAZUREAU Philippe	140 hr		07/11/11 09:00	05/12/11 17:30
		GARNIER Gérard	140 hr		08/11/11 09:00	06/12/11 17:30
	9	Etudes mécaniques	0 hr	5 sm	22/11/11 14:00	27/12/11 12:30

Notez que les données modifiées manuellement ou automatiquement apparaissent sur fond coloré (bleu par défaut).

Appliquer un profil de travail prédéfini

Lorsque vous affectez une ressource à une tâche, Microsoft Project affecte automatiquement le même nombre d'heures (pour la ressource Travail) ou le même stock (pour la ressource Matériel) par période de temps pour toute la durée de la tâche. Il s'agit d'une charge régulière. Vous pouvez changer cette répartition.

⊡ Activez l'onglet **Tâche**, puis ouvrez la liste déroulante associée à l'outil **Diagramme de Gantt** (groupe **Vue**) et cliquez sur l'option **Utilisation des tâches**.

⊡ Sélectionnez la tâche pour laquelle l'une des ressources affectées doit avoir un profil de travail spécifique.

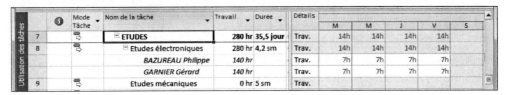

	ⓘ	Mode Tâche	Nom de la tâche	Travail	Durée	Détails	M	M	J	V	S
7			⊟ ETUDES	280 hr	35,5 jour	Trav.	14h	14h	14h	14h	
8			⊟ Etudes électroniques	280 hr	4,2 sm	Trav.	14h	14h	14h	14h	
			BAZUREAU Philippe	140 hr		Trav.	7h	7h	7h	7h	
			GARNIER Gérard	140 hr		Trav.	7h	7h	7h	7h	
9			Etudes mécaniques	0 hr	5 sm	Trav.					

Pour chaque tâche sont listées les ressources affectées et leurs données chronologiques. Notez que les ressources de la tâche 8 sont planifiées au rythme régulier de 7 heures par jour.

⊟ Sachez que l'application d'un profil de travail à une affectation peut avoir pour effet d'augmenter la durée totale de la tâche. Pour éviter cela, appliquez le type de tâche **Durée fixe** à la tâche avant de lui appliquer un profil de travail (onglet **Avancées** de la boîte de dialogue **Informations sur la tâche**).

⊟ Réalisez un double clic sur la ressource concernée pour afficher sa boîte de dialogue **Informations sur l'affectation.**

⊟ Au besoin, activez l'onglet **Général.**

⊟ Ouvrez la liste **Profil de travail** et cliquez sur le profil attendu.

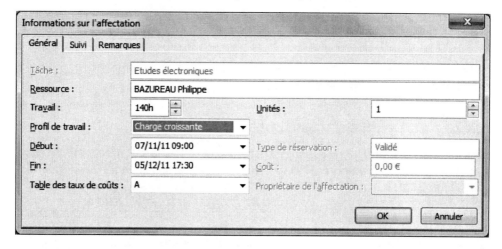

⊟ Validez ou cliquez sur le bouton **OK.**

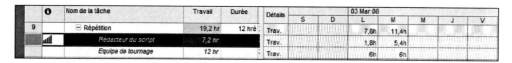

Une icône représentative du profil choisi s'affiche dans la colonne des Indicateurs et les heures de travail se trouvent modifiées.

Affectation des ressources

✍ Consultez les divers indicateurs utilisés :

ılıll	Charge croissante	ılılı	Pic à la fin
lllıı	Charge décroissante	ıllı	En cloche
ılllı	Pic double	ıllllı	En plateau
ıllıı	Pic au début		

En pointant l'indicateur de profil situé dans la colonne **Indicateurs**, Project décrit dans une info-bulle le type de profil appliqué à l'affectation :

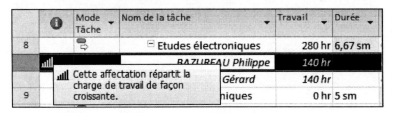

Personnaliser un profil

🔲 Activez l'affichage **Utilisation des tâches**.

🔲 Cliquez sur la ressource concernée.

🔲 Cliquez, si nécessaire, sur l'outil **Atteindre la tâche** (onglet **Tâche** - groupe **Modification**) pour visualiser les premières heures travaillées sur la tâche par la ressource sélectionnée.

🔲 Saisissez vous-même, par jour, les heures consacrées à la tâche par la ressource.

Un nouveau symbole de profil 📊 *s'affiche dans la colonne des indicateurs pour signaler que le profil de travail a été modifié manuellement, qu'il ne s'agit donc plus d'un profil de travail prédéfini.*

✍ Attention : veillez à affecter la valeur de travail total sur la durée de l'affectation. En effet, vous risquez d'ajouter ou de supprimer du travail par erreur en appliquant des ajustements manuels dans un affichage d'utilisation, ce qui aurait pour conséquence de modifier la valeur de travail total (champ **Travail** de la partie table de l'affichage d'utilisation).

Afficher les initiales des ressources dans le planning

⊟ Affichez le Gantt concerné.

⊟ Activez l'onglet **Format**, ouvrez la liste associée à l'outil **Format** puis cliquez sur l'option **Barres et Styles**.

⊟ Dans la colonne **Nom**, sélectionnez la cellule **Tâche**.

⊟ Activez l'onglet **Texte**.

⊟ Cliquez dans la cellule où apparaît **Noms ressources**.

⊟ Ouvrez la liste et sélectionnez **Initiales de la ressource**.

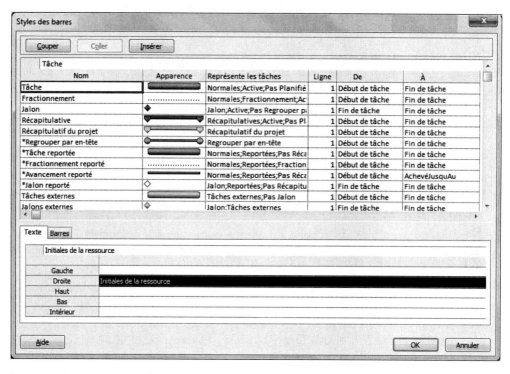

⊟ Cliquez sur le bouton **OK**.

Affectation des ressources

Imprimer les affectations de ressources

⊡ Activez l'onglet **Projet** puis cliquez sur l'outil **Rapports** du groupe **Rapports**.

⊡ Réalisez un double clic dans la catégorie **Affectations**.

⊡ Faites un double clic sur l'un des deux rapports suivants : **Qui fait quoi** ou **Qui fait quoi quand**.

⊡ Vérifiez et modifiez si besoin les **Paramètres** d'impression puis cliquez sur le bouton **Imprimer**.

Pourquoi modifier une affectation de ressource ?

Avant tout changement d'affectation, vous devez vous interroger sur la raison de cette modification.

Souhaitez-vous faire une modification parce que vous avez commis une erreur ? Devez-vous réaliser le changement parce que vos prévisions ont changé ?

Exemple : vous avez défini une tâche d'une durée de 6 jours car vous saviez que vous alliez lui affecter deux personnes.

Cas n°1 : lors des affectations, vous avez affecté une ressource mais vous avez oublié l'autre. Le besoin d'ajouter une ressource répond à l'interrogation n°1 : l'ajout ne doit pas entraîner de changement dans la durée.

Cas n°2 : lors des affectations, vous avez affecté les deux ressources. Un responsable vous demande de diminuer la durée de la tâche. Une idée est d'ajouter une troisième personne pour que le travail soit fait plus rapidement. Le besoin d'ajouter une ressource répond à l'interrogation n°2 : l'ajout doit entraîner un changement dans la durée.

En résumé, aucune règle ne peut vous dire réellement quand il faut appliquer les prévisions pilotées par l'effort et quand il ne le faut pas. Le responsable de projet doit donc analyser la nature du travail à accomplir sur chacune des tâches et décider au cas par cas.

Affecter une ressource travail supplémentaire à une tâche

Sans planification pilotée par l'effort

⊟ Sélectionnez la tâche concernée par la modification puis vérifiez que l'option **Pilotée par l'effort** située dans l'onglet **Avancées** de sa boîte de dialogue **Informations sur la**

tâche (ou ⇧ F2) est bien décochée.

⊟ Comme pour une affectation initiale, cliquez sur l'outil **Affecter les ressources**

de l'onglet **Ressource** (groupe **Affectations**) puis sélectionnez la ressource supplémentaire dans la boîte de dialogue **Affecter les ressources**, et validez votre choix par le bouton **Affecter**.

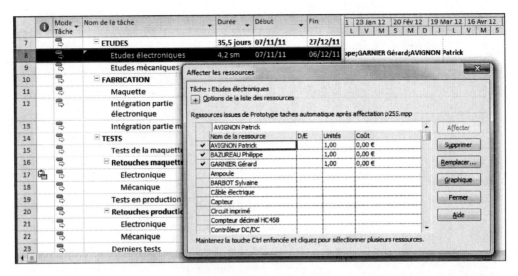

Dans cet exemple, la **Durée** de la tâche 8 (4,2 semaines) n'a pas changé malgré l'ajout d'une ressource, car nous ne sommes pas en planification pilotée par les ressources.

Il est possible que l'indicateur de balise active ◈ apparaisse en regard du nom de la tâche. Cette balise active reste présente tant que vous n'effectuez pas une autre action, et elle vous permet de gérer l'affectation de ressources supplémentaires.

Pour accéder aux options proposées par la balise active, pointez son icône ◈ afin de faire apparaître la flèche donnant accès aux options.

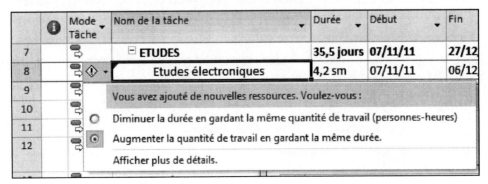

Dans la liste proposée, l'option activée décrit le résultat de votre dernière action. Dans notre exemple, l'ajout de la ressource a augmenté la quantité de Travail tout en gardant la même Durée.

⊟ Cliquez sur le bouton **Fermer** pour refermer la boîte de dialogue **Affecter les ressources**.

✍ Il existe d'autres balises actives dans Microsoft Project. Elles apparaissent généralement quand vous vous demandez pourquoi Project a fait une certaine chose. À chaque fois, les options proposées par ces balises actives permettent d'influer sur les actions de Project.

Avec planification pilotée par l'effort

⊟ Faites un double clic sur la tâche concernée par l'affectation de la nouvelle ressource.

⊟ Activez l'onglet **Avancées** de la fenêtre **Informations sur la tâche**, puis vérifiez que l'option **Pilotée par l'effort** est cochée.

Lorsque la planification des prévisions est pilotée par l'effort, l'option choisie dans la zone Type de tâche peut interférer dans le recalcul de la durée de la tâche.

⊟ Assurez-vous que le **Type de tâche** affecté n'est pas **Durée fixe**, sinon l'affectation d'une nouvelle ressource n'aurait pas d'incidence sur la durée de la tâche.

⊟ Cliquez sur le bouton **OK** pour valider les **Informations sur la tâche**.

⊟ Procédez comme pour une affectation initiale de ressource.

Supprimer une affectation de ressource

⊟ Pour chaque tâche concernée, selon le cas, cochez ou décochez l'option **Pilotée par l'effort** dans la boîte de dialogue **Informations sur la tâche** - onglet **Avancées**.

⊟ Sélectionnez les tâches concernées.

⊟ Accédez à la fenêtre d'affectation des ressources en cliquant directement sur l'outil

 (onglet **Ressource** - groupe **Affectations**).

⊟ Sélectionnez la ressource concernée.

⊟ Cliquez sur le bouton **Supprimer**.

Remplacer une ressource

⊟ Sélectionnez la ou les tâches concernées.

⊟ Accédez à la fenêtre **Affecter les ressources** en cliquant directement sur l'outil

.

⊟ Sélectionnez la ressource à remplacer.

⊟ Cliquez sur le bouton **Remplacer**.

⊟ Sélectionnez la nouvelle ressource.

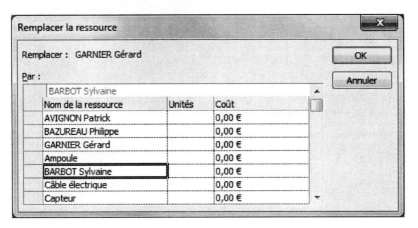

⊟ Cliquez sur le bouton **OK**.

Modifier le type de tâche

*Nous savons que Project applique la **formule de planification** (durée x unités = travail) pour calculer la valeur de travail d'une tâche dans le cadre du pilotage par l'effort. Et nous savons également qu'une tâche n'a du travail qu'à partir du moment où au moins une ressource Travail y a été affectée. Sachez que chaque valeur de la formule de planification correspond à un type de tâche, et c'est le type de tâche qui va indiquer à Project laquelle des trois valeurs de la formule de planification reste fixe si les deux autres valeurs changent.*

*Project affecte le type de tâche **Capacité fixe** par défaut à toute nouvelle tâche. Il existe deux autres types de tâches : **Durée fixe** et **Travail fixe**. Notez que l'option **Pilotée par l'effort** ne peut pas être désactivée pour le type de tâche **Travail fixe**.*

En fait, le type de tâche appliqué à une tâche est utilisé pour forcer Project dans ses paramètres de calculs. Le choix que vous ferez pour appliquer tel ou tel type de tâche dépend donc de la façon dont vous souhaitez que Project planifie la tâche en question.

Project vous permet de changer de type de tâche quand vous le souhaitez, le choix de départ n'a donc rien de définitif. Sachez également que quelque soit le type de tâche appliqué à la tâche, il vous sera toujours possible de modifier sa durée, ses unités ou ses valeurs de travail. Lors de la modification d'une de ces valeurs, Project vous propose une balise active à partir de laquelle vous pouvez contrôler le résultat de la modification.

Application de la théorie : cas pratique (tâche à **Capacité fixe**)

⊟ Activez l'affichage **Entrée des tâches** (onglet **Tâche** - liste **Diagramme de Gantt** - **Plus d'affichages** - **Entrée des tâches**).

⊟ Cliquez sur le **Formulaire tâche** pour l'activer puis sur l'onglet **Outils Formulaire tâche** - **Format**, et cliquez si nécessaire sur l'outil **Travail**.

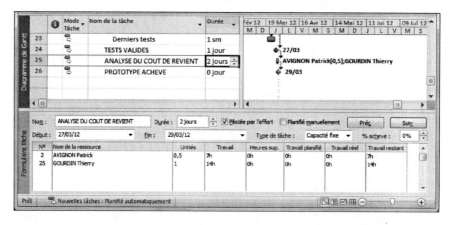

*Les trois variables de la formule de planification (**Durée**, **Travail**, **Unités** d'affectation) sont présentées ainsi que les ressources affectées par tâche.*

*Prenons en exemple la tâche 25, pour laquelle l'option Pilotée par l'effort est activée et dont le **Type de tâche** est **Capacité fixe**. Notez que deux ressources lui ont été affectées représentant un **Travail** de 21 heures et une **Durée** de 2 jours.*

Gestion des affectations

*Nous allons utiliser cet exemple pour vérifier l'incidence d'une modification sur la durée de la tâche sur les autres valeurs. En l'occurrence, l'objectif est de passer la **Durée** de la tâche de 2 à **3 jours** sans modifier le temps de **Travail** tout en maintenant 1 unité (100%) d'affectation de la ressource GOURDIN Thierry.*

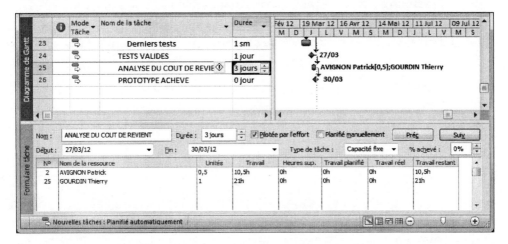

*Microsoft Project a bien enregistré le changement de Durée comme il était demandé (**3 jours**), mais Project a également augmenté le **Travail** par ressource (10,5 h et 21 h au lieu de 7 h et 14 h) alors que cela n'était pas nécessaire !*

Grâce aux options de la balise active, nous allons pouvoir modifier l'incidence du changement de durée de la tâche 25 :

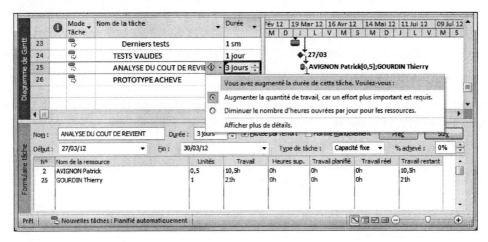

*Project propose d'**Augmenter la quantité de travail, car un effort plus important est requis**, ce qui est tout à fait logique puisque cette tâche est de type **Capacité fixe** (type de tâche par défaut). Mais, dans cet exemple, souhaitant conserver la valeur de travail, il est possible de **Diminuer le nombre d'heures ouvrées par jour pour les ressources** en activant l'option correspondante.*

*Aussitôt Project rétablit la quantité de Travail totale (21 h) mais a diminué les **Unités d'affectation** en raison du type de tâche, qui rappelons-le est **Capacité fixe** !*

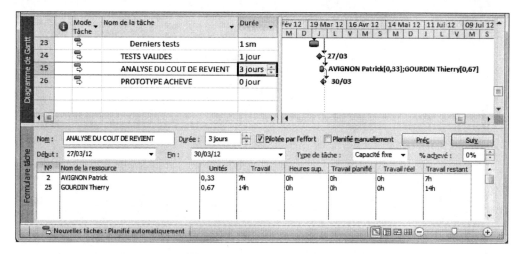

*Pour modifier les Unités d'affectation d'une ressource sans modifier la **Durée** de la tâche, il est nécessaire de modifier le **Type de tâche**.*

Modifier le type de tâche

⊟ Ouvrez la boîte de dialogue **Informations sur la tâche** par un double clic sur le nom de la tâche concernée ou en utilisant l'outil **Informations sur la tâche** [Informations] de l'onglet **Tâche** (ou ⇧ F2).

⊟ Activez l'onglet **Avancées**.

⊟ Ouvrez la liste déroulante **Type de tâche** puis cliquez sur l'option **Capacité fixe, Durée fixe** ou **Travail fixe**, selon le cas.

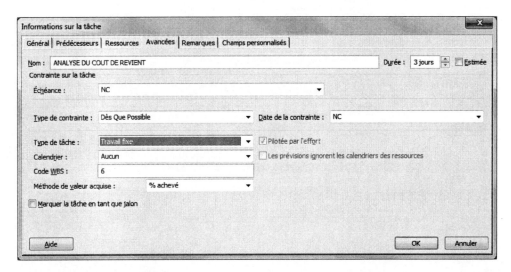

🔲 Cliquez sur le bouton **OK**.

✍ La **Durée** d'une tâche récapitulative ne peut pas être modifiée car elle est calculée en fonction de la date de début de la première tâche subordonnée et de la date de fin de la dernière tâche subordonnée. Pour cette raison, le type d'une tâche récapitulative est toujours **Durée fixe** et ne peut donc pas être modifié.

Il est important de bien comprendre que les réglages **Type de tâche** et **Pilotée par l'effort** ont en commun le fait qu'ils peuvent avoir l'un et l'autre une incidence sur la quantité de travail, la durée et les unités. Toutefois, les prévisions par l'effort n'ont d'incidence sur la planification que lorsque vous affectez des ressources à une tâche ou vous en supprimez, alors que modifier le **Type de tâche** n'a d'incidence que sur les ressources qui sont affectées à la tâche.

Modifier le volume de Travail avec une Durée fixe

🔲 Activez l'affichage **Entrée des tâches** (onglet **Tâche** - liste **Diagramme de Gantt - Plus d'affichages - Entrée des tâches - Appliquer**).

🔲 Activez, si ce n'est déjà fait, la fiche **Travail** du **Formulaire tâche**.

🔲 Cliquez sur la tâche concernée pour la sélectionner.

🔲 Dans le volet **Travail** du **Formulaire tâche**, choisissez, si ce n'est déjà fait, l'option **Durée fixe** dans le **Type de tâche** puis validez par le bouton **OK**.

Si l'option Pilotée par l'effort est désactivée

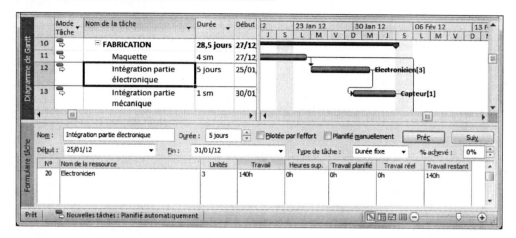

⊟ Modifiez le temps de **Travail** dans le volet **Travail** du **Formulaire tâche**, puis cliquez sur le bouton **OK** pour valider la modification.

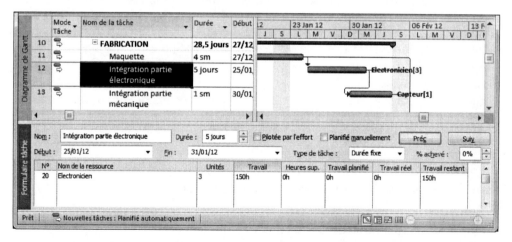

*Dans notre exemple, le temps de **Travail** a été passé de **140 h** à **150 h**, mais la **Durée** n'a pas changé, et Project affiche toujours **3 Unités** de ressource pour effectuer le travail de 150 h en **5 jours**.*

*Notez que contrairement aux versions précédentes, Project 2010 ne modifie pas le champ **Unités**, ce qui permet au planificateur de savoir combien de ressources avaient été affectées à la tâche.*

Gestion des affectations

⊡ Mais pour connaître le besoin exact de ressources nécessaires pour effectuer cette tâche, vous pouvez remplacer le **Formulaire tâche** de la partie inférieure de l'écran par la fiche **Utilisation des tâches** (clic droit sur le libellé **Formulaire tâche** puis cliquez sur **Utilisation des tâches** du menu contextuel), puis insérez-y les colonnes **Unités d'affectation** et **Pointe**.

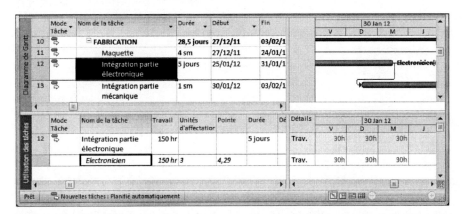

*Notez que le champ **Unités d'affectation** a conservé la valeur initiale du champ **Unités** du **Formulaire tâche** et que le champ **Pointe** affiche la nouvelle valeur d'affectation.*

Si l'option Pilotée par l'effort est activée

*Pour illustrer ce sous-titre, nous avons choisi dans la partie supérieure l'affichage **Utilisation des tâches** avec les colonnes **Unités d'affectation** et **Pointe**, et dans la partie inférieure, la fiche **Travail** du **Formulaire tâche**.*

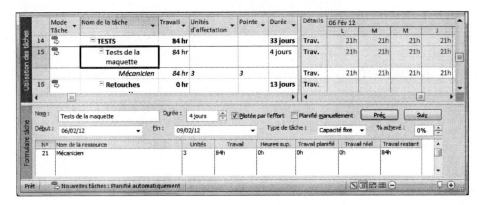

🔲 Dans la fiche **Travail** du **Formulaire tâche**, modifiez le **Type de tâche** en **Durée fixe**.

🔲 Affectez par exemple une nouvelle ressource puis validez les modifications par le bouton **OK**.

Observons le résultat :

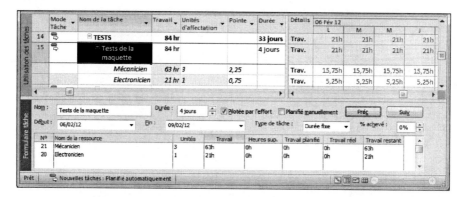

*Notez que la **Durée** de la tâche (4 jours) ainsi que les **Unités d'affectation** (3 et 1) n'ont pas changé, par contre Project 2010 a modifié la valeur du champ **Pointe** afin que les deux ressources puissent partager les 84 heures de travail initiales.*

Modifier la Durée d'une tâche de type Travail fixe

🔲 En affichage fractionné, affichez la fiche **Travail** du **Formulaire tâche** dans la partie inférieure de l'écran.

🔲 Sélectionnez la tâche concernée.

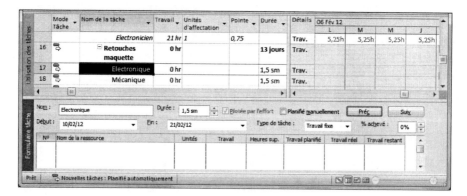

Gestion des affectations

⊟ Assurez-vous que le **Type de tâche** est bien **Travail fixe**.

*Notez que dans ce cas le champ **Pilotée par l'effort** n'est pas modifiable (coché et grisé).*

⊟ Affectez les ressources souhaitées puis cliquez sur le bouton **OK** pour valider.

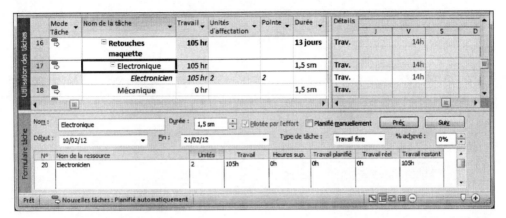

*Pour notre exemple, nous avons affecté deux **Unités** d'**Electronicien** pour une durée totale de **Travail** de **105 h**.*

⊟ Affectez de nouvelles ressources, validez par **OK** puis observez le résultat.

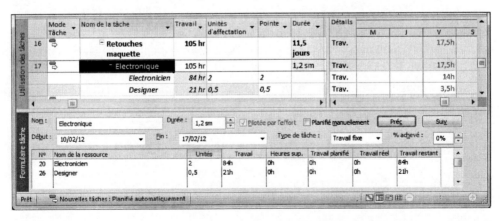

*Pour notre exemple, nous avons ajouté un **Designer** à mi-temps (**0,5 Unités**). Remarquez que la valeur du champ **Travail** n'a pas changé (105 h) mais la **Durée** de la tâche a été recalculée (1,2 semaine).*

La ressource d'équipement et le Type de tâche

⊟ Au moment de l'affectation de ressources **Travail** correspondant à un équipement ou un outil, vérifiez que la tâche n'est pas **Pilotée par l'effort** ni de type **Travail fixe** car ce genre de ressources ne consomme pas la charge déjà allouée à la main d'œuvre.

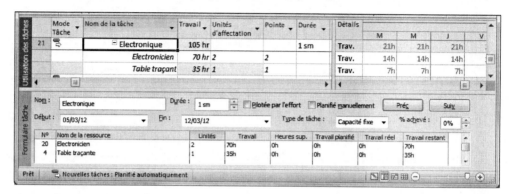

*Project 2010 a augmenté la quantité de **Travail** tout en gardant la même **Durée** pour cette tâche.*

Regrouper des affectations

Cette fonctionnalité permet d'organiser les informations sur les affectations dans un affichage tableau. Microsoft Project vous propose divers groupes prédéfinis.

⊟ Activez un affichage contenant les affectations (par exemple : **Utilisation des tâches** ou **Utilisation des ressources** par le menu **Affichage**).

⊟ Activez l'onglet **Affichage**, ouvrez la liste associée à l'outil **Grouper par** [Aucun groupe ▼] puis cliquez sur l'option **Plus de groupes**.

⊟ Cochez l'option **Tâche** ou **Ressource** pour afficher la liste des **Groupes** correspondants.

⊟ Sélectionnez un critère de regroupement dans la liste **Groupes** puis cliquez sur le bouton **Modifier**.

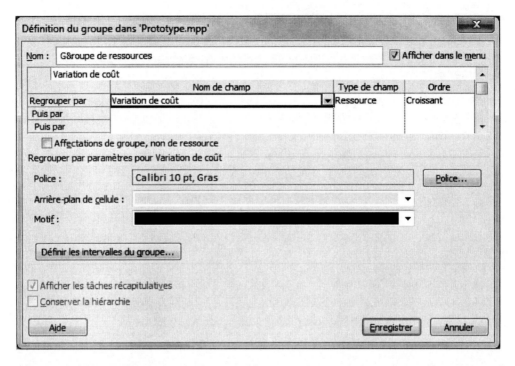

☐ Activez l'option **Affectations de groupe, non de ressource** (ou **Affectations de groupe, non de tâche** selon le cas).

☐ Cliquez sur le bouton **Enregistrer**.

☐ Cliquez sur le bouton **Fermer** de la boîte de dialogue **Plus de groupes**.

✍ Pour revenir à un affichage sans regroupement, ouvrez la liste **Grouper par** [Aucun groupe ▾] puis cliquez sur l'option **Aucun groupe**.

Utiliser le Planificateur d'équipe

*Le **Planificateur d'équipe** est disponible uniquement dans la version Project 2010 Professionnel. Ce nouvel outil de gestion de la planification des ressources vous permet de :*

- *voir rapidement sur quelle tâche (et quel projet en cas de gestion multi-projets) travaille chacune des ressources,*
- *déplacer aisément des tâches d'une personne à l'autre,*
- *voir et affecter les tâches disponibles,*
- *afficher les surutilisations des ressources,*
- *consulter les noms des tâches et des ressources dans un même affichage,*
- *etc.*

⊡ Pour afficher le planificateur d'équipe vous pouvez activer l'onglet **Ressource** puis

cliquez sur l'outil **Planificateur d'équipe**  du groupe **Vue**.

*L'**Inspecteur de tâche** peut aussi vous proposer d'afficher directement les ressources surutilisées dans le **Planificateur d'équipe** à partir du bouton :*

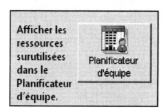

*L'écran **Planificateur d'équipe** se compose de deux parties. Dans la partie supérieure vous pouvez voir sur un axe temporel toutes les ressources (de type **Travail**) ainsi que les tâches sur lesquelles elles sont affectées. Alors que la partie inférieure présente les tâches "normales" (hors tâches récapitulatives et hors jalons). Les ressources de type **Matériel** et **Coût** ne sont donc pas affichées ici.*

La couleur de la tâche vous indique :

- *fond noir : tâche en retard,*
- *fond bleu clair : tâche en mode de planification automatique*
- *fond bleu vert : tâche en mode de planification manuelle*

Gestion des affectations

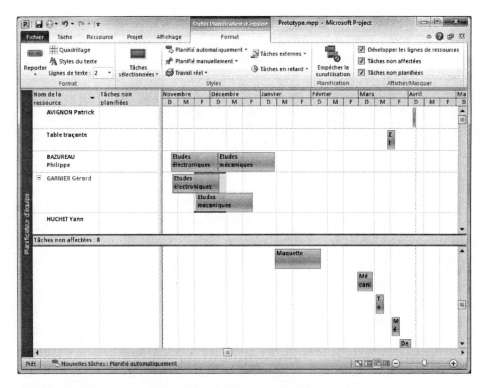

L'affichage **Planificateur d'équipe** dispose d'outils spécifiques qui sont regroupés dans l'onglet **Outils Planification d'équipe - Format**.

Vous pouvez pointer une tâche pour afficher dans une info bulle ses caractéristiques :

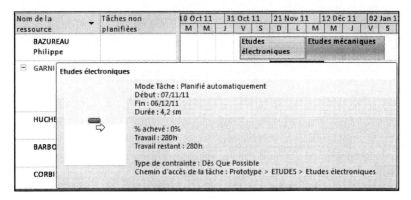

Ajouter ou modifier une affectation de ressource

⊟ Pour affecter une ressource aux tâches, vous pouvez double cliquer sur la tâche en question pour ouvrir la boîte de dialogue **Informations sur la tâche**. Activez l'onglet **Ressources** puis affectez la ou les ressources suivant la procédure habituelle (cf. chapitre Affectation des ressources).

Vous pouvez aussi cliquer dans la partie inférieure de l'écran sur la tâche non affectée, puis sans relâcher le bouton de la souris, la faire glisser dans la partie supérieure sur l'axe temporel de la ressource à affecter.

Project 2010 effectue les contrôles nécessaires à la faisabilité de cette affectation et vous informe en cas de problème :

*Dans notre exemple, les liaisons n'ayant pas été respectées, Project 2010 suggère de supprimer des liens à partir de la boîte de dialogue **Informations sur la tâche**.*

⊟ A l'inverse, pour supprimer l'affectation d'une tâche en particulier, cliquez dans la partie supérieure sur la tâche située sur la ligne de la ressource concernée, puis sans relâcher le bouton de la souris, faites-la glisser dans la colonne **Tâches non planifiées** du tableau.

Project 2010 peut vous demander de confirmer la modification. Les messages varient selon la situation :

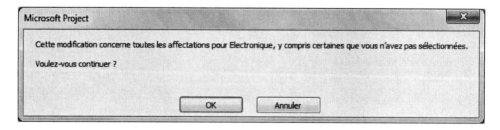

⊡ Dans ce cas, lisez attentivement le message puis cliquez sur le bouton **OK** ou **Annuler** selon votre choix.

*Si vous avez confirmé la modification (bouton **OK**), notez que la tâche est désormais en mode de **Planification manuelle** (couleur bleu-vert) :*

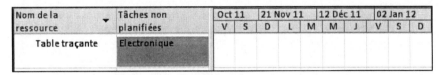

Résoudre les problèmes de surutilisation des ressources

*Dans la partie supérieure de l'écran, la surutilisation d'une ressource est repérable par la couleur rouge du nom de cette ressource et de la (ou des) tâche(s) concernée(s) par cette surutilisation. Dans notre exemple, les traits rouge au-dessus et en-dessous des tâches **Etudes électroniques** et **Etudes mécaniques** indiquent la période de surutilisation de la ressource **GARNIER Gérard** qui leur a été affectée.*

Pour résoudre le problème de surutilisation, vous pouvez par exemple à l'aide d'un cliqué-glissé, déplacer la tâche qui pose problème à une autre date, ou pourquoi pas, l'affecter à une autre ressource.

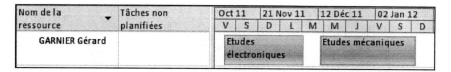

Nom de la ressource ▾	Tâches non planifiées	Oct 11		21 Nov 11		12 Déc 11		02 Jan 12		
		V	S	D	L	M	M	J	V	S	D
GARNIER Gérard		Etudes électroniques					Etudes mécaniques				

*Dans notre exemple, la tâche **Etudes mécaniques** a été déplacée à une autre date résolvant ainsi le problème de surutilisation de la ressource **GARNIER Gérard**.*

⊟ Pour supprimer automatiquement les surcharges des ressources, vous pouvez aussi

cliquer sur l'outil de l'onglet **Outils Planification d'équipe - Format** (groupe **Planification**).

Tout en respectant les liens, Project 2010 déplace automatiquement des tâches afin de supprimer toutes les surutilisations.

Optimisation des affectations

Visualiser les affectations de ressources

Visualiser le diagramme de Gantt

⊡ Sauf intervention de votre part, le planning du Gantt affiche le nom des ressources affectées et le nombre d'unités :

- La **Table Entrée** liste ces mêmes informations en dernière colonne.
- La fiche **Travail** de la ressource permet de prendre connaissance des éventuelles heures supplémentaires.
- La fiche **Planification** affiche les retards.

Visualiser l'Utilisation des ressources

⊡ Activez l'onglet **Tâche**, ouvrez la liste associée à l'outil **Diagramme de Gantt**, puis cliquez sur l'option **Utilisation des ressources**.

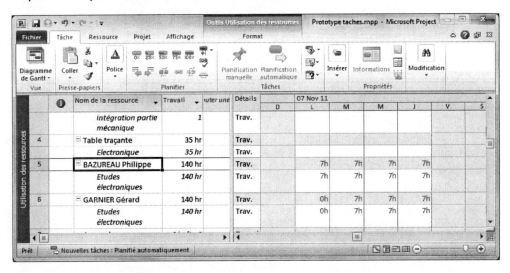

*Dans la partie gauche de cet affichage, Microsoft Project propose la table Utilisation des ressources, table qui affiche le champ **Travail**. Ce champ totalise toutes les heures passées par la ressource sur le ou les projets ouverts.*

À droite est proposé un calendrier qui, par défaut, est journalier. Il liste par ressource les heures travaillées par jour.

Analyser les répartitions de ressources dans le temps

En phase d'équilibrage d'un projet, il est essentiel de s'attarder sur les répartitions des ressources dans le temps pour, entre autres, analyser le problème de surutilisation de certaines ressources.

*On appelle "répartition" le lien existant entre la capacité d'une ressource et ses affectations de tâches. Rappelons que Project mesure en "unités" la capacité d'une ressource à travailler, la **capacité maximale** d'une ressource correspond à ses **unités maximales**.*

*Rappelons également que selon sa répartition, la ressource peut se trouver **surutilisée, pleinement utilisée** ou **sous-utilisée**.*

🔸 Affichez le **Tableau des ressources** ou l'**Utilisation des ressources**.

🔸 Activez l'onglet **Tâche**, ouvrez la liste déroulante **Diagramme de Gantt** puis cliquez sur l'option **Plus d'affichages**.

🔸 Réalisez un double clic sur **Répartition des ressources** pour activer le double affichage **Utilisation des ressources** (partie supérieure de l'écran) et le **Diagramme de Gantt** (partie inférieure).

Le Diagramme de Gantt recense les tâches auxquelles la ressource sélectionnée dans la partie supérieure a été affectée.

🔸 Dans la partie supérieure de l'écran, cliquez sur la ressource à examiner.

Le Diagramme de Gantt (partie inférieure de l'écran) affiche alors uniquement les tâches sur lesquelles travaille la ressource sélectionnée dans le tableau Utilisation des ressources.

🔸 Utilisez l'outil **Atteindre la tâche** (onglet **Tâche** - groupe **Mofification**) pour afficher la barre relative à l'une des tâches de la ressource.

Optimisation des affectations

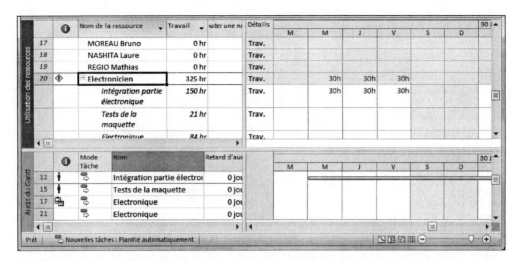

Notez que les données affichées en rouge signalent une surutilisation.

⊟ Utilisez le symbole - ou + pour masquer ou afficher le détail des affectations d'une ressource.

⊟ Les tâches pour lesquelles aucune ressource n'a été affectée (ex : jalons) sont regroupées sous le non « **Non affecté** » en début de liste.

☝ Pour analyser la surcharge d'une ressource, vous pouvez utiliser le filtre **Ressources surutilisées** à partir de la liste déroulante **Filtrer** [Aucun filtre] (onglet **Affichage** - groupe **Données**).

Modifier l'affichage "Utilisation des ressources"

Modifier l'échelle de temps

La modification de l'Échelle de temps de l'affichage Utilisation des ressources est totalement identique à la modification du planning de Gantt (Cf. chapitre Diagramme de Gantt - Modifier l'échelle de temps du planning de Gantt).

⊟ Activez l'onglet **Affichage**, ouvrez la liste déroulante **Échelle de temps** puis cliquez sur l'option de même nom.

⊟ Réalisez les personnalisations attendues.

⊟ Validez ou cliquez sur le bouton **OK**.

*Par défaut, dans la partie calendrier, Microsoft Project propose le nombre d'heures travaillées par jour (**Trav.**), mais il est possible d'afficher d'autres informations.*

Choisir les informations affichées dans le calendrier

⊟ Cliquez n'importe où dans le tableau **Utilisation des ressources** pour activer l'onglet **Outils Utilisation des ressources - Format**.

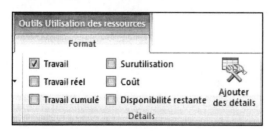

⊟ Utilisez les cases à cocher du groupe **Détails** pour afficher ou masquer les informations correspondantes.

Optimisation des affectations

Autoriser des heures supplémentaires

⊟ Affichez un Gantt.

⊟ Sélectionnez la tâche concernée.

⊟ Activez l'onglet **Affichage** puis cochez l'option **Détails** du groupe **Fractionner l'affichage**.

⊟ Cliquez avec le bouton DROIT dans la fiche visualisée.

⊟ Cliquez sur l'option **Travail**.

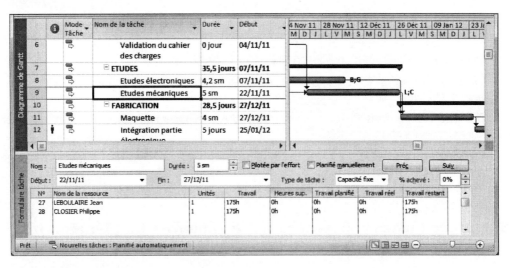

Le champ ***Heures sup.*** *y est proposé.*

Attention : les heures supplémentaires que vous ajoutez dans le champ ***Heures sup.*** *ne s'ajoutent pas au volume de travail de la tâche car ce dernier représente toujours l'ensemble des heures travaillées. De ce fait, considérez les heures supplémentaires comme une partie du volume de travail total. Si vous ne réajustez pas le volume de travail de la tâche en cas de saisie d'heures supplémentaires, la durée de la tâche en est diminuée d'autant.*

⊟ Renseignez les heures supplémentaires accordées en respectant les consignes suivantes :

S'il doit y avoir une diminution de la durée de la tâche, saisissez uniquement le nombre d'heures supplémentaires.

<u>Si la durée de la tâche doit demeurer inchangée</u>, renseignez le nombre d'heures supplémentaires et le nombre d'heures travaillées.

Le principe du calcul est le suivant :

DURÉE (de la tâche) = TRAVAIL - HEURES SUP.

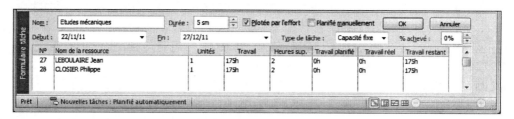

⊟ Validez en cliquant sur le bouton **OK** de la fiche.

*Tant que le bouton **OK** est affiché dans la fenêtre, MS Project ne prend pas en compte les changements apportés.*

*Dès que les boutons **Préc**. et **Suiv**. s'affichent, vous savez que Microsoft Project a enregistré les changements.*

⊟ Pour revenir en affichage standard, décochez l'option **Détails** (onglet **Affichage** - groupe **Fractionner l'affichage**) ou faites un double clic sur la barre de fractionnement horizontal.

Filtrer les tâches concernées par des heures supplémentaires

⊟ Affichez un Gantt.

⊟ Ouvrez la liste **Filtrer** de l'onglet **Affichage** - groupe **Données**.

⊟ Cliquez sur l'option **Plus de filtres** puis double cliquez sur **Tâches/affectations avec heures supplémentaires**.

Afficher la table Résumé des ressources

⊟ Activez l'affichage du **Tableau des ressources** ou de l'"**Utilisation des ressources**.

⊟ Activez l'onglet **Affichage** puis cliquez sur l'outil **Tables** ⊞ Tables ▾ du groupe **Données**.

Optimisation des affectations

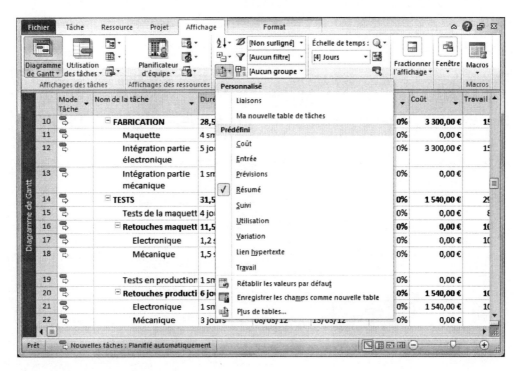

⊡ Cliquez sur l'option **Résumé**.

Examiner les ressources surutilisées

Comment détecter aisément les ressources surutilisées ?

Détecter les ressources surutilisées

Dans le Diagramme de Gantt, les tâches pour lesquelles une ou des ressources sont

surutilisées, contiennent ce symbole rouge 🔴 *dans la colonne d'Informations.*

⊡ Dans le **Tableau des ressources**, dans la **Répartition des ressources** et dans l'affichage **Utilisation des ressources**, les ressources surutilisées sont affichées en rouge.

⊡ Pour ne visualiser qu'elles, lorsque vous êtes en affichage de ressources, ouvrez la liste **Filtrer** et cliquez sur l'option **Ressources surutilisées**.

Lancer une recherche automatique de la surcharge des ressources

⊡ Sélectionnez l'affichage **Répartition des ressources**.

⊡ À l'aide de la barre de défilement horizontal, affichez le début du projet à l'écran car la recherche ne s'effectue que vers la fin du projet.

⊡ Activez l'onglet **Ressource**, puis cliquez sur l'outil [▦ Surutilisation suivante] du groupe **Audit** (ou [Alt] [F5]).

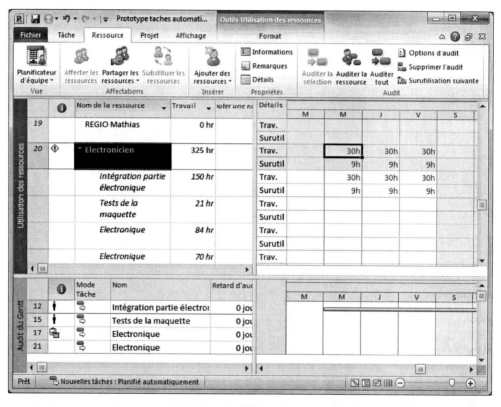

*Sur la ligne **Trav.** de la ressource concernée, Project 2010 encadre la date de dépassement correspondant à la surutilisation de cette ressource.*

⊡ Cliquez à nouveau sur l'outil [▦ Surutilisation suivante] pour afficher la surutilisation suivante dans l'ordre chronologique.

Optimisation des affectations

Lorsque Project ne trouve plus de surutilisation pour la <u>période du projet visible à l'écran</u>, ce message vous le signale :

Imprimer les ressources surutilisées

- Activez l'onglet **Projet,** cliquez sur l'outil **Rapports** du groupe **Rapports.**
- Réalisez un double clic sur **Affectations** puis sur **Ressources surutilisées.**
- Cliquez sur **Imprimer** pour lancer l'impression ou cliquez sur l'onglet **Fichier** pour quitter le Backstage sans lancer l'impression.

  L'impression offre l'avantage de lister les tâches auxquelles les ressources sont affectées.

  Connaître les ressources surutilisées est bien, mais connaître les heures de travail excédentaires peut s'avérer très pratique.

Afficher les heures de travail excédentaires

- Affichez l'**Utilisation des ressources** (onglet **Ressource** - liste **Planificateur d'équipe**).
- Cliquez avec le bouton DROIT dans la partie Calendrier puis choisissez l'option **Surutilisation.**

  *Vous pouvez aussi cocher l'option **Surutilisation** de l'onglet **Outils Utilisation des ressources - Format** - groupe **Détails.***

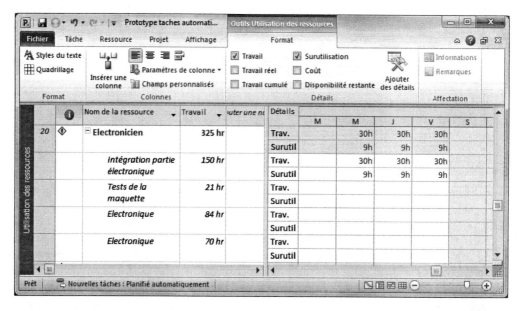

*Notez la présence du champ **Surutilis**. qui permet ainsi de visualiser le détail de surutilisation par ressource et par tâche.*

Régler le problème des surutilisations par l'Audit

Le principe de l'Audit

Project utilise l'**Audit des ressources** pour résoudre une surutilisation en retardant certaines tâches figurant dans les prévisions.

Mais vous pouvez effectuer des réglages dans la boîte de dialogue **Audit des ressources** pour que Project résolve les surutilisations en retardant la date de début d'une affectation ou d'une tâche ou bien en répartissant le travail sur la tâche.

Voyez l'**Audit des ressources** comme un outil d'affinage puissant qui tient compte des règles assez complexes et des options que vous aurez spécifiées dans la boîte de dialogue **Audit des ressources**. Mais il ne permettra, peut être pas, de résoudre toutes les surutilisations de ressources si vous n'intervenez pas sur certaines informations de base des tâches et/ou des ressources. Pour cette raison, ne perdez pas de vue qu'il est possible de résoudre une surutilisation manuellement (cf. chapitre Optimisation des affectations - Régler manuellement les problèmes de surutilisation).

Optimisation des affectations

Les options d'audit

⊟ Activez l'onglet **Ressource** puis cliquez sur l'outil [⬚ Options d'audit] du groupe **Audit**.

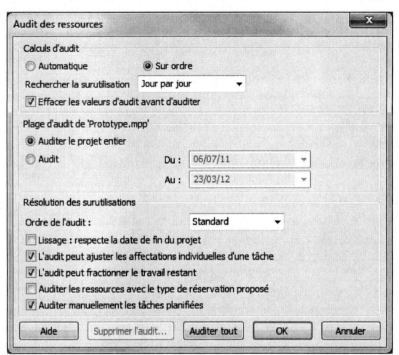

Sachez que tous les réglages effectués dans cette boîte de dialogue ne s'appliquent pas uniquement au plan de projet actif, mais également à tous les plans de projet que vous manipulez dans Microsoft Project.

⊟ Dans le cadre **Calculs d'audit**, choisissez soit **Automatique**, soit **Sur ordre**. Avec le premier choix, Project tente de régler les problèmes de surutilisation dès qu'ils se produisent. Ceci n'est pas souhaitable car l'audit automatique apporte de nombreuses modifications sur lesquelles vous n'avez aucun regard. Pour cela, nous vous incitons à toujours conserver un Audit **Sur ordre**.

⊟ Dans la liste **Rechercher la surutilisation**, sélectionnez la période où Project doit rechercher les surutilisations avant d'effectuer les calculs d'audit : **Minute par minute, Heure par heure, Jour par jour, Semaine par semaine, Mois par mois.**

⊟ Cochez l'option **Effacer les valeurs d'audit avant d'auditer** afin de pouvoir conserver les résultats de l'audit antérieur. En effet, vous serez parfois amené à procéder à plusieurs audits successifs pour arriver aux résultats souhaités. Vous pouvez, par exemple, commencer par faire un audit Mois par mois, avant de faire un audit Semaine par semaine, etc. Si cette option est activée, sachez que Project efface les éventuels retards résultants d'audits antérieurs de toutes les tâches et de toutes les affectations avant d'auditer.

⊟ Dans l'encadré **Plage d'audit de**, choisissez d'**Auditer le projet entier** ou d'auditer seulement les tâches d'une période de temps spécifique en activant l'option **Audit** et en spécifiant les dates charnières dans les zones **Du, au**. L'audit sur une plage de dates s'avère très utile quand vous avez commencé à effectuer le suivi du travail réel et que vous souhaitez auditer uniquement les affectations restantes du projet.

⊟ Intervenez alors sur l'**Ordre de l'audit** dans lequel Project va retarder les tâches :

Standard — Project examine les relations de prédécesseurs, la marge, les dates, les numéros et les priorités pour déterminer la tâche à retarder.

N° seulement — Project commence par retarder la tâche dont le numéro est le plus élevé. Vous pouvez utiliser cette option lorsque votre plan de projet n'a pas de liaison entre les tâches, ni de contraintes.

Priorité, Standard — Project examine d'abord les priorités, puis les relations du prédécesseur, la marge et les dates pour déterminer la tâche à retarder. La priorité d'une tâche correspond à une valeur définie entre 0 et 1000 et indique la disponibilité de la tâche lors d'un audit. Project retarde ou fractionne en premier les tâches dont la priorité est la moins élevée.

⊟ Décochez, si besoin est, l'option **Lissage : respecte la date de fin du projet** pour que Project puisse reculer la date de fin de projet si nécessaire, afin de résoudre les problèmes de surutilisation de ressources. Si vous cochez cette option, Project ne peut donc plus reculer la date de fin de projet pour résoudre les problèmes, il utilise alors uniquement la marge libre de la planification.

⊟ Cochez, si nécessaire, l'option **L'audit peut ajuster les affectations individuelles d'une tâche** pour que Project puisse ajouter des retards d'audit (ou fractionner le travail sur les affectations, si l'option **L'audit peut fractionner le travail restant** est également cochée) indépendamment de toute autre ressource affectée à la même tâche. Par exemple, si l'une des ressources affectées à la tâche est surutilisée, Project peut alors retarder ou fractionner l'affectation de la ressource concernée sans retarder la tâche entière.

Optimisation des affectations

⊟ Cochez, si nécessaire, l'option **L'audit peut fractionner le travail restant** pour que Project puisse fractionner le travail restant sur une tâche (ou sur une affectation de ressource, si l'option **L'audit peut ajuster les affectations individuelles d'une tâche** est également cochée) afin de résoudre une surutilisation.

⊟ Cochez l'option **Auditer les ressources avec le type de réservation proposé** si Project doit intégrer les ressources "proposées" et pas seulement les ressources "validées". (Cette option n'existe pas dans Project 2010 Standard).

⊟ Cochez l'option **Auditer manuellement les tâches planifiées** (option qui devrait s'intituler "Auditer les tâches planifiées manuellement) si vous souhaitez que Project tienne compte des tâches planifiées manuellement dans son audit.

⊟ Validez les modifications apportées en cliquant sur le bouton **OK** ou validez-les et lancez simultanément l'audit en cliquant sur le bouton **Auditer tout**.

Demander l'audit du projet

⊟ Pour lancer l'audit du projet en tenant compte des options définies (cf. Régler le

problème des surutilisations par l'Audit), cliquez sur l'outil de l'onglet **Ressource** - groupe **Audit**.

Vous pouvez aussi cliquer sur le bouton Auditer tout de la boîte de dialogue Audit des ressources (cf. Régler le problème des surutilisations par l'Audit).

En cas de difficultés pour résoudre un problème de surutilisation, Project peut vous suggérer plusieurs solutions :

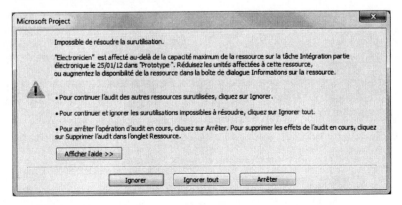

⊡ Dans ce cas, lisez attentivement les solutions proposées puis cliquez sur le bouton **Ignorer**, **Ignorer tout** ou **Arrêter** selon le cas.

Examiner le plan de projet avant et après l'audit

⊡ Activez l'onglet **Tâche**, ouvrez la liste **Diagramme de Gantt** du groupe **Vue** puis cliquez sur l'option **Plus d'affichages**.

⊡ Réalisez un double clic sur l'option **Audit du Gantt**.

⊡ Au besoin, zoomez l'affichage.

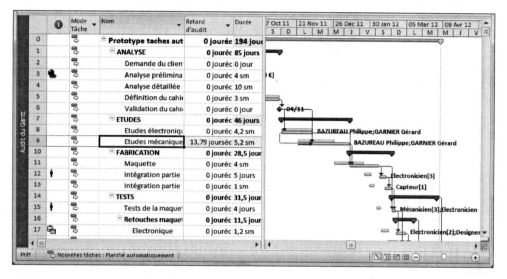

Notez la présence d'une nouvelle barre associée à chaque tâche. La barre supérieure (grise) représente la tâche <u>avant</u> l'audit, alors que la barre inférieure (bleue) représente la tâche après l'audit. Les retards sont mis en évidence par une ligne fine et sombre (tâche 9 dans notre exemple).

*La table proposée dans cet affichage est la table **Retard** qui contient le champ **Retard d'audit** dans lequel s'affiche le nombre de jours écoulés dont la tâche sur laquelle portaient les surutilisations a été déplacée.*

Sachez que la résolution de problèmes de surutilisation peut avoir une incidence sur la date de fin du projet.

Optimisation des affectations

Pour afficher dans une info-bulle les informations relatives à la tâche ou au retard, pointez le trait correspondant.

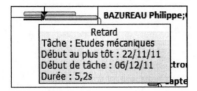

Auditer le projet par l'Inspecteur de tâches

L'Inspecteur de tâches offre la possibilité de résoudre certains problèmes de surutilisations de ressources (exemple : problème de différence de calendrier entre les tâches).

Pour afficher l'Inspecteur de tâches, activez l'onglet **Tâche** puis cliquez sur l'outil

Inspecter du groupe **Tâches**.

Vous pouvez aussi faire un clic droit sur le symbole situé dans la colonne Informations d'une tâche concernée par une surutilisation de ressources, puis cliquez sur l'option Corriger dans l'Inspecteur de tâches du menu contextuel.

L'Inspecteur de tâches s'affiche à gauche de l'écran.

Cliquez, si besoin, sur la tâche à auditer pour afficher dans le volet **Inspecteur de tâches** les caractéristiques de la tâche ainsi que les suggestions qui lui sont associées.

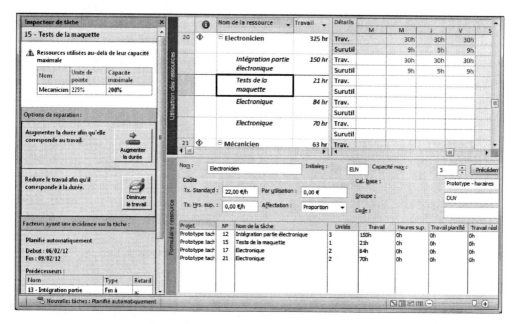

Les options/suggestions proposées varient selon les difficultés de surutilisation rencontrées, et peuvent être présentées sous forme de boutons ou de conseils.

⊟ Pour refermer l'**Inspecteur de tâches,** cliquez sur son bouton de fermeture situé en haut à droit ou bien en cliquant à nouveau sur l'outil .

Définir les priorités des tâches

⊟ Sélectionnez les tâches concernées par un même niveau de priorité.

⊟ Cliquez sur l'outil **Informations sur la tâche** de l'onglet **Tâche** - groupe **Tâches.**

⊟ Dans l'onglet **Général,** cliquez dans la zone **Priorité.**

Par défaut, lors de la création des tâches, Microsoft Project affecte un niveau de priorité 500.

Optimisation des affectations

⊟ Saisissez un nombre compris entre 0 et 1000 pour indiquer l'importance des tâches sélectionnées. Plus ce nombre est élevé, plus haute est la priorité de la tâche.

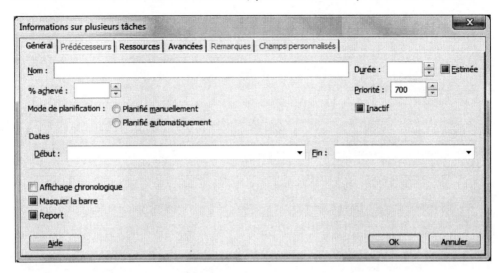

⊟ Validez ou cliquez sur le bouton **OK**.

*Rien n'indique que des priorités ont été définies mais vous pouvez visualiser les priorités en insérant la colonne **Priorité** dans la table **Entrée** par exemple, à l'aide de l'option **Insérer colonne** du menu contextuel des en-têtes (clic DROIT sur un libellé d'en-tête).*

Auditer des ressources sélectionnées

*Avant de lancer l'audit des ressources, vérifiez les options d'audit (cf. Régler le problème des surutilisations par l'Audit - Les options d'audit). En effet, si vous souhaitez par exemple auditer plusieurs ressources à la suite et conserver les résultats, veillez à décocher l'option **Effacer les valeurs d'audit**.*

⊟ Pour auditer une ou plusieurs ressources depuis un affichage de tâches (ex. Diagramme de Gantt), activez l'onglet **Ressource** puis cliquez sur l'outil ⬚ **Auditer la ressource** du groupe **Audit**.

⊡ Sélectionnez la ou les ressources à auditer (pour une sélection multiple, maintenez la touche ⌨Ctrl enfoncée durant la sélection).

⊡ Cliquez sur le bouton **Auditer**.

Project 2010 recalcule les affectations des ressources ainsi sélectionnées en fonction des options d'audit définies au préalable (cf. Régler le problème des surutilisations par l'Audit - Les options d'audit).

Auditer des tâches sélectionnées

⊡ Sélectionnez un affichage de tâches, puis sélectionnez les tâches à auditer.

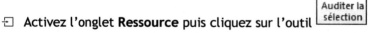

⊡ Activez l'onglet **Ressource** puis cliquez sur l'outil du groupe **Audit**.

Project résout les conflit de ressources ou les surutilisations en fonction des Options d'audit définies au préalable (cf. Régler le problème des surutilisations par l'Audit - Les options d'audit).

Optimisation des affectations

Annuler les résultats de l'audit

⊡ Sélectionnez un affichage de tâches.

⊡ Cliquez sur l'outil **Supprimer l'audit** de l'onglet **Ressource** (groupe **Audit**).

*Vous pouvez aussi cliquer sur l'outil **Options d'audit*** 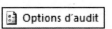 *puis sur le bouton **Supprimer l'audit**.*

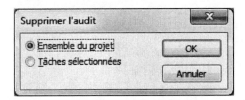

⊡ Activez l'option **Ensemble du projet** ou **Tâches sélectionnées** selon le cas.

⊡ Confirmez par le bouton **OK**.

✍ Project 2010 autorise désormais la suppression de l'audit depuis l'affichage de ressources, mais notez que dans ce cas <u>toutes</u> les valeurs de l'audit sont supprimées sans aucun message d'avertissement.

Régler manuellement les problèmes de surutilisation

⊡ Plusieurs possibilités s'offrent à vous pour régler les problèmes de surutilisation :

- Retarder une tâche en saisissant la valeur du décalage dans le champ **Retard d'audit** de la tâche (champ accessible par **Affichage - Table - Plus de tables - Retard**).

- Diviser les longues tâches en sous-tâches afin de procéder à des affectations plus précises des ressources.

- Sous-traiter la réalisation de certaines tâches : le problème des ressources n'est alors plus de votre ressort.

- Retarder le travail d'une ressource grâce à la fiche **Prévision des ressources** et au champ **Retard**.

- Augmenter la disponibilité des ressources par ajustement des calendriers de ressources avec l'autorisation d'heures supplémentaires.

- Ajouter des ressources dans l'intention de diminuer la durée des tâches.

- Remplacer les ressources par d'autres ressources plus disponibles.

- Optimiser l'utilisation des ressources.

- En affichage Diagramme de Gantt, vous pouvez aussi faire un clic droit sur le symbole rouge de surutilisation 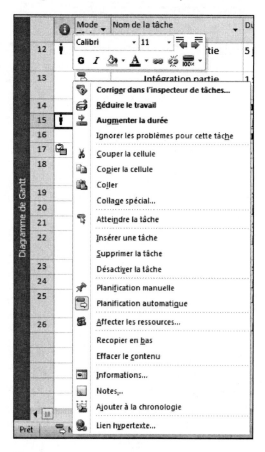 pour afficher le menu contextuel :

Cliquez sur l'une des solutions proposées : **Corriger par l'inspecteur de tâches**, **Réduire le travail**, ou **Augmenter la durée**.

À partir de ce menu contextuel, vous pouvez aussi afficher la fenêtre **Affecter les ressources** pour vérifier/modifier les affectations.

Découvrir les coûts d'un projet

Les coûts représentent un aspect important des prévisions et du contrôle d'un projet.

Les considérations de coût peuvent déterminer la rapidité d'exécution des tâches ainsi que la manière dont les ressources sont utilisées.

La comparaison des coûts de fin de projet et des coûts prévus est une mesure du succès du projet.

Microsoft Project peut gérer des coûts liés aux tâches et des coûts liés aux ressources.

Les coûts sont calculés en fonction :

- Des **taux horaires normaux** et des **taux d'heures supplémentaires**.

- Des **coûts d'utilisation**. Il s'agit d'un forfait relatif à l'utilisation d'une ressource. Le coût d'utilisation peut remplacer ou être ajouté à un coût variable et à un taux horaire. Pour la ressource de type Travail, le coût d'utilisation est alloué chaque fois que cette ressource est utilisée, alors que pour une ressource de type Matériel, ce coût n'est alloué qu'une seule fois.

- Des **coûts fixes**. Il s'agit de l'ensemble des coûts d'une tâche qui restent fixes, indépendamment de la durée de la tâche ou du travail effectué par une ressource. Les coûts fixes s'appliquent donc à une tâche et non à une ressource.

- Des **coûts des ressources de coûts**. Il s'agit de ressources qui ne dépendent pas de la quantité de travail pour une tâche ou la durée de la tâche.

Selon qu'il s'agit d'une ressource Travail, d'une ressource Matériel ou d'une ressource Coût, les divers types de coûts gérés par Project fonctionnent différemment. En effet, pour une ressource Travail, le taux est appliqué dans une unité de temps, alors que pour une ressource Matériel ou Coût, il est appliqué sur d'autres unités spécifiées (telles que le mètre, le kg ou l'unité d'une devise sélectionnée).

Modifier le format des coûts

🖯 Activez l'onglet **Fichier** puis cliquez sur **Options**.

🖯 Activez si nécessaire la rubrique **Affichage**.

🖯 Modifiez les **Options de devise pour ce projet**.

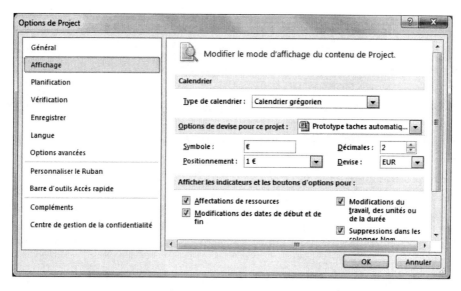

⊟ Validez ou cliquez sur le bouton **OK**.

Saisir un coût fixe pour une tâche

⊟ Affichez les tâches (onglet **Tâche** - outil **Diagramme de Gantt**).

⊟ Onglet **Affichage** - outil **Tables** - option **Coût**

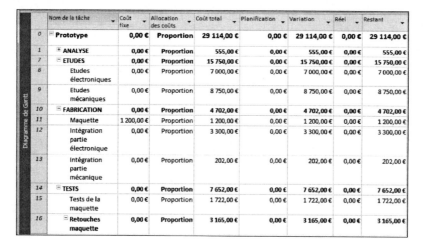

*Les deux champs pouvant être utilisés pour les tâches sont le champ **Coût fixe** et le champ **Allocation des coûts fixes**. Ce coût reste constant quel que soit la durée de la tâche ou le travail réalisé. Il est parfois appelé coût forfaitaire.*

⊡ Renseignez le coût des tâches dans la colonne **Coût fixe**.

⊡ Dans la colonne **Allocation des coûts fixes**, choisissez quand et comment les coûts fixes doivent être facturés ou alloués aux tâches : **Début, Proportion, Fin**.

Pour de plus amples informations concernant la méthode d'allocation des coûts, veuillez vous reporter au titre "Choisir la méthode d'allocation des coûts".

*Le champ calculé **Coût total** intègre les coûts fixes des tâches.*

Saisir un coût fixe pour le projet

Cette fonctionnalité permet de saisir des coûts fixes pour l'ensemble du projet si seuls les coûts globaux (et non les coûts des tâches) vous importent ou bien si vous souhaitez ajouter des frais généraux (tels que le coût des services par exemple).

⊡ Affichez les tâches (onglet **Tâche - Diagramme de Gantt**).

⊡ Affichez la **Tâche récapitulative du projet** en cochant l'option correspondante dans l'onglet **Outils Diagramme de Gantt - Format** - groupe **Afficher/Masquer**.

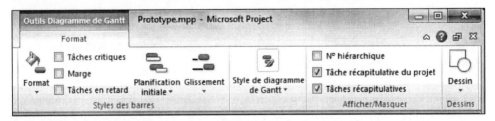

⊡ Sélectionnez le **Nom de la tâche** récapitulative du projet (son numéro d'identification est le 0).

⊡ Saisissez le **Coût fixe** du projet dans le champ correspondant.

Saisir les coûts liés aux ressources de type Travail

Cette fonctionnalité permet de définir un taux de coûts et/ou un coût d'utilisation pour une ressource de travail.

⊟ Affichez le **Tableau des ressources** à partir de la liste déroulante associée à l'outil **Planificateur d'équipe** de l'onglet **Ressource** - groupe **Vue**.

⊟ Utilisez les champs **Taux standard**, **Taux heures supplémentaires**, **Coût/Utilisation** et **Allocation** pour saisir les différents coûts des ressources Travail liées aux tâches.

Tx. standard	C'est le coût horaire de base.
Tx hrs. sup.	C'est la valeur de l'heure supplémentaire réalisée par la ressource.
Coût/Utilisation	C'est le coût d'usage fixe de chaque unité de la ressource. Ce montant est ajouté chaque fois qu'une unité de la ressource est affectée à une tâche. Il s'agit d'une somme forfaitaire indépendante de la durée d'utilisation de la ressource.
Allocation	C 'est la méthode de comptabilisation des dépenses : **Début** : dépenses comptabilisées dès que la tâche démarre. **Fin** : les dépenses ne sont comptabilisées que lorsque le travail restant est égal à zéro. **Proportion** : les coûts sont affectés au fur et à mesure que le travail est censé être effectué selon les prévisions.

(Pour de plus amples informations concernant la méthode d'allocation, voir "Choisir la méthode d'allocation des coûts").

✍ Par défaut, Microsoft Project propose des coûts de ressources à zéro. Pour mémoriser un taux horaire à appliquer par défaut aux ressources du projet, renseignez-le par l'onglet **Fichier** - option **Options** - catégorie **Options avancées**. Utilisez la zone **Taux standard par défaut** pour le taux horaire et la zone **Taux heures sup. par défaut** des **Options générales pour ce projet**. Ces changements ne concerneront que les ressources créées après cette manipulation.

Pour associer plusieurs taux normaux ou d'heures supplémentaires à une ressource, voir "Affecter différents taux de coûts à des ressources".

Saisir les coûts liés aux ressources de type Matériel

Pour chaque ressource de type Matériel, il est possible de lui appliquer un (ou plusieurs) taux pour calculer le coût de cette ressource consommable, et de définir un coût d'utilisation pour le ou les matériel(s) utilisé(s).

Saisir un taux

⊟ Affichez le tableau des ressources par l'onglet **Tâche** - liste associée au **Diagramme de Gantt** (groupe **Vue**) - option **Tableau des ressources**.

⊟ Affichez, si ce n'est déjà fait, la table **Entrée** (onglet **Affichage** - liste **Tables**).

⊟ Sélectionnez la ressource de type Matériel concernée.

⊟ Complétez si nécessaire le champ **Étiquette Matériel**.

⊟ Renseignez les taux horaires Standard et d'heures supplémentaires dans les champs **Tx. standard** et **Tx. hrs. Sup.**.

Saisir un coût d'utilisation

⊟ Affichez le tableau des ressources par l'onglet **Tâche** - liste associée au **Diagramme de Gantt** (groupe **Vue**) - option **Tableau des ressources**.

⊟ Affichez, si ce n'est déjà fait, la table **Entrée** (onglet **Affichage** - liste **Tables**)

⊟ Sélectionnez la ressource de type Matériel concernée par la saisie d'un coût d'utilisation à imputer une seule fois à la tâche liée à cette ressource.

⊟ Dans le champ **Coût/Utilisation**, saisissez une valeur de coût.

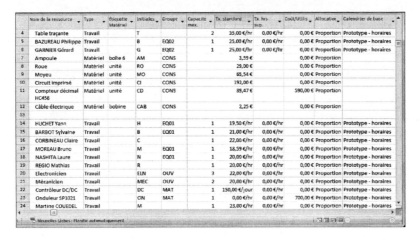

	Nom de la ressource	Type	Étiquette Matériel	Initiales	Groupe	Capacité max.	Tx. standard	Tx. hrs. sup.	Coût/Utilis.	Allocation	Calendrier de base
4	Table traçante	Travail		T		2	35,00 €/hr	0,00 €/hr	0,00 €	Proportion	Prototype - horaires
5	BAZUREAU Philippe	Travail		B	EQ02	1	25,00 €/hr	0,00 €/hr	0,00 €	Proportion	Prototype - horaires
6	GARNIER Gérard	Travail		G	EQ02	1	25,00 €/hr	0,00 €/hr	0,00 €	Proportion	Prototype - horaires
7	Ampoule	Matériel	boîte 6	AM	CONS		3,59 €		0,00 €	Proportion	
8	Roue	Matériel	unité	RO	CONS		29,00 €		0,00 €	Proportion	
9	Moyeu	Matériel	unité	MO	CONS		65,54 €		0,00 €	Proportion	
10	Circuit imprimé	Matériel	unité	CI	CONS		192,00 €		0,00 €	Proportion	
11	Compteur décimal HC458	Matériel	unité	CD	CONS		89,47 €		590,00 €	Proportion	
12	Câble électrique	Matériel	bobine	CAB	CONS		2,25 €		0,00 €	Proportion	
13											
14	HUCHET Yann	Travail		H	EQ01	1	19,50 €/hr	0,00 €/hr	0,00 €	Proportion	Prototype - horaires
15	BARBOT Sylvaine	Travail		B	EQ01	1	21,00 €/hr	0,00 €/hr	0,00 €	Proportion	Prototype - horaires
16	CORBINEAU Claire	Travail		C		1	22,00 €/hr	0,00 €/hr	0,00 €	Proportion	Prototype - horaires
17	MOREAU Bruno	Travail		M	EQ01	1	18,59 €/hr	0,00 €/hr	0,00 €	Proportion	Prototype - horaires
18	NASHITA Laure	Travail		N	EQ01	1	20,00 €/hr	0,00 €/hr	0,00 €	Proportion	Prototype - horaires
19	REGIO Mathias	Travail		R		1	20,00 €/hr	0,00 €/hr	0,00 €	Proportion	Prototype - horaires
20	Electronicien	Travail		ELN	OUV	3	22,00 €/hr	0,00 €/hr	0,00 €	Proportion	Prototype - horaires
21	Mécanicien	Travail		MEC	OUV	2	20,00 €/hr	0,00 €/hr	0,00 €	Proportion	Prototype - horaires
22	Contrôleur DC/DC	Travail		DC	MAT	1	150,00 €/jour	0,00 €/hr	0,00 €	Proportion	Prototype - horaires
23	Onduleur SP1021	Travail		ON	MAT	1	0,00 €/hr	0,00 €/hr	700,00 €	Proportion	Prototype - horaires
24	Martine COUEDEL	Travail		M		1	23,00 €/hr	0,00 €/hr	0,00 €	Proportion	Prototype - horaires

Nouvelles tâches : Planifié automatiquement

Saisir les coûts liés aux ressources de type Coût

Rappelons qu'une ressource de type Coût permet d'affecter un coût à une tâche précise. Cette ressource ne dépend pas du volume de travail effectué sur cette tâche ni de la durée de la tâche. Vous pouvez, contrairement aux coûts fixes, appliquer plusieurs ressources de coûts à une tâche.

Pour saisir un coût lié à une ressource de type Coût, cette dernière doit avoir été créée (cf. Définition des ressources - Créer la liste des ressources) et affectée à une tâche (cf. Affectation des ressources - Affecter une ressource de type Coût).

🗁 Onglet **Affichage** - outil **Utilisation des tâches ▾**

🗁 Sélectionnez la tâche à laquelle la ressource Coût a été affectée, puis affichez, si ce n'est déjà fait, la liste des ressources affectées à cette tâche.

🗁 Cliquez sur la ressource Coût pour laquelle vous souhaitez saisir un coût, puis cliquez

sur l'outil **Informations sur l'affectation** situé dans l'onglet **Outils utilisation des tâches - Format** (groupe **Affectation**) (ou ⇧ F2).

🗁 Activez l'onglet **Général**.

🗁 Saisissez le **Coût** de la ressource dans le champ correspondant.

⊡ Cliquez sur le bouton **OK** pour valider.

Choisir la méthode d'allocation des coûts

La méthode d'allocation des coûts détermine le moment où le coût d'une ressource est engagé et où les coûts réels sont appliqués au projet. Microsoft Project permet de définir cette méthode d'allocation pour les coûts des ressources et pour les coûts fixes des tâches.

Méthode d'allocation du coût d'une ressource

⊡ Affichez le **Tableau des ressources** à partir, par exemple, de l'icône ⊞ située à gauche du zoom de la barre d'état.

⊡ Cliquez sur le **Nom de la ressource** concernée par la modification afin de la sélectionner.

⊡ Cliquez sur l'outil **Informations sur la ressource** [Informations] situé sur l'onglet **Ressource** - groupe **Propriétés**.

⊡ Cliquez sur l'onglet **Coûts**.

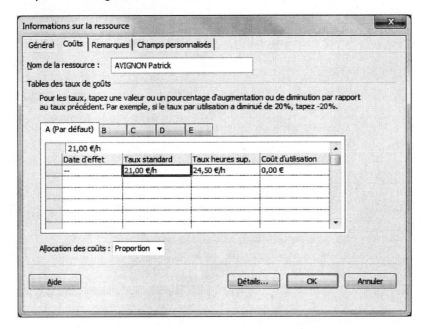

⊟ Ouvrez la liste déroulante **Allocation des coûts** puis choisissez la méthode de comptabilisation des dépenses :

Proportion   les coûts sont affectés au fur et à mesure que le travail est censé être effectué selon les prévisions.

Début   les dépenses sont comptabilisées dès que la tâche démarre.

Fin   les dépenses ne sont comptabilisées que lorsque le travail restant est égal à zéro.

Méthode d'allocation du coût fixe d'une nouvelle tâche

⊟ Onglet **Fichier** - option **Options** - rubrique **Planification**.

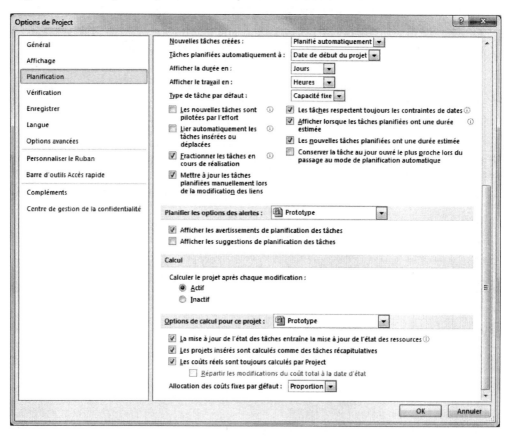

⊡ Ouvrez la liste déroulante **Allocation des coûts fixes par défaut** située dans les **Options de calcul pour ce projet** puis choisissez la méthode d'allocation à appliquer à toutes les nouvelles tâches de ce projet :

Proportion   Les coûts sont affectés au fur et à mesure que le travail est censé être effectué selon les prévisions.

Début   Les dépenses sont comptabilisées dès que la tâche démarre.

Fin   Les dépenses ne sont comptabilisées que lorsque le travail restant est égal à zéro.

⊡ Cliquez sur le bouton **OK** pour valider.

Méthode d'allocation du coût fixe des tâches existantes

⊡ Activez l'onglet **Tâche,** ouvrez la liste associée à l'outil **Diagramme de Gantt** (groupe **Vue**), puis cliquez sur l'option **Plus d'affichages.**

⊡ Sélectionnez **Tableau des tâches** dans la zone des **Affichages,** puis cliquez sur le bouton **Appliquer.**

⊡ Affichez la table **Coût** à partir de la liste Tables ▾ de l'onglet **Affichage** (groupe **Données**).

	Nom de la tâche	Coût fixe	Allocation des coûts	Coût total	Planification	Variation	Réel	Restant
0	⊟ **Prototype**	**0,00 €**	**Proportion**	**29 114,00 €**	**0,00 €**	**29 114,00 €**	**0,00 €**	**29 114,00 €**
1	⊟ **ANALYSE**	**0,00 €**	**Proportion**	**555,00 €**	**0,00 €**	**555,00 €**	**0,00 €**	**555,00 €**
2	Demande du client	0,00 €	Proportion	0,00 €	0,00 €	0,00 €	0,00 €	0,00 €
3	Analyse préliminaire	0,00 €	Début	205,00 €	0,00 €	205,00 €	0,00 €	205,00 €
4	Analyse détaillée	0,00 €	Proportion	0,00 €	0,00 €	0,00 €	0,00 €	0,00 €
5	Définition du cahier des charges	350,00 €	Début	350,00 €	0,00 €	350,00 €	0,00 €	350,00 €
6	Validation du cahier des charges	0,00 €	Proportion	0,00 €	0,00 €	0,00 €	0,00 €	0,00 €
7	⊞ **ETUDES**	**0,00 €**	**Proportion**	**15 750,00 €**	**0,00 €**	**15 750,00 €**	**0,00 €**	**15 750,00 €**
10	⊟ **FABRICATION**	**0,00 €**	**Proportion**	**4 702,00 €**	**0,00 €**	**4 702,00 €**	**0,00 €**	**4 702,00 €**
11	Maquette	1 200,00 €	Proportion	1 200,00 €	0,00 €	1 200,00 €	0,00 €	1 200,00 €
12	Intégration partie électronique	0,00 €	Proportion	3 300,00 €	0,00 €	3 300,00 €	0,00 €	3 300,00 €
13	Intégration partie mécanique	0,00 €	Proportion	202,00 €	0,00 €	202,00 €	0,00 €	202,00 €
14	⊟ **TESTS**	**0,00 €**	**Proportion**	**7 652,00 €**	**0,00 €**	**7 652,00 €**	**0,00 €**	**7 652,00 €**
15	Tests de la maquette	0,00 €	Fin	1 722,00 €	0,00 €	1 722,00 €	0,00 €	1 722,00 €

⊟ Pour chaque tâche, modifiez si besoin la méthode d'**Allocation des coûts fixes** à l'aide du champ correspondant.

Notez que la méthode ainsi choisie influe uniquement sur la méthode d'allocation des coûts fixes, c'est-à-dire ceux qui restent fixes indépendamment de la durée de la tâche ou du travail effectué par une ressource.

Corriger les coûts

⊟ S'il s'agit du coût fixe d'une tâche, revenez dans la table **Coût** et renseignez-le dans la colonne **Coût fixe**.

⊟ S'il s'agit d'un coût lié aux ressources, renseignez-le dans le **Tableau des ressources** avant de procéder au suivi du travail de la ressource.

Affecter différents taux de coûts à des ressources

⊟ Affichez les ressources.

⊟ Réalisez un double clic sur la ressource concernée par une future augmentation (ou diminution) de salaire.

⊟ Activez l'onglet **Coûts**.

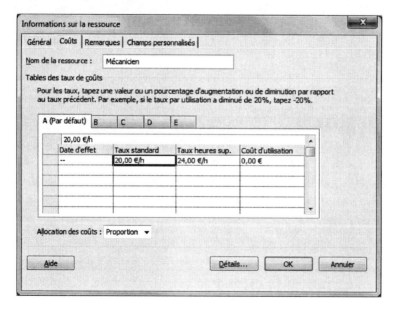

Project propose 5 tables de coût nommées A, B, C, D et E. La table A est utilisée par défaut.

⊟ Renseignez dans la table la **Date d'effet** des changements de taux.

⊟ Saisissez les nouveaux taux ou entrez les pourcentages d'augmentation (ou de diminution).

⊟ Cliquez sur le bouton **OK**.

Exploiter plusieurs tables de coûts d'une ressource Travail

Créer les tables

⊟ Réalisez un double clic sur la ressource concernée.

⊟ Activez l'onglet **Coûts**.

⊟ Choisissez l'une des **Tables des taux de coûts** à renseigner en cliquant sur son onglet : **A (Par défaut), B, C, D ou E**.

⊟ Renseignez les différents coûts de la table choisie.

⊟ Renseignez éventuellement de la même façon les autres tables de coûts en activant un autre onglet.

⊟ Cliquez sur le bouton **OK**.

✍ Pour supprimer une valeur saisie dans un des champs de la Table des taux de coûts, saisissez **0** à la place de la valeur à supprimer.

Choisir la table à utiliser

⊟ Activez l'onglet **Ressource**, ouvrez la liste de l'outil **Planificateur d'équipe** puis cliquez sur l'option **Utilisation des ressources**.

⊟ Réalisez un double clic sur l'affectation concernée par une autre table de coûts.

⊟ Dans l'onglet **Général**, ouvrez la liste **Table des taux de coûts** et sélectionnez la table à utiliser.

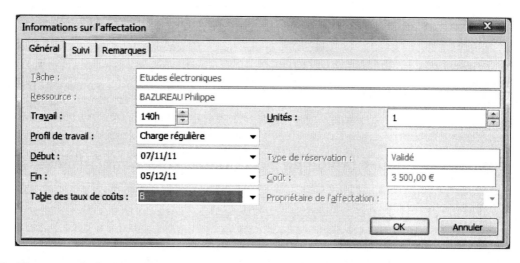

🔲 Cliquez sur le bouton **OK**.

Filtrer les tâches dont le coût excède une valeur précise

🔲 Affichez les tâches.

🔲 Ouvrez la liste **Filtrer**  de l'onglet **Affichage**, cliquez sur l'option **Autres filtres** puis sur **Coût supérieur à** avant de valider par le bouton **Appliquer**.

🔲 Saisissez la valeur de référence.

🔲 Validez ou cliquez sur le bouton **OK**.

Produire le Cash-flow

🔲 Activez l'onglet **Projet**, cliquez sur l'outil **Rapports** du groupe **Rapports**.

🔲 Réalisez un double clic sur la catégorie **Coûts** puis sur l'option **Cash-flow**.

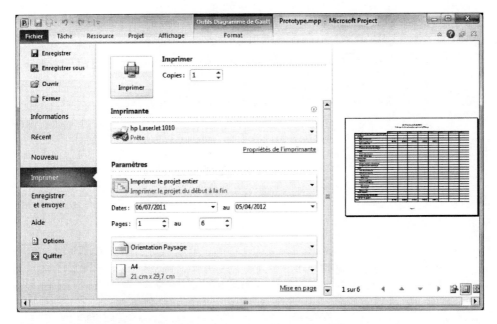

⊡ Modifiez/vérifiez les paramètres d'impression et de **Mise en page** puis cliquez sur le bouton **Imprimer** pour lancer l'impression ou cliquez sur l'onglet **Fichier** pour sortir du mode Backstage.

Cette impression vous permet d'analyser facilement :

- les coûts par tâche et par semaine.

- le total des coûts par semaine toutes tâches confondues.

- le total des coûts par tâche (= champ Coût total des tâches).

- le coût global du budget.

Connaître les dépenses issues d'une ressource

Créer un Cash-flow personnalisé

⊡ Activez l'outil **Rapports** (onglet **Projet** - groupe **Rapports**).

⊡ Réalisez un double clic sur **Personnalisé**.

⊡ Sélectionnez **Cash-flow** dans la liste.

⊡ Cliquez sur le bouton **Copier**.

⊟ Saisissez le **Nom** du nouveau rapport.

⊟ Ouvrez la liste **Ligne** et sélectionnez l'option **Ressources**.

⊟ Veillez à ce que l'option **Toutes les ressources** soit active dans la liste **Filtre**.

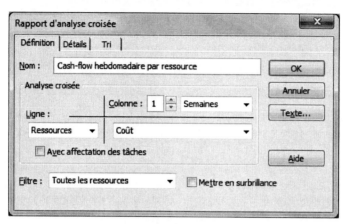

⊟ Validez ou cliquez sur le bouton **OK**.

Utiliser un Cash-flow personnalisé

⊟ Affichez, si besoin est, la boîte de dialogue **Rapports personnalisés** (onglet **Projet** - outil **Rapports** - groupe **Rapports**, double clic sur **Personnalisé**).

⊟ Sélectionnez le rapport personnalisé dans la liste **Rapports**.

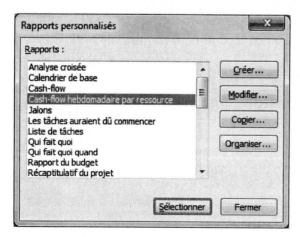

⊟ Cliquez sur le bouton **Sélectionner**.

⊟ Modifiez/vérifiez les paramètres d'impression et de **Mise en page** puis cliquez sur le bouton **Imprimer** pour lancer l'impression ou cliquez sur l'onglet **Fichier** pour sortir du mode Backstage.

Pourquoi et comment analyser la valeur acquise ?

Il est essentiel, pour un responsable de projet, d'avoir une image complète des performances globales du projet en termes de temps et de coût. Pour cela, vous pouvez utiliser la "technique de la valeur acquise". Car cette analyse permet de comparer l'avancement du projet avec ce que vous souhaitiez atteindre (il est fait référence à une planification initiale) sur un point spécifique des prévisions ou du budget et prédire les performances futures du projet.

Avant de procéder à l'analyse de la valeur acquise

⊟ Enregistrez une **planification initiale** pour que Project puisse calculer le coût budgété du travail prévu avant que du travail réel ne soit entré (**Outils - Suivi - Définir la planification initiale**) (cf. Suivi du projet - Enregistrer une planification initiale).

⊟ Mettez à jour les valeurs du **Travail réel** pour les tâches et les affectations qui sont concernées (cf. chapitre Suivi des tâches).

⊟ Définissez la **Date d'état** du projet pour que Project puisse calculer les performances du projet jusqu'à cette date (cf. Renseigner et afficher la Date d'état).

*Rappelons que la **Date d'état** est utilisée par Microsoft Project pour effectuer des calculs d'audit des coûts, identifier la date d'achèvement dans la boîte de dialogue **Mettre à jour le projet** et afficher les courbes d'avancement. Si vous ne précisez pas de date d'état (en gardant la valeur NC) Microsoft Project utilise la date du jour comme date d'état.*

Sur quelles bases Project effectue ses calculs ?

Sachez que Project fait l'analyse de l'audit des coûts à partir des valeurs clés suivantes pour calculer toutes les autres valeurs d'indicateurs de planification et de coût :

- Le coût budgété du travail prévu (champ **CBTP**) qui est calculé en additionnant toutes les valeurs de planification initiale chronologique des tâches jusqu'à la date d'état. On obtient alors la quantité de travail prévu qui doit être achevée à cette date.

- Le coût réel du travail effectué (champ **CRTE**), qui correspond au coût réel engagé pour accomplir le travail réel de toutes les tâches jusqu'à la date d'état.

- Le coût budgété du travail effectué ou valeur acquise (champ **CBTE**) ou la Valeur Acquise (champs **VA**) qui correspond au pourcentage du coût budgété qui aurait dû être dépensé pour accomplir le travail réel effectué de toutes les tâches jusqu'à la date d'état.

En comparant les séries de données CBTP et CRTE à la série de données CBTE, on obtient différents indicateurs le plus souvent désignés par leur abréviation anglaise :

CBTE - CBTP = Ecart de prévision ou **SV** (pour **S**chedule **V**ariance)

CBTE - CRTE = Ecart de coûts ou **CV** (pour **C**ost **V**ariance)

CBTE/CBTP = Indice de **P**erformance de **P**révision, ou **SPI** (pour **S**chedule **P**erformance **I**ndex)

CBTE/CRTE = Indice de **P**erformance de **C**oût, ou **CPI** (pour **C**ost **P**erformance **I**ndex).

D'une manière générale, vous disposez dans Project 2010 de trois champs différents pour saisir une mise à jour :

- **% achevé = Durée réelle / Durée**
- **% Travail achevé = Travail réel / Travail**
- **% Physique achevé** = ce champ (indépendant des deux champs précédents) peut être utilisé comme critère de calcul de la Valeur Acquise.

*Rappelons que pour avoir la possibilité de saisir vous-même le Travail réel lors de l'avancement du projet, l'option **La mise à jour de l'état des tâches met à jour l'état des ressources** doit être décochée (onglet **Fichier** - option **Options** - rubrique **Planification**).*

Modifier le critère de calcul de la Valeur Acquise

⊟ Activez l'onglet **Fichier**, cliquez sur l'option **Options** puis sur la catégorie **Options avancées**.

⊟ Ouvrez la liste déroulante associée au champ **Méthode par défaut de valeur acquise des tâches** situé dans la zone **Options de valeur acquise pour ce projet** :

⊟ Cliquez sur l'option **% achevé** ou **% physique achevé** selon votre souhait.

Coûts

Notez que la mise à jour d'un projet en fonction de l'avancement physique nécessite une double mise à jour car, contrairement à la Durée réelle et le Travail réel qui peuvent être liés ou pas, l'avancement physique est toujours indépendant.

Tables d'analyse de la Valeur Acquise

Pour analyser la Valeur Acquise des tâches ou des ressources (selon l'audit à effectuer), Project 2010 propose différentes tables :

La table **Indicateurs de planification de la valeur acquise** qui vous informe sur les performances prévues, mais pas sur les performances des coûts.

La table **Indicateurs de coût de la valeur acquise** présente des indicateurs de coût de l'audit qui peuvent vous aider à répondre à la question que tout responsable de projet est amené à se poser : "reste-t-il assez d'argent pour achever ce projet ?".

La table **Valeur acquise** qui combine les champs clés des deux tables précédentes.

Afficher les indicateurs de planification de la Valeur acquise

- Soyez en affichage Diagramme de Gantt.
- Affichez la table **Indicateurs de planification de la valeur acquise** par l'onglet **Affichage** - liste **Tables** - **Plus de tables** et confirmez avec le bouton **Appliquer**.

		Nom de la tâche	Valeur planifiée - VP (CBTP)	Valeur acquise - VA (CBTE)	VP	VP%	IPP
	0	Prototype	7 525,00 €	7 525,00 €	0,00 €	0%	1
	1	ANALYSE	350,00 €	350,00 €	0,00 €	0%	1
	7	ETUDES	7 175,00 €	7 175,00 €	0,00 €	0%	1
	8	Etudes électronique	7 000,00 €	7 000,00 €	0,00 €	0%	1
	9	Etudes mécaniques	175,00 €	175,00 €	0,00 €	0%	1

Toutes les valeurs d'audit des coûts apparaissent sous la forme d'un montant ou d'un ratio.

- Voyons de quelles informations nous disposons grâce à cette table :

  - La **Valeur planifiée - VP (CBTP)**, est le Coût Budgété du Travail Prévu jusqu'à la date d'état du projet. C'est la part du budget qui aurait dû être dépensée si l'on avait travaillé en conformité avec la planification initiale.

  CBTP = % achevé planifié x BAC

  Attention : Microsoft Project fait le calcul sur les durées écoulées et non sur les durées travaillées.

- La **Valeur acquise - VA (CBTE)** est le Coût Budgété du Travail Effectué.
CBTE = % achevé x BAC

*La **Valeur planifiée** (VP) est égale à la différence entre le coût budgété du travail effectué (CBTE) et le coût budgété du travail prévu (CBTP) soit, VP=CBTE-CBTP. Il s'agit donc de la variation de prévisions de la valeur acquise, c'est-à-dire la différence entre l'état d'avancement et la planification initiale d'une tâche, de l'ensemble des tâches affectées à une ressource ou d'une affectation jusqu'à la date d'état ou jusqu'à la date du jour.*

- La colonne **VP%** contient en pourcentage, le rapport entre la variation des prévisions par rapport au CBTP. Ce pourcentage indique si le niveau d'achèvement de la (des) tâche(s) est en avance ou en retard par rapport à la planification initiale. VP% = (VP/ CBTE) x 100.

- La colonne **IPP** contient l'Indice de Performance des Prévisions. En fait, il s'agit du CBTE divisé par le CBTP. Cet indice est un moyen courant de comparer les performances de prévision d'audit des coûts des tâches, des tâches récapitulatives ou du projet. Lorsque les deux valeurs sont égales, l'IPP est égal à 1,0.

Pour obtenir de l'aide sur un champ d'audit des coûts (ou tout champ de table dans Project), pointez l'en-tête de colonne concernée, pour activer l'info-bulle contenant des informations spécifiques.

Afficher les indicateurs de coûts de la Valeur acquise

- Soyez en affichage Tableau des tâches.

- Affichez la table **Indicateurs de coût de la valeur acquise** par l'onglet **Affichage** - liste **Tables - Plus de tables** et confirmez par le bouton **Appliquer**.

	Nom de la tâche	Valeur planifiée - VP (CBTP)	Valeur acquise - VA (CBTE)	VC	VC%	IPC	BAC	EAA	VAC	TCPI
0	⊟ **Prototype**	7 525,00 €	7 525,00 €	-50,00	-1%	0,99	29 114,00 €	29 307,45	-193,45	1
1	⊞ ANALYSE	350,00 €	350,00 €	0,00	0%	1	555,00 €	555,00 €	0,00 €	1
7	⊟ ETUDES	7 175,00 €	7 175,00 €	-50,00 €	-1%	0,99	15 750,00 €	15 859,76 €	109,76 €	1,01
8	Etudes électroniques	7 000,00 €	7 000,00 €	-50,00 €	-1%	0,99	7 000,00 €	7 050,00 €	-50,00 €	-0
9	Etudes mécaniques	175,00 €	175,00 €	0,00 €	0%	1	8 750,00 €	8 750,00 €	0,00 €	1

Coûts

- Voyons de quelles informations nous disposons grâce à cette table :

  - Comme pour la table d'indicateurs de planification (voir titre précédent), les colonnes **Valeur planifiée - VP (CBTP)** et **Valeur acquise - VA (CBTE)** apparaissent dans cette table car il s'agit de valeurs clés tant pour les indicateurs de planification que pour les indicateurs de coûts.

  - La colonne **VC** correspond à la différence entre le CBTE (**Valeur acquise - VA (CBTE)**) et le CRTE (Coût réel du travail effectué) (ce dernier n'apparaît que dans la table **Valeur acquise**), c'est-à-dire à la Variation des Coûts.

  - La colonne **VC%** contient, en pourcentage, le rapport entre la variation des coûts par rapport au CBTP. En fait, cette valeur indique, pour chaque tâche, la différence entre le coût réel et le budget.

  - La colonne **IPC** correspond à l'Indice de Performance des Coûts.

  - La colonne **BAC** contient le Budget A l'Achèvement. Il s'agit, en fait, du coût total de planification initiale d'une tâche, d'une tâche récapitulative ou du projet à la date d'achèvement de ce dernier.

  - La colonne **EAA** (Estimation A l'Achèvement) contient le coût total attendu d'une tâche en fonction des performances jusqu'à la date d'état. EAA = CRTE + (Coût planifié x - CBTE)/IPC

  - La colonne **VAC**, contient la Variation A l'Achèvement, c'est-à-dire la différence entre le budget à l'achèvement (coût planifié) et l'estimé à l'achèvement.

  - La colonne **TCPI** contient l'indice des performances à achever. Il représente le rapport entre le travail restant et le budget restant à la date d'état.

Afficher la table Valeur acquise

- Soyez dans un affichage de tâches ou de ressources selon l'audit à effectuer.

- **Affichage - Tables - Plus de tables - Valeur acquise** - bouton **Appliquer**

- La colonne **EAA** (Estimation A l'Achèvement) représente le coût total de la tâche. Si vous le souhaitez, comparez-la à la colonne "Total" du Cash-flow hebdomadaire par tâche.

- Si vous enregistrez la planification initiale du projet (outil **Définir la planification initiale** - onglet **Projet**), la colonne EAA est copiée dans la colonne **BAC** (*Budget A l'Achèvement*) qui correspond au champ **Coût planifié**. Désormais, il s'agira de la référence pour la période.

- Les champs **Valeur planifiée - VP (CBTP)**, **Valeur acquise - VA (CBTE)** et VC ont déjà été décrits dans les titres précédents.

- La colonne **CRTE** est le Coût Réel du Travail Effectué ; il représente le coût réel des tâches.
- Le champ **VS** (earned Value Schedule variance) est la variation entre l'avancement actuel et l'avancement planifié d'une tâche, en terme de coûts.
  VS = CBTE - CBTP.
- Le champ VAC est la différence entre le coût réel et le coût prévu.

Imprimer la table Valeur acquise

- Activez l'onglet **Projet,** puis cliquez sur l'outil **Rapports** du groupe **Rapports.**
- Réalisez un double clic sur **Coûts** puis sur **Valeur acquise.**
- Modifiez/vérifiez les paramètres d'impression et de **Mise en page** puis cliquez sur le bouton **Imprimer** pour lancer l'impression ou cliquez sur l'onglet **Fichier** pour sortir du mode Backstage.

Pourquoi suivre l'avancement d'un projet ?

- Le suivi de l'avancement n'est possible que si vous avez défini une planification initiale.

- Pour les projets pilotés uniquement par les tâches, le suivi est très succinct : vous ne comparez que les dates prévues et les dates réalisées ainsi que les différences de durées.

- Avec des projets plus sophistiqués, le suivi peut être très détaillé : comparaison des heures travaillées, des coûts...

- Faire un suivi permet de repérer les variations, d'intervenir avant que les problèmes ne deviennent critiques et d'augmenter sa base de connaissances personnelles.

Déplacer le projet

Lors d'un déplacement du projet dans le temps (à partir par exemple d'une modification du jalon de début de projet), les versions antérieures à Project 2010 ne modifiaient pas les éventuelles contraintes contenues dans certaines tâches, cela demandait au planificateur d'effectuer de nombreuses manipulations pour y remédier. Désormais Project 2010 permet facilement de décaler toutes les dates du projet ainsi que les dates de contraintes si besoin.

- Activez l'onglet **Projet** puis cliquez sur l'outil 🔲 **Déplacer le projet** du groupe **Planifier**.

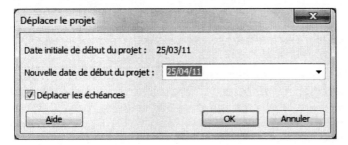

- Saisissez ou sélectionnez dans la liste déroulante correspondante la **Nouvelle date de début du projet**.

- Cochez l'option **Déplacer les échéances** si Project doit également décaler les tâches à contraintes.

⊟ Cliquez sur le bouton **OK** pour valider.

Enregistrer une planification initiale

Lorsque les prévisions ont été clairement établies et avant que le projet ne rentre en phase d'exécution, c'est-à-dire avant d'avoir saisi des valeurs réelles (ex : pourcentage d'achèvement) il est important de définir une planification initiale qui vous permettra d'établir des comparaisons lors du suivi du projet entre les prévisions et les réalisations.

Sachez qu'il vous sera bien sûr, toujours possible, d'ajouter des tâches, des ressources ou des affectations au projet une fois que le travail aura débuté.

Au cours de cet enregistrement, Microsoft Project va procéder à la recopie de nombreuses informations parmi lesquelles :

Origine	Destination de la copie
Durée	Durée planifiée
Début	Début planifié
Fin	Fin planifié

Sachez également que la planification initiale contient des informations sur :

les champs de tâches	*dates de début et de fin, durée, travail, coût, travail chronologique et coût chronologique.*
les champs de ressources	*travail, coût, travail chronologique et coût chronologique.*
les champs d'affectations	*dates de début et de fin, travail, coût, travail chronologique et coût chronologique.*

Les champs chronologiques contiennent des informations relatives aux tâches, aux affectations ou aux ressources, ces informations sont réparties dans le temps. Par exemple, vous pouvez consulter une tâche qui a une semaine de travail prévu au niveau de la journée, de la semaine ou de l'heure et voir les valeurs de planification spécifiques par incrément de temps.

Sans planification initiale, Microsoft Project n'accepte aucun suivi.

Suivi du projet

Microsoft Project permet l'enregistrement de 11 planifications initiales pour un seul et même plan de projet. La première s'appelle Planification initiale, et les suivantes, Planification initiale 1 à 10. Cette fonctionnalité vous permet de comparer plusieurs jeux de valeurs de planification initiale pour les projets qui ont des phases de planification très longues. Vous pourriez alors, par exemple, enregistrer une planification initiale par mois et ainsi les comparer entre elles.

◱ Pour créer une planification initiale, activez l'onglet **Projet**, ouvrez la liste associée

à l'outil 🗒 Définir la planification initiale ▾ du groupe **Planifier**, puis cliquez sur l'option **Définir la planification initiale**.

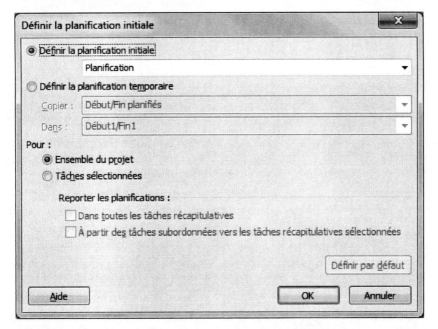

◱ Maintenez les options **Définir la planification initiale** et **Ensemble du projet** actives puis cliquez sur le bouton **OK** pour enregistrer la planification initiale.

Pour enregistrer une nouvelle planification, procédez comme pour la première.

◱ Pour distinguer les durées prévues des durées planifiées des tâches, vous pouvez activer l'affichage **Suivi Gantt**. Pour cela, vous pouvez activer l'onglet **Affichage** ou **Tâche**, ouvrir la liste associée à l'outil **Diagramme de Gantt** puis cliquer sur l'option **Suivi Gantt**.

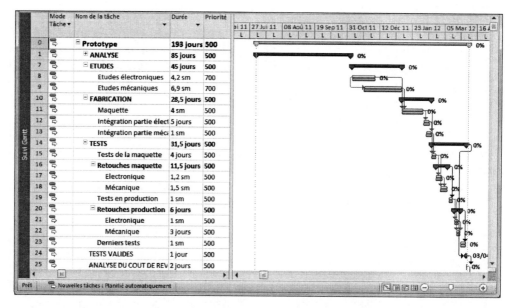

Par défaut, Project associe la table **Entrée** à l'affichage **Suivi Gantt**, mais ce n'est pas la table la plus pratique ni complète pour travailler sur les planifications, il est bien sûr possible d'en changer. (cf. Choisir la table du Suivi Gantt).

Dans le Diagramme de Gantt, chaque barre rouge représente la durée prévue de la tâche correspondante, et les barres grises représentent la durée planifiée par tâche.

Rappelons que la planification initiale consiste à copier le contenu des champs **Durée, Début et Fin,** *ainsi que les champs* **Travail** *et* **Coût** *dans les champs* **Durée planifiée, Début planifié, Fin planifié, Travail planifié** *et* **Coût planifié.** *Il est donc logique qu'à ce stade les barres de planification et les barres de prévisions sont identiques.*

◻ Pour visualiser une autre des planifications initiales, activez l'onglet **Outils Diagramme de Gantt - Format,** puis cliquez sur l'outil **Planification initiale** du groupe **Styles des barres.**

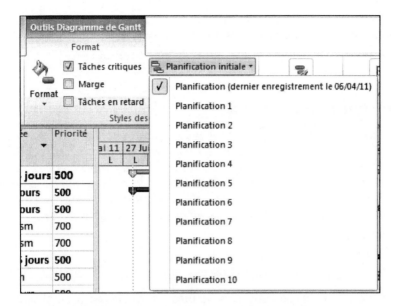

Les 11 références de planifications s'affichent suivies de leur date d'enregistrement (les planifications sans date n'ont donc pas encore été enregistrées).

⊟ Cliquez sur la **Planification x** souhaitée.

✑ Les planifications initiales enregistrent davantage de valeurs que les planifications temporaires.

Choisir la table du Suivi Gantt

*Rappelons que par défaut Project associe la table **Entrée** à l'affichage **Suivi Gantt**, mais vous pouvez aussi utiliser d'autres tables qui peuvent s'avérer plus pratiques.*

⊟ Activez, si ce n'est déjà fait, l'affichage **Suivi Gantt**. Pour cela, vous pouvez activer l'onglet **Affichage** ou **Tâche**, ouvrir la liste associée à l'outil **Diagramme de Gantt** puis cliquer sur l'option **Suivi Gantt**.

⊟ Activez l'onglet **Affichage**, cliquez sur l'outil du groupe **Données**, puis sur l'option **Plus de tables**.

⊟ Dans la fenêtre **Plus de tables**, faites un double clic sur la table nommée :

- **Planification** : pour afficher les champs de données planifiées (champs **Durée planifiée, Début planifié, Fin planifiée, Travail planifié**...).

- **Variation** : pour mettre en évidence, comme son nom l'indique, les variations de temps entre les dates de **Début** et **Fin** et les dates planifiées.
- **Suivi** : pour afficher également les données réelles (champs **Début réel**, **Fin réelle**, **Durée réelle...**).

Renseigner et afficher la Date d'état

Project 2010 utilise la date d'état pour calculer les totaux d'audit des coûts, pour inclure un rapport d'avancement non chronologique (comme le pourcentage achevé) ou bien pour afficher l'avancement du projet avec des courbes d'avancement. Si vous ne renseignez pas cette date, Project 2010 effectue ses calculs en fonction de la date du jour. La date d'état peut aussi vous permettre de déterminer où placer le travail réel et restant dans la planification lors de l'entrée du rapport d'avancement.

La **Date d'état** *est affichée dans l'onglet* **Projet** *- groupe* **Etat** :

Date d'état :
07/04/11

⊡ Vous pouvez aussi la visualiser directement dans le Diagramme de Gantt en affichant la ligne de date correspondante. Pour cela, activez l'onglet **Outils Diagramme de**

Gantt - Format, ouvrez la liste associée à l'outil du groupe **Format**, puis cliquez sur l'option **Quadrillage** pour ouvrir la boîte de dialogue de même nom.

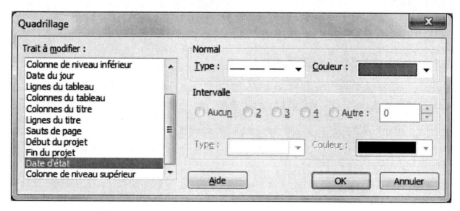

Cliquez sur **Date d'état** dans la liste **Trait à modifier**.

Choisissez ensuite un **Type** de trait et une **Couleur** faciles à identifier, puis validez par le bouton **OK**.

Suivi du projet

⊟ Pour modifier/vérifier la **Date d'état**, activez l'onglet **Projet** puis cliquez sur l'outil

 du groupe **Propriétés**.

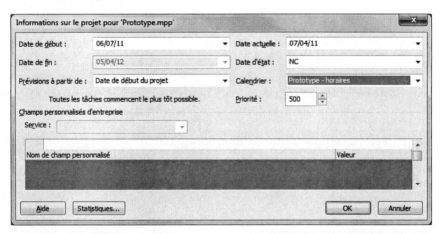

Dans le champ **Date d'état**, modifiez si besoin, la date à laquelle vous allez faire la mise à jour de votre projet.

*Notez que par défaut, l'heure de la **Date d'état** est définie par Project en fin de journée.*

Cliquez sur le bouton **OK** pour valider.

✎ Pour modifier la **Date d'état** vous pouvez aussi cliquer sur l'outil correspondant

Date d'état :
▦ 07/04/11 situé dans l'onglet **Projet** - groupe **Etat**, puis utilisez la liste **Sélectionner une date** pour définir une nouvelle **Date d'état**.

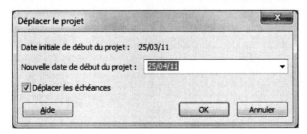

Renseigner la date d'avancement du projet

⊟ Sauf intervention expresse de votre part, la date d'avancement proposée est la date du jour de votre ordinateur. Si cela ne reflète pas la réalité, cliquez sur l'outil

(onglet **Project** - groupe **Propriétés**).

⊟ Accédez à la zone **Date actuelle** puis tapez ou sélectionnez la date de l'avancement.

Sachez que par défaut, dans le cas d'une sélection de date, Project considère qu'il s'agit du début de la journée et propose donc l'heure de début définie dans le calendrier. Pour choisir une heure différente, vous devez la saisir.

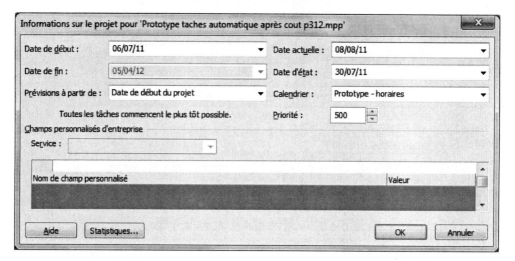

⊟ Validez ou cliquez sur le bouton **OK**.

La date actuelle (automatique ou saisie manuellement) apparaît dans le Planning du Gantt sous la forme d'une ligne pointillée. Les tâches situées sur sa gauche devraient être terminées (c'est le passé), celles traversées par la date du jour devraient être en cours (c'est le présent) et celles sur sa droite ne devraient pas être commencées (c'est le futur).

✍ Renseigner manuellement la date du jour par la technique évoquée, est une manipulation ponctuelle. Si le fichier est fermé puis ouvert de nouveau, Project reprend la date de votre ordinateur !

Enregistrer une planification temporaire

Cette manipulation se fait en cours de réalisation d'un projet et lorsqu'une planification initiale a été enregistrée. Project permet l'enregistrement de 10 planifications temporaires par projet. Elles permettent ainsi de comparer les changements survenus au niveau des dates prévues pour les tâches. Mais sachez que la comparaison des données d'une planification initiale avec celles d'une planification temporaire ne vous permet de suivre que les dates de début et de fin et non le travail et les coûts.

⊟ Activez l'onglet **Projet**, ouvrez la liste **Définir la planification initiale** puis cliquez sur l'option **Définir la planification initiale**.

⊟ Activez l'option **Définir la planification temporaire**.

⊟ Ouvrez la liste déroulante **Copier** puis choisissez le nom de la planification initiale ou de la planification temporaire contenant les valeurs de début et de fin ou les valeurs de début et de fin planifiées à enregistrer.

⊟ Ouvrez la liste déroulante **Dans** puis choisissez le nom de la planification temporaire dans laquelle les valeurs doivent être copiées.

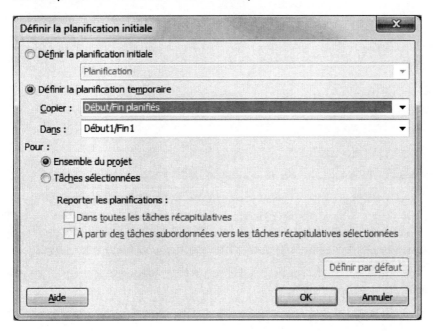

⊟ Activez l'option **Ensemble du projet** ou **Tâches sélectionnées** selon votre choix.

⊟ Cliquez sur le bouton **OK**.

✎ Les planifications temporaires enregistrent moins de valeurs que les planifications initiales.

Effacer une planification (initiale ou temporaire)

⊟ Activez l'onglet **Projet**, ouvrez la liste **Définir la planification initiale** puis cliquez sur l'option **Effacer la planification**.

⊟ Selon que vous souhaitez effacer une planification **initiale** ou **intermédiaire** (temporaire), activez l'option correspondante.

⊟ Ouvrez alors la liste associée à l'option activée, puis sélectionnez la planification à effacer.

⊟ Activez ensuite l'option **Projet entier** ou **Tâches sélectionnées** pour effacer la partie des prévisions souhaitée.

⊟ Cliquez sur le bouton **OK** pour valider.

Faire apparaître des courbes d'avancement

Pour une date d'avancement donnée, Microsoft Project peut dessiner dans le Diagramme de Gantt une courbe d'avancement reliant les tâches en cours de réalisation mettant en évidence l'ensemble des tâches qui sont en retard par rapport à la date d'état du projet (qui est la date d'avancement) ou la date du jour.

⊟ Dans le Diagramme de Gantt, faites un clic droit puis cliquez sur l'option **Courbes d'avancement** du menu contextuel.

*Vous pouvez aussi cliquer sur l'option **Courbes d'avancement** située dans la liste*

⊞ Quadrillage ▾ *de l'onglet Outils Diagramme de Gantt - Format - groupe Format.*

Suivi du projet

⊡ Pour afficher la **Courbe d'avancement actuelle**, cochez l'option **Afficher**, et activez soit l'option **A la date d'état du projet**, soit l'option **A la date actuelle**.

⊡ Pour afficher des courbes d'avancement à **Intervalles répétés**, activez l'option **Afficher les courbes d'avancement** et renseignez la fréquence des intervalles.

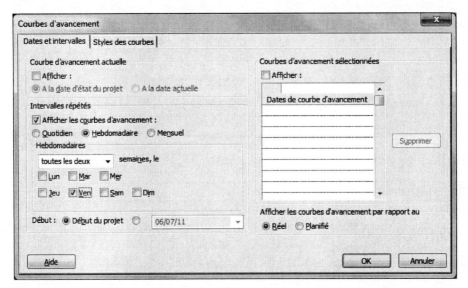

L'onglet Styles des courbes permet d'intervenir sur l'aspect des courbes d'avancement.

⊡ Pour afficher des courbes d'avancement à des dates précises, activez l'option **Afficher** de la zone **Courbes d'avancement sélectionnées** et précisez les dates désirées dans la colonne **Dates de courbe d'avancement**.

⊡ Choisissez d'**Afficher les courbes d'avancement par rapport au Réel** ou au **Planifié**.

⊡ Validez ou cliquez sur le bouton **OK**.

Les pics qui pointent vers la gauche représentent les travaux en retard et les pics pointant vers la droite les travaux en avance sur les prévisions.

☝ Les travaux effectués d'une tâche sont "en avance" lorsque la date de Début de la tâche est antérieure à celle définie à l'origine.

Découvrir les outils du Suivi des tâches

Contrairement aux versions précédentes, Project 2010 intègre les outils de Suivi dans le Ruban. Il n'est donc plus nécessaire d'afficher une barre d'outils spécifiques.

Les outils se trouvent dans :
Onglet **Tâche** - groupe **Planifier**

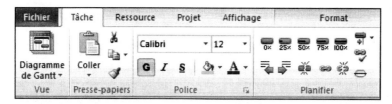

Onglet **Projet** - groupe **Planifier** et groupe **Etat**

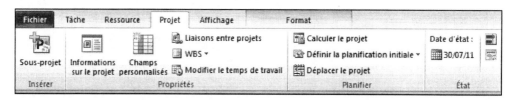

Effectuer le suivi des tâches à l'aide des outils de Suivi

⊡ Sélectionnez la ou les tâches concernées par la mise à jour du suivi.

⊡ Pour indiquer seulement un pourcentage d'avancement, cliquez sur l'un des cinq outils pourcentage de l'onglet **Tâche** - groupe **Planifier.**

⊡ Pour renseigner vous-même l'état d'avancement de la tâche sélectionnée grâce à la boîte de dialogue **Mettre à jour les tâches**, ouvrez la liste associée à l'outil **Marquer sur le suivi** puis cliquez sur l'option **Mettre à jour les tâches**.

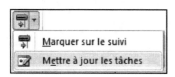

Mettre à jour l'avancement des tâches par un calcul automatique

⊡ Modifiez si nécessaire la **Date d'état** (cf. Renseigner et afficher la date d'état).

> Date d'état :
> ▦ 07/04/11

⊡ Cliquez sur l'outil **Mettre à jour le projet** (onglet **Projet** - groupe **Etat**).

Par défaut, les options activées de cette boîte de dialogue permettent de calculer le pourcentage réalisé de toutes les tâches à la date affichée à droite de l'option choisie (activée).

⊡ Conservez active l'option **Mettre à jour le travail comme étant achevé jusqu'au**.

⊡ Au besoin, précisez la **Date d'état** dans la zone de saisie qui suit.

⊡ Choisissez l'une des deux solutions suivantes :

Définir 0% - 100% achevé   Project calcule les pourcentages réels d'avancement.

Définir 0% ou 100% achevé seulement   Project attribue 100% aux tâches terminées à la date citée précédemment, par contre la valeur du pourcentage d'achèvement des tâches qui ne seront pas terminées à cette date n'est pas modifiée.

⊡ Au besoin, indiquez qui est concerné par la mise à jour : l'**Ensemble du projet** ou les **Tâches sélectionnées**.

*Si vous choisissez l'**Ensemble du projet**, sachez que les tâches postérieures à la date de mise à jour indiquée, ne seront pas prises en compte.*

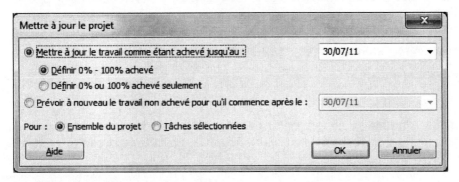

⊡ Cliquez sur le bouton **OK** pour valider.

Dans les barres du planning du Gantt s'affichent des lignes noires qui symbolisent les pourcentages d'avancement.

Mettre à jour manuellement l'avancement des tâches

⊟ Sélectionnez la tâche concernée.

⊟ Onglet **Tâche** - Liste **Marquer sur le suivi** 🔲▾ - option **Mettre à jour les tâches**

Cette boîte de dialogue permet de mettre à jour tout ce qui concerne le suivi des tâches.

Pour les tâches terminées

⊟ Si tout s'est déroulé conformément aux prévisions, tapez 100 dans la zone **% achevé** ou 0 en tant que **Durée restante**.

⊟ Si la tâche a duré plus longtemps que prévu, renseignez sa **Durée réelle**. La tâche sera alors considérée comme terminée si la durée réelle est supérieure ou égale à la durée planifiée.

⊟ Une tâche est également considérée comme terminée si vous renseignez son début réel et sa fin réelle ou seulement sa fin réelle.

⊟ Validez ou cliquez sur le bouton **OK**.

Pour les tâches non terminées

⊟ Pour indiquer qu'une tâche est non terminée, précisez un **% achevé** compris entre 0 et 100 %, une **Durée restante** supérieure à zéro ou une **Durée réelle** inférieure à la durée planifiée.

En ne renseignant qu'un seul de ces champs, Project calcule toutes les autres données par rapport à la planification initiale. Si cela n'est pas en conformité avec la réalité, utilisez plusieurs champs. Attention, lors des calculs, Project ne prend pas en compte la date du jour !

Suivi des tâches

Afin de mieux comprendre ces remarques, consultez les exemples suivants, pour une tâche planifiée sur une durée de 5 jours :

A - Au bout de 2,5 jours, tout est conforme à la planification :

Saisies	Calculs réalisés par Project
% achevé : 50	durée réelle 2,5j durée restante 2,5j
Durée réelle : 2,5j	% achevé : 50 durée restante : 2,5j
Durée restante : 2,5j	% achevé : 50 durée réelle : 2,5j

B - Au bout de 3 jours, on n'a réalisé que 50% du travail :

Saisies	Calculs réalisés par Project
% achevé : 50	durée réelle : 2,5j durée restante : 2,5j
Durée réelle : 3j	% achevé : 60 durée restante : 2j

Pour être conforme à la réalité, il faut saisir **% achevé : 50** et **durée réelle : 3j**.

Project comprend alors que la durée de la tâche sera plus longue, il va baser ses calculs sur une durée de 6 jours et, donc, mettre 3 jours en durée restante.

C - Au bout de 3 jours, on s'aperçoit qu'il reste encore 4 jours de travail :

Saisies	Calculs réalisés par Project
Durée réelle : 3j	% achevé : 60 durée restante : 2j
Durée restante : 4j	% achevé : 20% durée réelle : 1j

Pour se conformer à la réalité, il faut renseigner **Durée réelle 3j** et **Durée restante 4j**. En ce cas, Project passe la durée de cette tâche à 7 jours et calcule 43% en % achevé.

Validez.

Notez qu'en cas de saisie de date de **Fin** du cadre **Réel** d'un jalon, vous devez saisir également l'heure, sinon Project calcule la durée réelle d'une journée et transforme alors le jalon en tâche normale.

Mettre à jour l'avancement des tâches dans les colonnes du Suivi Gantt

- Utilisez la table **Suivi** dans l'affichage **Suivi Gantt** (cf. Choisir la table du Suivi Gantt).

- Renseignez, si besoin est, une nouvelle **Date d'état** (cf. Renseigner et afficher la Date d'état).

- Pour les projets pour lesquels les tâches sont nombreuses, il peut être intéressant d'**Appliquer un filtre** ou **un groupe** afin d'en limiter l'affichage. Pour cela, utilisez les listes déroulantes correspondantes situées dans l'onglet **Affichage**.

  Selon l'état d'avancement de la tâche, il existe différentes méthodes de mise à jour.

- Vous pouvez par exemple, saisir dans la colonne **% achevé** le pourcentage d'achèvement de la tâche sélectionnée. Vous pouvez aussi définir le pourcentage de travail achevé en cliquant sur l'un des boutons "pourcentage" de l'onglet **Tâche** - groupe **Planifier**.

  Microsoft Project trace alors une barre d'avancement sur la barre de Gantt, proportionnelle au travail réalisé.

  *Utilisez, si besoin est, l'outil **Atteindre la tâche** (onglet **Tâche** - groupe **Modification**) afin de visualiser la barre de Gantt de la tâche sélectionnée.*

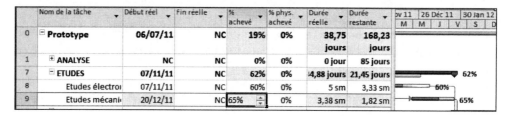

- Vous pouvez aussi renseigner les champs **Début réel, Durée réelle...** pour que Project recalcule les autres valeurs.

  Le diagramme Suivi Gantt met en valeur la partie réalisée de la tâche et non la partie restante.

Commenter un suivi réalisé

- Sélectionnez la tâche pour laquelle vous souhaitez commenter le suivi.

- Onglet **Tâche** - liste **Marquer sur le suivi** - option **Mettre à jour les tâches**.

⊡ Cliquez sur le bouton **Remarques**.

⊡ Saisissez et mettez en forme la remarque.

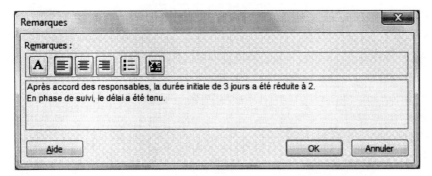

⊡ Cliquez sur le bouton **OK** à deux reprises.

Prévoir le glissement de tâches non achevées

⊡ Modifiez, si nécessaire, la Date d'état.

⊡ Sélectionnez, si nécessaire, les tâches concernées.

⊡ Activez l'onglet **Projet** puis cliquez sur l'outil **Mettre à jour le projet** .

⊡ Activez l'option **Prévoir à nouveau le travail non achevé pour qu'il commence après le**.

⊡ Vérifiez la date d'état dans la zone adjacente.

⊡ Précisez **Pour** quelles tâches ce glissement doit s'effectuer.

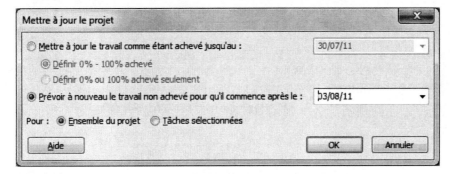

⊡ Confirmez en cliquant sur le bouton **OK**.

Constater les écarts entre réalisations et prévisions

Par défaut, le Gantt affiche les indicateurs d'avancement mais, il ne permet pas de comparer les écarts entre les réalisations et les prévisions.

Constater les écarts par le Suivi Gantt

- Onglet **Tâche** ou **Affichage** - liste associée à l'outil **Diagramme de Gantt** - option **Suivi Gantt**

- Au besoin, utilisez **Affichage - Zoom - Ensemble du projet - OK**.

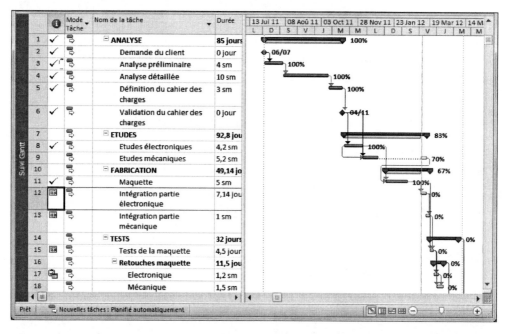

*La partie grise des barres du planning du Gantt correspond à ce qui est planifié. La partie bleue (ou rouge pour les tâches critiques) correspond à la réalité. Les % d'achèvement sont affichés. Dans la partie **Table**, les tâches terminées sont précédées de l'indicateur ✓ (en affichage de la table **Entrée**).*

Constater les écarts par la table Variation

⊟ Onglet **Affichage** - liste **Tables** - option **Variation**

Variation de début	Variation de fin
0 jour	**0 jour**
0 jour	**0 jour**
0 jour	0 jour
0 jour	0 jour
0 jour	0 jour
4 jours	146 jours
0 jour	0 jour
0 jour	**-1,2 jours**
0 jour	0 jour
0 jour	0 jour
0 jour	**0 jour**
0 jour	0 jour
0 jour	0 jour
-1,86 jours	-3,86 jours
0 jour	**0 jour**
0 jour	0 jour

*Project y affiche en dernière position les colonnes **Variation de début** et **Variation de fin**. Les variations sont reportées d'une tâche à l'autre en fonction de l'ordonnancement des tâches !*

Constater les écarts par une table personnalisée

⊟ Onglet **Tâche** - liste **Tables** - option **Plus de tables**

⊟ Pour concevoir cette table, cliquez sur le bouton **Créer**.

⊟ Renseignez la boîte de dialogue **Définition d'une table**.

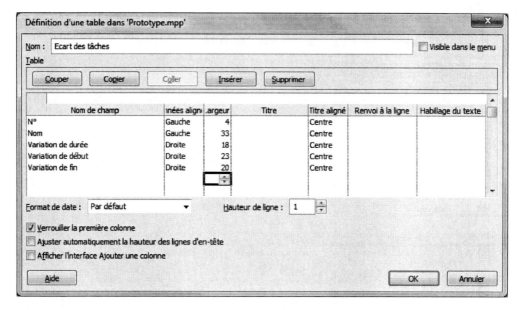

⊡ Cliquez sur le bouton **OK** puis sur le bouton **Appliquer**.

⊡ Utilisez alors cette table comme toutes les autres.

✍ L'étude de la variation des tâches (et des ressources) dans le temps sur toute la durée d'un projet est bien entendu essentielle pour un responsable de projet, mais notez bien que cela ne donne pas un bilan complet d'un bon avancement d'un projet à long terme. Pour obtenir une image plus complète des performances globales d'un projet en termes de temps et de coût, on utilisera une méthode d'analyse de l'audit des coûts (cf. chapitre Coûts - Pourquoi et comment analyser l'audit de coûts ?)

Examiner les tâches terminées en affichant un rapport spécifique

⊡ Onglet **Projet** - outil **Rapports** - groupe **Rapports**

⊡ Réalisez un double clic sur **Activités en cours** puis sur **Tâches achevées**.

⊡ Vérifier et/ou modifiez les paramètres d'impression puis choisissez alors d'**Imprimer** ou bien cliquez sur l'onglet **Fichier** pour quitter le mode Backstage sans lancer l'impression.

Ce rapport présente en lignes un bilan mensuel.

Afficher la liste des tâches en cours

⊡ Activez l'onglet **Affichage**.

⊡ Ouvrez la liste **Filtrer** [▼ [Aucun filtre] ▼] du groupe **Données**.

⊡ Cliquez sur l'option **Autres filtres** puis faites un double clic sur **Tâches en cours de réalisation**.

Imprimer la liste des tâches en cours

⊡ Onglet **Projet** - outil **Rapports** du groupe **Rapports**.

⊡ Réalisez un double clic sur **Activités en cours** puis sur **Tâches en cours de réalisation**.

⊡ Vérifier et/ou modifiez les paramètres d'impression puis choisissez alors d'**Imprimer** ou bien cliquez sur l'onglet **Fichier** pour quitter le mode Backstage sans lancer l'impression.

✎ Pour Project, les tâches en cours de réalisation sont celles qui ont un pourcentage achevé différent de zéro et de 100.

Filtrer les tâches en glissement

⊡ Ouvrez la liste **Filtrer** [▼ [Aucun filtre] ▼] de l'onglet **Affichage** (groupe **Données**).

⊡ Cliquez sur **Autres filtres** puis faites un double clic sur l'option **Tâches en glissement**.

Saisir les charges du travail réalisé sur les tâches

⊡ Activez l'affichage Diagramme de Gantt.

⊡ Ajoutez la colonne **Travail**, pour cela, cliquez sur l'en-tête **Ajouter une nouvelle colonne** situé à l'extrémité droite de la table puis sélectionnez l'option **Travail**.

⊡ Déplacez si besoin la colonne **Travail** ainsi insérée à l'aide d'un cliqué-glissé à partir de son en-tête.

#		Mode Tâche	Nom de la tâche	Durée	Travail
12			Intégration partie électronique	7,14 jours	150 hr
13			Intégration partie mécanique	1 sm	0 hr
14			⊟ **TESTS**	**32 jours**	**294 hr**
15			Tests de la maquette	4,5 jours	84 hr
16			⊟ **Retouches maquette**	**11,5 jours**	**105 hr**
17			Electronique	1,2 sm	105 hr
18			Mécanique	1,5 sm	0 hr
19			Tests en production	1 sm	0 hr
20			⊟ **Retouches production**	**6 jours**	**105 hr**
21			Electronique	1 sm	105 hr
22			Mécanique	3 jours	0 hr
23			Derniers tests	1 sm	0 hr

Dans cet exemple, nous avons inséré la colonne Travail dans la table Entrée du Diagramme de Gantt, puis déplacé vers la gauche pour une meilleure visualisation.

⊡ Dans la colonne **Travail**, saisissez vos charges de travail.

Imprimer les charges de travail pesant sur les tâches

Imprimer le rapport standard

⊡ Onglet **Projet** - outil **Rapports** du groupe **Rapports**.

⊡ Réalisez un double clic sur la catégorie **Charge de travail** puis sur **Utilisation des tâches**.

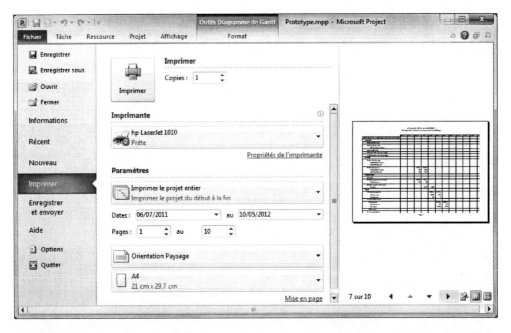

Par défaut, ce rapport est établi par semaine. Le nombre total de pages à imprimer est indiqué sur la barre d'état.

⊡ Vérifier et/ou modifiez les paramètres d'impression puis choisissez alors d'**Imprimer** ou bien cliquez sur l'onglet **Fichier** pour quitter le mode Backstage sans lancer l'impression.

Personnaliser le rapport "Utilisation des tâches"

⊡ Onglet **Projet** - outil **Rapports** du groupe **Rapports**.

⊡ Réalisez un double clic sur **Personnalisé**.

⊡ Sélectionnez le rapport à personnaliser appelé **Utilisation des tâches**.

⊡ Cliquez sur le bouton **Modifier**.

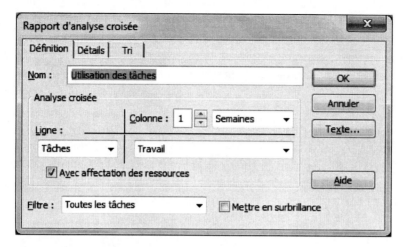

⊟ Réalisez vos personnalisations.

⊟ Validez ou cliquez sur le bouton **OK**.

⊟ Vérifier et/ou modifiez les paramètres d'impression puis choisissez alors d'**Imprimer** ou bien cliquez sur l'onglet **Fichier** pour quitter le mode Backstage sans lancer l'impression.

Suivre le travail de chaque ressource affectée sur des tâches terminées

🖅 Affichez simultanément l'**Utilisation des tâches** et la fiche **Travail de la ressource**.

🖅 Sélectionnez le nom de la tâche concernée.

🖅 À l'aide d'un clic droit sur la grille chronologique de l'affichage **Utilisation des tâches**, affichez le champ **Travail réel**.

Élargissez, si nécessaire, la colonne Détails par un cliqué-glissé.

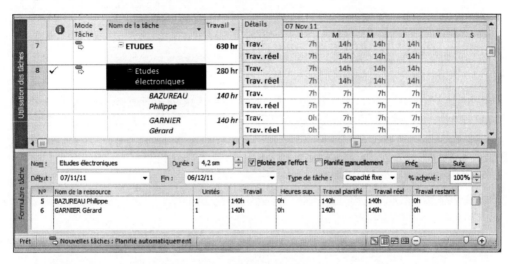

🖅 Si le **Travail réel** est supérieur au **Travail planifié** alors que la durée écoulée de la tâche n'a pas été altérée, indiquez les moyens mis en œuvre :

- si vous avez eu recours à des heures supplémentaires, renseignez les champs **Travail** et **Heures sup.** dans la fiche **Travail de la ressource**.

- si la ressource a travaillé plus sans recourir à des heures supplémentaires, heures qui ont un coût, renseignez les horaires réels réalisés dans la partie droite de la table **Utilisation** de la ressource concernée.

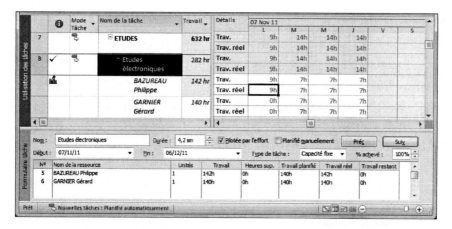

Dans cet exemple, notez que la **Durée** et les dates de **Début** et de **Fin** n'ont pas changé. Par contre, la valeur du **Travail** prévu pour la ressource et la valeur du **Travail** total de la tâche ont été mises à jour.

Suivre le travail de chaque ressource affectée sur des tâches en cours

⊟ Affichez simultanément la table **Travail** dans le **Diagramme de Gantt** et la fiche **Travail** de la ressource.

⊟ Lors du premier suivi, renseignez dans la fiche le **Travail réel** réalisé par chaque ressource puis validez par le bouton **OK**.

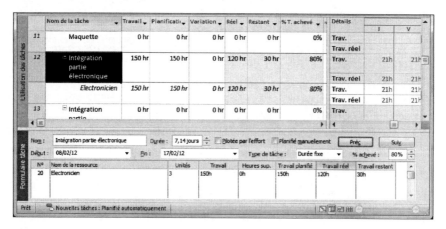

*Dans l'exemple précédent, le champ **% T. achevé** de la table et le champ **% achevé** de la fiche affichent une valeur de 80%.*

Un problème se pose dès le second suivi.

Souvent, les ressources communiquent le travail qu'elles ont réalisé depuis le dernier suivi. Par exemple, elles disent : "Cette semaine nous avons travaillé tant d'heures sur cette tâche". A priori, la solution consiste à cumuler ce travail réel à l'ancien.

L'ennui réside justement dans cette solution. Car, si vous indiquez un nouveau pourcentage d'avancement de la tâche, Project applique immédiatement son propre calcul de travail réel. Comment, dans ces conditions, retrouver le véritable travail réel précédent ?

Pour régler le problème posé par les suivis successifs du travail réalisé, vous devez :

- dissocier la mise à jour des tâches de la mise à jour des ressources.

- mettre à jour le travail réel sur une base quotidienne.

Mettre à jour le travail sur une base quotidienne

🖅 Affichez l'utilisation des ressources.

🖅 Assurez-vous que vous êtes bien en affichage de la table **Travail** (onglet **Affichage** - liste **Tables** 📑 Tables ▾ - **Travail**).

🖅 À l'aide d'un clic droit sur la grille chronologique de l'affichage **Utilisation des ressources**, affichez le champ **Travail réel**.

🖅 Élargissez, si nécessaire, la colonne **Détails** de la grille chronologique.

🖅 Renseignez les heures travaillées dans la partie calendrier de cet affichage, dans la ou les cellules **Travail réel**.

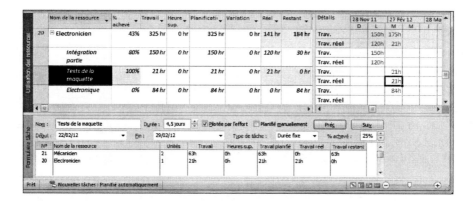

Dissocier la mise à jour des tâches/des ressources

⊟ Activez l'onglet **Fichier** puis cliquez sur **Options**.

⊟ Activez la catégorie **Planification**.

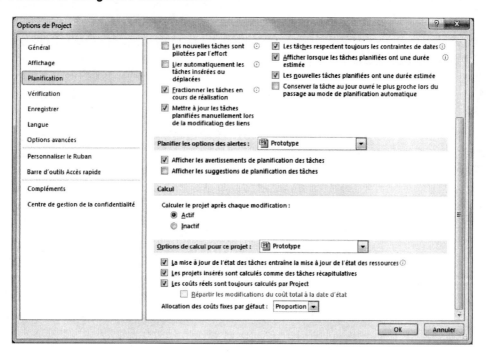

Suivi des ressources

- Décochez l'option **La mise à jour de l'état des tâches entraîne la mise à jour de l'état des ressources** située dans les **Options de calcul pour ce projet**.
- Validez ou cliquez sur le bouton **OK**.

Afficher le pourcentage du travail achevé dans le Suivi Gantt

- Soyez en affichage du **Suivi Gantt** (onglet **Affichage** - liste **Diagramme de Gantt** - option **Suivi Gantt**).
- Onglet **Outils Diagramme de Gantt** - **Format** - liste **Format** du groupe **Styles des barres** - option **Barres et Styles**.
- Dans la colonne **Nom**, cliquez sur la ligne **Critique**.
- Activez l'onglet **Texte**.
- Cliquez dans la cellule vide située à droite de **Gauche**, ouvrez la liste et sélectionnez le champ **% Travail achevé**.

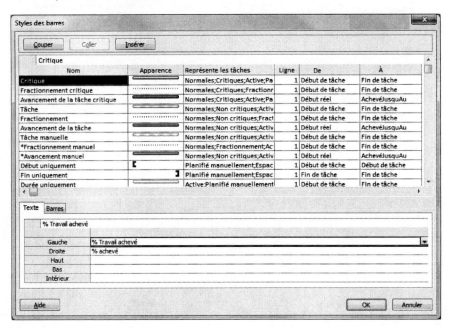

- Procédez de la même façon pour personnaliser les barres des tâches non critiques.
- Cliquez sur le bouton **OK**.

Désactiver le calcul automatique des coûts réels de Project 2010

⊟ Activez l'onglet **Fichier** puis cliquez sur **Options**.

⊟ Activez la catégorie **Planification**.

⊟ Décochez l'option **Les coûts réels sont toujours calculés par Project** située dans les **Options de calcul pour ce projet**.

⊟ Cochez l'option **Répartir les modifications du coût total à la date d'état** ou décochez-la pour répartir les modifications de coûts à la fin de la durée réelle de la tâche.

⊟ Validez ou cliquez sur le bouton **OK**.

Renseigner les coûts réels

⊟ Affichez les tâches.

⊟ Onglet **Affichage** - liste **Tables** - option **Coût**.

⊟ Renseignez les coûts dans la colonne **Réel**.

Utiliser les filtres liés au budget

Afficher les coûts dépassant le budget

⊟ Ouvrez la liste **Filtrer** [Aucun filtre] de l'onglet **Affichage** (groupe **Données**), cliquez sur l'option **Autres filtres** puis faites un double clic sur **Coût dépassant le budget**.

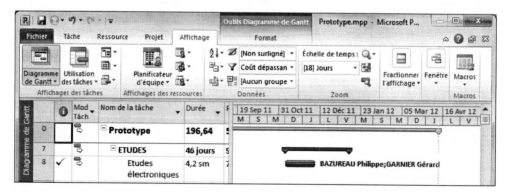

Afficher le travail dépassant le budget

⊟ Appliquez le filtre **Travail dépassant le budget** (onglet **Affichage** - groupe **Données** - liste **Filtrer** ▽ [Aucun filtre] ▾ - **Autres filtres**).

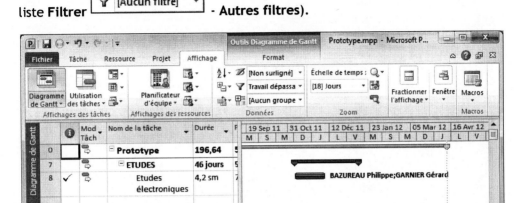

Imprimer les dépassements de budget

⊟ Activez l'onglet **Projet**, cliquez sur l'outil **Rapports** du groupe **Rapports**.

⊟ Réalisez un double clic sur **Coûts**.

⊟ Optez soit pour l'option **Tâches dépassant le budget**, soit pour l'option **Ressources dépassant le budget**.

⊟ Modifiez/vérifiez les paramètres d'impression et de **Mise en page** puis cliquez sur le bouton **Imprimer** pour lancer l'impression ou cliquez sur l'onglet **Fichier** pour sortir du mode Backstage.

Suivre le travail global réalisé sur les tâches

⊟ Affichez la table relative au travail.

*Lors de l'enregistrement de la planification initiale, Microsoft Project a copié les informations **Travail** dans le champ **Planification**.*

⊟ Faites défiler la liste afin de visualiser la colonne **% T. achevé**.

	Réel	Restant	% T. achevé
0	**430 hr**	**667 hr**	**39%**
1	0 hr	0 hr	100%
2	0 hr	0 hr	100%
3	0 hr	0 hr	100%
4	0 hr	0 hr	100%
5	0 hr	0 hr	100%
6	0 hr	0 hr	100%
7	**289 hr**	**343 hr**	**46%**
8	282 hr	0 hr	100%
9	7 hr	343 hr	2%
10	**120 hr**	**30 hr**	**80%**
11	0 hr	0 hr	0%
12	120 hr	30 hr	80%
13	0 hr	0 hr	0%
14	**21 hr**	**273 hr**	**7%**
15	21 hr	63 hr	25%

🗗 Pour les travaux entièrement terminés, renseignez les informations connues sur le travail réellement effectué en tenant compte de cette règle :

- si le travail réel est supérieur au travail planifié, saisissez cette donnée dans la colonne **Réel**.

- s'il est inférieur, saisissez-le dans la colonne **Travail**.

Messagerie électronique

Saisir l'adresse e-mail d'une ressource

⊡ Affichez le tableau des ressources à partir par exemple de l'icône ⊞ de la barre d'état.

⊡ Vérifiez que la **Table : Entrée** est active (onglet **Affichage** - liste **Tables**).

⊡ Insérez le champ **Adresse de messagerie** dans le tableau par la commande **Insérer une colonne** du menu contextuel d'un des en-têtes de colonne de la table.

⊡ Saisissez l'**Adresse de messagerie** de chaque ressource du groupe de travail avec qui vous souhaitez communiquer via une messagerie électronique.

Si la ressource se situe en dehors de votre organisation, son adresse e-mail peut avoir cette syntaxe : prénom.nom@fournisseur.suffixe

⌖ Pour saisir ou modifier l'adresse électronique d'une ressource, vous pouvez également sélectionner la ressource concernée puis ouvrir la boîte de dialogue **Informations sur**

la ressource par l'outil ▭ Informations de l'onglet **Ressource**, et enfin compléter le champ **Courrier électronique** de l'onglet **Général**.

Envoyer le projet par e-mail à un correspondant

⊡ Activez l'onglet **Fichier**, cliquez sur l'option **Enregistrer et envoyer** puis cliquez sur le bouton **Envoyer en tant que pièce jointe**.

L'application de messagerie électronique définie par défaut sur votre ordinateur s'ouvre dans une nouvelle fenêtre.

⊡ Poursuivez l'envoi du message en utilisant les fonctionnalités du logiciel de messagerie.

Si vous utilisez l'application MS Outlook 2010, votre écran sera similaire à celui-ci :

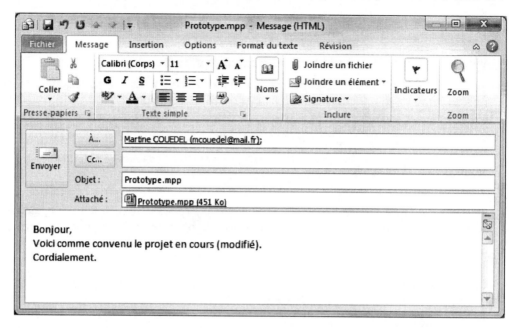

⊟ Envoyez le message suivant la procédure habituelle du logiciel de messagerie.

La fenêtre du logiciel de messagerie se ferme dès que le message est envoyé.

✍ La pièce jointe au message dans cette procédure correspond au fichier entier du projet, de ce fait, le correspondant devra disposer de l'application MS Project pour l'ouvrir.

Importer des données

⊡ Activez l'onglet **Fichier** du Ruban puis cliquez sur l'option **Ouvrir**.

⊡ Dans la boîte de dialogue **Ouvrir**, recherchez puis sélectionnez le fichier à importer.

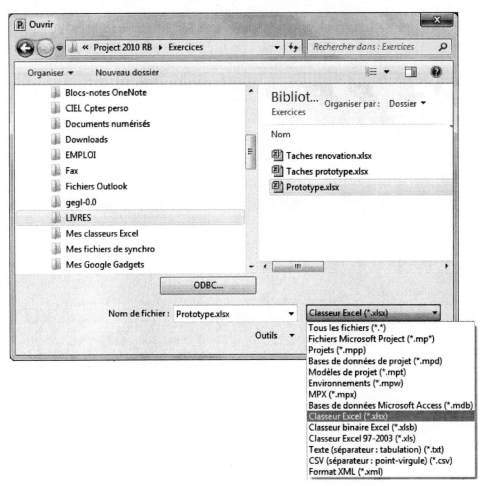

*Notez que la liste déroulante associée au champ **Nom de fichier** vous donne un accès aux types de fichiers exploitables directement dans Project 2010.*

⊡ Cliquez sur le bouton **Ouvrir** pour lancer l'**Assistant Importation** de Project 2010.

🔁 Cliquez sur le bouton **Suivant** de l'**Assistant Importation.**

*Les étapes suivantes proposées par l'Assistant Importation varient selon le **Type** de fichier choisi précédemment. Dans le cadre de notre exemple, nous avons choisi le type **Classeur Excel (*.xlsx).***

🔁 Dans ce cas, l'Assistant vous demande alors si vous souhaitez créer un **Nouveau mappage** ou bien **Utiliser le mappage existant.**

🔁 Choisissez par exemple d'**Utiliser le mappage existant** puis de passer à l'étape **Suivante** afin d'afficher la liste des mappages disponibles.

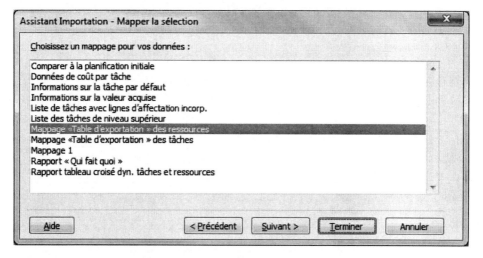

🔁 Choisissez le mappage souhaité, puis cliquez sur le bouton **Suivant**.

*Dans le cadre de notre exemple, nous avons choisi le **Mappage « Table d'exportation » des tâches**.*

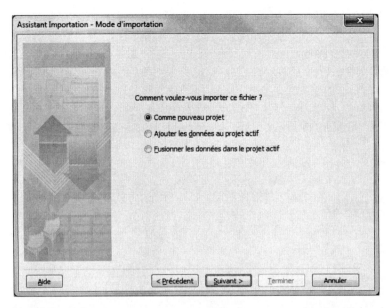

⊡ Répondez à la question **Comment voulez-vous importer ce fichier ?** en activant l'une des trois options proposées, puis cliquez sur le bouton **Suivant**.

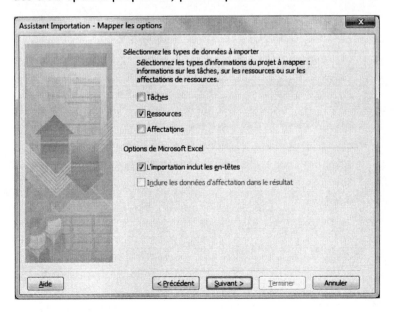

⊟ Sélectionnez à l'aide des options proposées les **types d'informations du projet à mapper** et définissez les éventuelles **Options de Microsoft Excel**.

⊟ Cliquez sur le bouton **Suivant**.

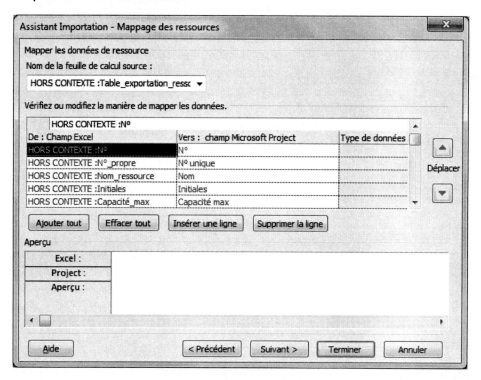

Modifiez, selon votre souhait, la liste des champs ainsi que le nom des colonnes (si besoin) que vous souhaitez retrouver dans le nouveau fichier (classeur Excel dans notre exemple).

⊟ Cliquez sur le bouton **Suivant** si vous avez modifié le mappage et que vous souhaitez **Enregistrer le mappage**.

⊟ Cliquez sur le bouton **Terminer**.

Exporter des données

⊡ Activez l'onglet **Fichier** du Ruban, puis cliquez sur l'option **Enregistrer sous.**

⊡ Ouvrez la liste **Type.**

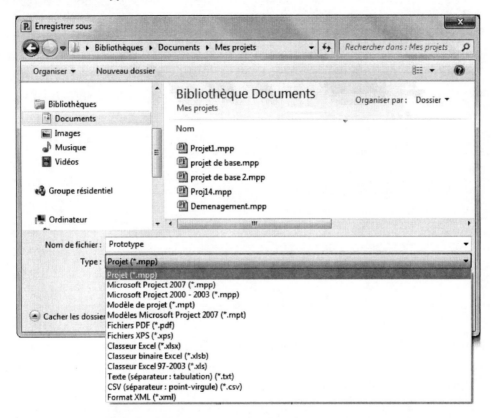

⊡ Cliquez sur le format de fichier dans lequel le projet doit être exporté.

Notez que Project 2010 ne reconnaît plus le format Tableau croisé dynamique de MS Excel.

⊡ Modifiez si besoin le **Nom de fichier.**

⊡ Cliquez sur le bouton **Enregistrer.**

⊡ Cliquez sur le bouton **Suivant** de l'**Assistant Exportation.**

*Les étapes suivantes proposées par l'Assistant Exportation varient selon le **Type** de fichier choisi précédemment. Dans le cadre de notre exemple, nous avons choisi le type **Classeur Excel (*.xlsx)**.*

Dans ce cas, si vous avez choisi le format de données **Données sélectionnées** (au lieu de **Modèle de projet Excel**) à la première étape, l'Assistant vous demande alors si vous souhaitez créer un **Nouveau mappage** ou bien **Utiliser le mappage existant**.

Choisissez par exemple d'**Utiliser le mappage existant** puis de passer à l'étape **Suivante** afin d'afficher la liste des mappages disponibles.

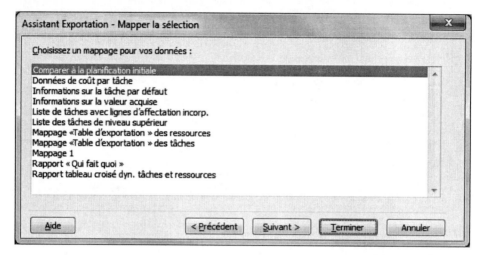

Choisissez le mappage souhaité, puis cliquez sur le bouton **Suivant**.

*Dans le cadre de notre exemple, nous avons choisi le **Mappage « Table d'exportation » des tâches**.*

Sélectionnez à l'aide des options proposées les **types d'informations du projet à mapper** et définissez les éventuelles **Options de Microsoft Excel**.

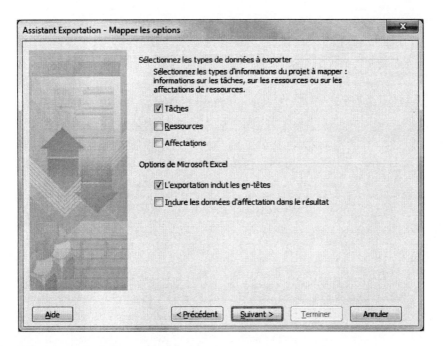

⊡ Cliquez sur le bouton **Suivant**.

⊡ Modifiez, selon votre souhait, la liste des champs ainsi que le nom des colonnes (si besoin) que vous souhaitez retrouver dans le nouveau fichier (classeur Excel dans notre exemple).

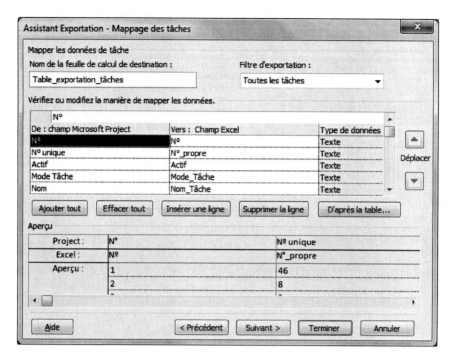

*Notez que toutes les données seront exportées vers Excel au format **Texte**.*

⊟ Cliquez sur le bouton **Suivant** si vous avez modifié le mappage et que vous souhaitez **Enregistrer le mappage**.

⊟ Cliquez sur le bouton **Terminer**.

Un nouveau fichier (classeur Excel dans notre exemple) est aussitôt créé et exploitable dans l'application correspondante.

Établir une liaison OLE avec Microsoft Excel

Cette fonctionnalité permet de créer un lien dynamique depuis Project 2010 vers Microsoft Excel (sous Windows) et vice et versa.

Créer un lien dynamique depuis Project 2010 vers Excel

⊟ Sélectionnez les cellules de votre projet concernées par la liaison.

⊟ Activez l'onglet **Tâche** puis cliquez sur l'outil **Copier** (ou [Ctrl] **C**).

⊡ Ouvrez l'application Microsoft Excel, et le classeur dans lequel vous souhaitez établir la liaison.

⊡ Sélectionnez la cellule à partir de laquelle vous souhaitez copier les données Project 2010.

⊡ Puis, toujours dans l'application Microsoft Excel, utilisez la commande **Collage spécial** puis **Coller avec liaison** (onglet **Accueil** pour la version Excel 2010).

Les données sont aussitôt utilisables dans la feuille de calcul Excel.

Créer un lien dynamique depuis Excel vers Project 2010

⊡ À partir de Microsoft Excel, sélectionnez les données concernées par la liaison puis utilisez la commande **Copier** (onglet **Accueil** pour la version Excel 2010).

⊡ À partir de Project 2010, insérez dans le tableau un champ au format qui convient.

⊡ Sélectionnez la cellule à partir de laquelle vous souhaitez copier les données Excel, puis ouvrez la liste associée à l'outil **Coller** de l'onglet **Tâche**.

⊡ Cliquez sur l'option **Collage spécial** puis sur **Coller avec liaison**.

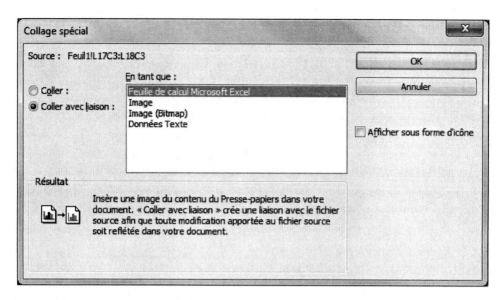

⊟ Dans la liste **En tant que**, sélectionnez le format souhaité.

⊟ Cliquez sur **OK** pour valider.

Indicateurs graphiques

Liste des indicateurs graphiques

<u>Indicateurs de type de tâche</u>

La tâche est une tâche répétitive.

La tâche est achevée.

La tâche est un projet inséré.

La tâche est un projet inséré en lecture seule.

Ce projet a déjà été inséré dans ce projet ou un autre projet principal.

Un calendrier est appliqué à la tâche.

La tâche comporte des calendriers de tâches et de ressources sans correspondances.

<u>Indicateurs de contrainte</u>

La tâche est soumise à une contrainte fixe.
Exemples :
- Fin Au Plus Tard Le (pour les projets prévus à partir de la date de début).
- Doit Commencer Le (pour tous les projets).

La tâche est soumise à une contrainte moyennement flexible.
Exemples :
- Fin Au Plus Tôt Le (pour les projets prévus à partir de la date de début).
- Fin Au Plus Tard Le (pour les projets prévus à partir de la date de fin).
- Début Au Plus Tôt Le (pour les projets prévus à partir de la date de début).
- Début Au Plus Tard Le (pour les projets prévus à partir de la date de fin).

La tâche n'a pas été prévue ou achevée dans le délai de la contrainte.

Indicateurs de profil

La charge de travail de l'affectation est répartie selon un profil croissant.

La charge de travail de l'affectation est répartie selon un profil en cloche.

La charge de travail de l'affectation est répartie entre deux pics.

La charge de travail de l'affectation est répartie avec un pic de début.

La charge de travail de l'affectation est répartie selon un profil modifié.

La charge de travail de l'affectation est répartie de façon décroissante.

La charge de travail de l'affectation est répartie avec un pic de fin.

La charge de travail de l'affectation est répartie selon un modèle en plateau.

Indicateurs divers

Une remarque est attachée à la tâche, la ressource ou l'affectation.

Un lien hypertexte est associé à la tâche, la ressource ou l'affectation.

La ressource nécessite un audit.

La tâche se termine à une date ultérieure à la date d'échéance.

Raccourcis-clavier

Raccourcis-clavier de base

Fichier

| Ctrl | **N** ou | F11 | | Nouveau |

Ctrl **N** ou F11   Nouveau

Ctrl **O**   Ouvrir

Ctrl **P**   Imprimer

Ctrl **S**   Enregistrer

Alt F2   Enregistrer sous

Ctrl F4   Fermer

Alt F4   Quitter

Edition

Ctrl **C**   Copier

Ctrl **X**   Couper

Ctrl **V**   Coller

Suppr   Supprimer

Ctrl **F** ou ⇧ F5   Rechercher

Ctrl **H**   Remplacer

Ctrl **B** ou F5   Atteindre

Ctrl F2   Lier les tâches

Ctrl ⇧ F2   Supprimer lier les tâches

Ctrl **Z**   Annuler

Insertion

Inser   Insérer

Ctrl **K**   Lien hypertexte

Projet

⇧ F2   Informations sur la ressource/sur la tâche

Touches du mode Plan

Alt ⇧ →	Abaisser
Alt ⇧ ←	Hausser
Alt ⇧ -	Masquer les tâches subordonnées
Alt ⇧ +	Afficher les tâches subordonnées
Alt ⇧ *	Afficher toutes les tâches

Activer

Alt Espace ou Alt -	le menu **Contrôle**
F10 ou Alt	la barre des menus

Calculer

⇧ F9	le projet actif
F9	tous les projets ouverts

Fermer

Alt F4	l'application
Ctrl F4	le projet

Afficher

F3	toutes les tâches/ressources filtrées
Alt F3	la boîte **Paramètres de champ**

Raccourcis-clavier

Manipuler la fenêtre du projet

Ctrl F10	L'agrandir
Ctrl F7	La déplacer
⇧ F11 ou Alt ⇧ F1	Nouvelle fenêtre
Ctrl F4	La fermer

Rétablir

⇧ F3	le tri selon un ordre numérique
Ctrl F5	la fenêtre du projet

Touches de l'échelle de temps

Ctrl /	Affichage d'une unité de temps plus petite
Ctrl *	Affichage d'une unité de temps plus grande
(du pavé numérique)	
Alt ← ou Alt →	Faire défiler vers la gauche ou la droite

Touches diverses

Alt F5	Atteindre la surutilisation suivante
F7	Vérifier l'orthographe
F1	Ouvrir l'aide
Ctrl F9	Activer/désactiver le calcul automatique
Ctrl Suppr	Effacer le contenu d'une cellule

Index

Index

Index

Index

Index

Index

Index

Index

Index

Index

S

Index